講談社文庫

流星ワゴン

重松 清

講談社

目次

流星ワゴン

間抜けで哀《あわ》れな父親がいた。

五年前の話だ。

新聞の社会面に小さな記事が載っていた。

見出しは〈初めての家族ドライブ暗転〉——信州の高原をドライブしていた三人家族のワゴン車が、スピードの出しすぎでカーブを曲がりきれず、対向車線にはみ出してトラックと正面衝突した。母親は一命をとりとめたものの、父親と息子は即死。運転していた父親は一週間前に免許を取ったばかりで、マイカーが納車された翌日の事故だったという。

ふだんの朝なら読んですぐに忘れるはずのささやかな悲劇が、妙に胸に残った。最初は「なんだよ、この親父」と声をあげて笑い、新聞を閉じてから少し悲しくなった。

事故に遭《あ》った一家の家族構成と年齢は、我が家とそっくり同じだった。

僕は三十三歳だった。妻の美代子も同い歳。一人息子の広樹は八歳、小学二年生。

我が家の黄金時代だった——いまにして思う。
僕自身の人生の、あの頃がピークだったのかもしれない、とも。

＊

交通事故で亡くなった父親の名前は、橋本義明さんという。息子は、健太くん。橋本さんも健太くんも、事故を起こした五年前と同じ年格好で、僕の前に現れた。二人のいる世界では、時が流れない。

橋本さんは川と小舟に譬《たと》えて話してくれた。川に浮かぶ小舟は、上流から下流へ、やがて海へと流されていく——それが、僕たちの生きている時間だ。橋本さんと健太くんの小舟は、五年前の事故で難破して、川の淀みに入ってしまった。海へ向かうことも、もちろん川をさかのぼることもできず、浮かぶでも沈むでもなく、ずっと同じ場所にある。そして、ときどき、淀みに迷い込んだ小舟と出会う。

僕たちはドライブをつづけたのだ。何日間、と数えることのできない、奇妙なドライブだった。

橋本さんの運転するワゴンは滑るように夜の道路を駆けた。

「いまなら、あんな間抜けな事故、起こさないんですけどねえ」

少し悔しそうに、橋本さんは言った。

ドライブの途中、橋本さんに訊《き》いたことがある。

「どうして僕を選んだんですか？」

橋本さんは笑いながら、「死にたがってたからですよ、あなたが」と答えた。

「わかるんだよね、僕らね、そういうのぜんぶ」

助手席に座った健太くんも嬉《うれ》しそうに言った。

＊

今夜、死んでしまいたい。

もしもあなたがそう思っているなら、あなたの住んでいる街の、最終電車が出たあとの駅前にたたずんでみるといい。暗がりのなかに、赤ワインのような色をした古い型のオデッセイが停まっているのを見つけたら、しばらく待っていてほしい。

橋本さん親子があなたのことを気に入れば——それはどうやら健太くんに選択権があるようなのだが、車は静かに動きだして、あなたの前で停まるだろう。

助手席の窓が開く。顔を出した少年が、健太くんだ。

「遅かったね」と健太くんは言うはずだ。

ドアロックが解除される。

「早く乗ってよ。ずっと待ってたんだから」

健太くんは少し生意気な、しかし元気で明るい男の子だ。

あなたはきっとドアを開ける。自分の意志というより、なにかに吸い寄せられるようにして。

三列シートの二列目に座ってドアを閉めたら、ドライブが始まる。

行き先は尋ねないほうがいい。訊いても無駄だ。健太くんはいたずらっぽく笑うだけでなにも答えてくれないし、橋本さんは黙って、車のスピードをぐんぐん上げていく。

不思議と怖い気はしない。いや、「不思議と」と感じることさえ、ない。

やがて窓の外が明るくなる。

気がつけば、あなたは懐かしい場所――あなたにとってたいせつな場所に立っている。

僕がそうだったように。

1

その夜、僕はひどく疲れていた。

死のう――と決めるほどの気力もなく、酒のにおいがうっすらと漂う最終電車に揺られながら、ぼうっとした頭で思った。

死んじゃってもいいかなあ、もう。

鼻の奥を鳴らして笑った。窓に映る顔は、心底つまらなそうだった。自分はそんなふうに笑う男になってしまったんだと思って、寂しさにまた、同じように笑った。

羽田空港に着いたのは夜九時近かったが、モノレールを降りた浜松町の駅前で、開いている焼鳥屋を探して寄った。山手線で新宿まで出て、私鉄に乗り換える前にまた酒を、今度は売店のワンカップを飲んだ。

ほろ酔いの助けを借りて、さっきまでうたた寝をしていた。時間にすればほんの十分たらずだったが、深く眠れた。暗い穴ぼこに落っこちていくような眠りだった。

あのまま目が覚めなければよかった。日曜日の夜、がら空きの終電のロングシートに座り込んだまま息絶えるというのも、悪くない。悔いや心残りがまったくないと言えば嘘になるが、それが多少なりともあるうちに死んでしまうほうが幸せなのかな、という気もしないではない。

電車は小さな駅のひとつずつに停まり、数少ない客を入れ替えながら、僕の街へ向かう。各駅停車だと新宿から一時間半はゆうにかかる、東京の西のはずれ。車で数分も走れば神奈川県に入る、ニュータウンと呼ぶほどには規模の大きくない住宅街だ。駅から我が家までは、急な坂をのぼって徒歩十五分。昼間の仕事でかろうじて残った体力と気力は、たいがいこの坂道で尽きる。

マンションの玄関で「ただいま」を言うときの僕は、いつも抜け殻だったのかもしれない。難しいことを考えたくなかった。家族の笑顔と、遅い夕食と、風呂と、ベッド。欲しいのはそれだけで、よけいなものは背負いたくなかった。「俺はどっちでもいいよ」と美代子に数えきれないほど言った。「おまえに任せるから」と、頭で考えるより先に口が動いていたのだった。

その報いが、いま……と思いかけて、やめようぜ、と薄く目をつぶる。

反省や後悔を始めればきりがないし、もうそんな時期は過ぎた。なにを言っても、なにを考えても、どうにもならないし、どうにかしようという気も、いまはもう失せた。

夢も希望もない。

子どもの頃には歌かコントかマンガの台詞《せりふ》でしかなかった言葉が、疲れが溜《た》まると腕をまわしただけで鈍痛がする両肩に——医者に言わせると少し早めの四十肩らしいのだが、とにかくそのくたびれた両肩に、ずしりとのしかかって離れない。

電車はまた一駅、僕の街に近づいた。

死んじゃってもいいんだよなあ、べつに、とため息交じりに腕を組み替える。

なーんかもう、疲れちゃってさあ、ぼく、もうヤなんだよね……。

子どもみたいに心の中でつぶやいて、じゃあ死ねよ、うるせえなあ、とすごんだ声で返した。

駅を出た電車は少しずつスピードを上げる。街の灯はだいぶまばらになった。もうすぐ電車は多摩川の鉄橋を渡る。そこを境に気温がぐんと下がって、窓が白く曇ってくるだろう。秋の終わりだ。ふるさとの父親はたぶん年を越せないだろうと、今日、医者に言われた。

ふるさとに日帰りした。羽田空港から飛行機で一時間半たらず。「帰郷」と呼ぶにはあっけない旅だ。空港からレンタカーで、瀬戸内海に面したふるさとの町へ向かう時間のほうが長い。

この半年間、月に二度か三度の割合で帰っている。最初のうちは土日を使って一泊していた。最近は、がらんとした家で母と差し向かいになるのも気が重く、病院からそのままとんぼ返りするようになった。

帰るたびに、父の体は縮んでいく。夏の頃は僕が見舞いに訪れると母や付添婦さんの助けを借りてベッドに起き上がっていたが、今日は最初から最後まで横になったまま、落ちくぼんだ目でぼんやりと天井を見つめていた。

告知はしていなくても、さすがに本人も勘づいてはいるだろう、父はガンだ。肺から始まって、膵臓《すいぞう》から腎臓《じんぞう》、肝臓《かんぞう》へと転移して、脳も冒されつつある。背中と頭の痛みがあまりひどくなるようならモルヒネを打つことも考えている、と医者は言う。五月に入院したとき、すでにガンは末期の状態で、夏までもたないだろうというのが医者の診断だった。

だが、父は生きて夏を越した。もともと自分にも他人にも厳しい性格のひとが、弱っていく体にいらだってさらに狷介《けんかい》に、怒りっぽくなって、付添婦を何人も辞めさせ、看病する母や妹の智子に当たり散らしながら、ただ生きているというだけの生を半年間つないできたのだった。

医者は父の生命力に驚いていた。母は「お父ちゃんは心根の強いひとじゃけえ」と感心したように言って、僕より三つ年下の智子は「根性があるんよね、こげなところで死ぬわけにはいかんのじゃあ、いうて」と父の声色をつかって笑う。確かに、父はまだ六十三歳で、やりたいこともやらなければならないこともたくさん背負っている。

父は裸一貫から事業を興《おこ》し、成功させた。工務店を振り出しに、いくつもの会社を持っていた。その中でも、僕の中学生時代にいちばん力を入れていたのは、金貸し――サラ金だった。

事業はおそろしいほどうまくいっていた時期もあったし、なにをしても悪いほうへ悪いほうへと転がってしまう時期もあった。濡《ぬ》れ手で粟《あわ》で手に入れた会社もあれば、父はかたちだけのトップに祭り上げられ、経営の実権を別のひとに握られてしまった会社もある。バブル景気がはじけたあとはずっと下り坂だったが、智子に言わせれば「お兄ちゃんが跡を継がんことがはっきりしてから、お父ちゃん、がくーって老け込んでしもうたんよ」。

ほんとうかどうかは知らない。父と二人きりで話をしたことなど、中学生になってからはほとんどなかった。

父は自分の後継者に娘婿——智子の夫の伸之を据え、還暦を過ぎてからは少しずつ仕事を任せてきた。京都大学の法学部出身で商社マンの経験もある伸之は、歳こそ三十代半ばの若さだが、父の期待以上に優秀だった。なにごとにも攻めつづけるタイプの父に対し、伸之は守りを固めるのが得意な性格で、バブル崩壊後の長い不況を乗り切るにはうってつけの二代目だった。父も伸之のことを信頼し、さらに大きな期待をかけ、地元の国会議員などには「わしの息子です」と紹介していたらしい。

そんな伸之が、いまは病室に出入り禁止になった。

脳に転移したガンのせいか、なにかの薬の副作用なのか、夏頃から父は急に疑り深くなり、親しいひとを憎々しげなまなざしでにらむようになった。疑心暗鬼になって錯乱に近い状態に陥るときもある。親身になってくれていた付添婦さんは泥棒の濡れ衣を着せられて辞めていったし、会社の秘書室長を二十年来つとめてきた西山さんも身に覚えのないことで責められ、口汚く罵《ののし》られたすえに辞表を書いた。あれほど信頼していた伸之のことも、先月から「あいつはわしの会社を乗っ取るつもりなんじゃ」と言いだした。伸之が見舞いに来ても一言も口をきかず、横を向いたきり目も合わせず、もはや実際にそうする体力は残っていないのだが、白湯《さゆ》の入った吸い飲みを伸之に投げつけようとしたこともあったという。

僕には、父はなにも言わない。見舞いを喜びもしない代わりに嫌がることもない。僕もほとんど声はかけない。見舞いというより墓参りをしているような気分で、ただぼんやりと、ゆるやかに死んでいく父を見つめる。

秋の初め、智子に勧められて、父を車椅子に乗せて病院の中庭を散歩させたことがある。父はそのときもとりとめのないことを二言三言しゃべっただけで、僕もコスモスがきれいだとか今日は海が凪《な》いでいるとか、あたりさわりのない話しかしなかった。中庭の遊歩道を一周するはずだった散歩は、真ん中を横切る小径を通って、半分の道のりで終わった。病室に帰ってくると、母と智子は、やれやれ、というふうに力なく笑った。その日が、父が病棟の外に出た最後の日になった。

父は、あとどれくらい生きるのだろう。

なぜ、生きるのだろう。

ベッドに寝たきりになり、流動食や点滴しか受けつけなくなり、シモの世話も母や智子に頼って、それでもなぜ、生きなければならないのだろう。

父が僕に自分から話しかけるのは、たいがい、病室をひきあげる間際だ。

今日もそうだった。

「仕事は、がんばってやっとるんか」

しわがれた、細い声で言う。「働き盛りじゃけえのう、しっかりやれえ」と白い無精髭《ひげ》の生えた顎《あご》を小さく振る。

そうだね、と僕も薄く笑い返す。

「美代子さんと、広樹は、元気でやりよるんか」

「元気だよ」

「よろしゅう言うといてくれえ」

「うん……わかった」

折り畳み椅子から腰を浮かせると、父は母に「おい」と声をかけ、ベッドの横の戸棚を目で示す。これもいつものことだ。夏までは自分で歩いて戸棚の抽斗《ひきだし》を開けていた。秋の半ばまでは指さすこともできた。医者に見せられる数字やグラフやレントゲン写真より、そういうことのほうが遥かにはっきりと、父が衰弱していることを教えてくれる。

母は戸棚から社名入りの茶封筒を出した。『丸忠コーポレーション』――父の名前は忠雄、「忠」を丸で囲めば、社章になる。

封筒には「御車代」と表書きがしてある。中に入っているのは、一万円札が五枚。往復の飛行機代にレンタカーの料金を足しても、じゅうぶんお釣りの来る額だ。

僕はそれを黙って受け取る。封筒をジャケットの内ポケットに収めたあとは、妙にしぐさがそそくさとしたものになってしまい、別れの挨拶《あいさつ》もそこそこに病室を出ていく。

駐車場に停めた車に乗り込むと、エンジンをかける前にしばらく目をつぶる。後ろめたさの溶けた息をゆっくりと吐き出す。

父は訝《いぶか》しく思ってはいないのだろうか。半年間、美代子も広樹も一度も見舞いに来ていない。これからも——たぶん父の葬儀にも顔を出さないだろう。

我が家は、壊れた。かけらを貼り合わせることもできないほど、粉々に砕けた。そして、僕は、父からの「御車代」がなければふるさとに帰ることすらできない。もっと正直に言おう。「御車代」と交通費の差額が欲しくて、僕は足繁く帰郷しているのだ。

七月に職を失った。中高年社員を対象としたリストラに、自分が中高年なんだという自覚もないうちに、ひっかかってしまった。半年間は転職猶予期間ということで月収の五〇パーセントを支給されているが、それも間もなく終わる。再就職先の目処《めど》はたっていない。つてを頼り、ハローワークに通い詰めても、最終面接まで漕《こ》ぎ着けた会社すら、まだ一つもない。

病院からの帰り道の運転は、だから、乱暴になる。東京に帰りたくない。ふるさとにもいたくない。どこかに、どこでもいい、遠いところへ行ってしまいたい。信号が赤に変わったばかりの交差点をつっきることもある。田舎道の交通量の少なさを、恨めしく思いながら。

切り通しの底につくられた駅のホームに降り立つと、足元から這《は》いのぼってくる寒さに身震いした。

その場にたたずんだまま、発車のチャイムもなく走りだした電車を見送り、それが闇に消えると、のろのろと歩きだす。改札につづくエスカレータは、この時間になるともう動いていない。長い階段だ。ほんとうに、嫌になるほど長い。

改札を抜けた。目の前に、ひと気のない駅前ロータリーが広がる。客待ちのタクシーすらいない。もう、日付は月曜日に変わった。

明かりが煌々《こうこう》と灯っているのは、駅前通りに面したコンビニエンスストアだけだ。酒屋から転業したこの店は、酒が二十四時間買える。高校生ふうの少年たちがどやどやと店に入ってきて、こともなげに缶ビールやウイスキーを買うところを何度も目にしていた。どう見ても中学生の少年や少女がグループに交じっていることもあるし、ひどいときには店の前で酒盛りを始める連中までいる。

いまは店の前には誰もいない。ガラス張りの店内も閑散としている。ウイスキーのポケット瓶《びん》とおにぎりを二つ買った。無愛想な若い店員が金額を告げる。財布の小銭では足りなかったので、ジャケットの内ポケットから「御車代」の封筒を出した。

「一万円で悪いけど……」

返事はなかった。そっけないしぐさでレジにしまわれる一万円札を見ていると、胸がちくりと痛む。

袋を提げてまたロータリーに戻り、バス乗り場のベンチに座った。ウイスキーを一口啜《すす》って、おにぎりをかじる。駅の明かりが、いま、消えた。ロータリーを照らすのは数本の街灯だけだ。

遠くで、マフラーをとりはずしたオートバイの音が聞こえた。いらだたしげにエンジンを吹かしている。

いま、オヤジ狩りに遭ったら一発でアウトだな。ふと思ったが、べつに怖いとは感じなかった。それでもいいかあ、と晴れた夜空を見上げて、口の中のおにぎりを呑《の》み込んだ。

来るなら来ればいい。やるなら、やれ。どうでもいい。僕はほんとうに疲れきっていて、夢も希望もなくしていて……もう死んだっていいや。

ウイスキーをもう一口、今度は呷《あお》るように飲んで、ふーう、と息をつき、なにげなくロータリーに目をやった。

中央の植え込みの向こうに、車が一台停まっていた。ワゴン——ワインカラーのオデッセイ。ヘッドライトは点《つ》いていないし、エンジンも消えている。いま来たばかりではなく、もうずっと前からそこに停まっているようなたたずまいだった。だが、僕は車の側のロータリーをついさっき通ってきたばかりなのだ。見逃していたのだろうか。いや、しかし、さっきはあの位置からバス乗り場が見渡せたはずなのだが……。

怪訝《けげん》に思っていると、オデッセイは静かに動きだした。

ひとが乗っていたのか？

さらに困惑しているうちに、オデッセイはバス乗り場の前まで来て、停まった。

助手席の窓が開く。

男の子が顔を出して、にこにこ笑いながら言った。

「遅かったね」

ドアロックを解除する音が、かすかに聞こえる。

「早く乗ってよ。ずっと待ってたんだから」

それが、橋本さん親子との出会いだった。

2

車の中は暖かかった。頬《ほお》だけが火照《ほて》り、足元が冷え冷えとするカーエアコンの暖気ではない。もっと当たりがやわらかで、おだやかな温《ぬく》もりだった。

二列目のシートに座り、ドアを閉めると、オデッセイはゆっくりと動きだした。エンジンの音はほとんど——まったく、聞こえない。発進もなめらかだった。まるで、デパートの屋上にある電動自動車みたいに。

ロータリーの出口を左折して、駅前通りに入った。我が家へ向かうのとは逆の道だったが、ハンドルを握る橋本さんはごくあたりまえのようにウインカーを左に出した。僕もなにも言わない。頭がぼうっとしているわけではないのに、考えがまとまらない。いま自分がなにをしているのか、どうしてこうなったのか、ウイスキーとおにぎりはどこにいったのか、筋道を立てる前に言葉がばらばらになってしまう。

橋本さんは僕より少し若い、三十代前半の年格好のひとだった。痩《や》せていて、髪が薄い。頭のてっぺんの後ろ側の地肌は、透けるというより、髪で覆われている部分のほうが少ない。

健太くんは小学二、三年生というところだろうか。スポーツ刈りの髪の毛の、後ろだけかなり伸ばしていた。これも、一昔前というほどではない何年か前の男の子に多かった。

エンジンの音はあいかわらず聞こえない。風を切る音もない。ふるさとで父が乗っているセルシオよりも静かだ。フロントガラスやサイドウインドウを流れていく景色だけが、いま車のスピードがどんどん上がっているんだと教えてくれる。

最初の信号は青。次の信号も青。その次も、さらにその次も、信号は青だった。前を走る車は見えない。すれ違う車もない。タイヤが路面に着いている手ごたえも、いつのまにか、もしかしたら最初から、なくなっていた。

さすがにぞっとした。酔ったあげくベンチで寝込んで、夢でも見ているのだろうか。シートから背中を浮かせたとき、助手席の健太くんが僕を振り向いた。

「夜のうちにね、遠くまで行かなきゃだめなんだ」

「……はあ？」

「おじさん、どこまで行きたい？」

きょとんとする僕に、今度は橋本さんが、前を向いたまま言った。

「田舎のお父さん、あと四、五日というところですね。よくがんばったんですが、いよいよ、です」

「あの……」僕は運転席と助手席の間に身を乗り出した。「すみません、失礼ですが、同じマンションかなにかでしたっけ、ちょっと酔っぱらってるんで、よくわからないんですが」

健太くんが笑った。橋本さんも、まいっちゃうなあ、というふうに肩を軽くすくめる。

「おじさん、死にたいと思ってたでしょ、さっき」と健太くんが言うと、橋本さんは「違う違う」と打ち消した。「死んでもいいと思ってたんだ。そうですよね？」

僕は黙ったままだったが、橋本さんは話をつづけた。

「奥さんと息子さんのことも、いろいろ大変ですよね。お察しします」

「ほんとにどこかで……」

「会ってません。初対面です」

目に映るものの厚みはちゃんとある。声も耳の奥まで届いている。唇をそっと嚙《か》んでみると、痛かった。

「初対面は初対面なんだけど」健太くんが言った。「おじさんは僕たちのことをぜんぜん知らないってわけじゃないんだよ」

そう、と橋本さんもうなずいた。

「朝に知り合って夕方には忘れられちゃったんですけど」

「いつですか？　それ」

「五年前ですかね」

「どこでお目にかかったんですか」

「お宅のダイニングキッチン」

すぐに健太くんが訂正──「違うよ、いっとう最初はトイレの中だったんだ」。

頭がくらっとした。不安定な姿勢で身を乗り出しているのがつらくなって、背もたれに体を預けた。

しばらく話が途切れた。沈黙の間もオデッセイは走りつづける。窓の外は、いつしか真っ暗な闇になっていた。信号は、青、青、青、青、青、青……高速道路の照明のように、どこまでも。

橋本さんが、また口を開いた。

「初めてのドライブだったんです」

健太くんが「最初は近所をぐるっと回るだけでいいって言ったのにさ、僕」と不服そうに言う。

そこからは橋本さんと健太くんの掛け合いになった。

「私ね、もともと子どもの頃から不器用だったんですよ。自転車だって五年生になるまで乗れなかったし、スキーも中学生のときに学校で、スキー合宿っていうんですか、それで生まれて初めて滑って、その日のうちに転んで臑《すね》を骨折しちゃってね、なにをやらせてもだめなんです」

「僕の工作の宿題だってさあ、パパが手伝うとよけいへたになっちゃうんだよね」

「なに言ってるんだ、味を出したんだよ、素朴な味」

「でも、パパ、サランラップだってうまく切れないじゃん」

「うるさいなあ……ま、そういうわけでしてね、車の運転なんて、もう端《はな》っから自分ができるなんて考えてもみなかったんですよ」

「僕には、人間なんでもチャレンジだ、って言ってたくせにさ」

「おまえほんとにうるさいよ、ちょっと黙ってなさい」

「ねえ、おじさん、おじさんは何歳で免許取ったの?」

不意に話を振られて、計算するまでもなく出てくるはずの答えに詰まったら、橋本さんが「十九歳のときですよね」と言った。正解。大学二年生の夏休みだ。でも、どうして――?

「それでね」橋本さんはすぐに話に戻る。「まあ、東京で暮らすぶんには運転免許ってどうしても必要ってわけじゃないでしょ。就職先も銀行でしたから、仕事で車に乗ることもまずないし」

「でもさ、ママ言ってたよ、パパが車を運転できれば支店長さんがゴルフに行くときに送り迎えできるのに、って」

「そういう問題じゃないんだよ、いいから、ほんと、おまえうるさいんだ。話が先に進まないだろう。三分黙ってろ、な、三分」

「はーい」

健太くんは口にチャックをする手振りをして、ようやく前に向き直った。

「で、私、どこまで話しましたっけ」

「……銀行に就職して、っていうところです」

「そうなんですよ、ええ、だから車の免許なんて必要ないと思ってたんです。もし、どうしても必要になったときには、女房が免許持ってますからね。まあ、そんなぐあいでずっとやってきたんです」

なるほど、と僕はうなずいた。

「でもねえ……」自分の言葉に先回りして、橋本さんはため息をつく。「それじゃ、だめなんですよねえ」

父親——という言葉を、少し強い響きで口にして、つづける。

「父親なんですもん、私。デパートに買い物に行くときぐらいは母親の運転でもいいですけど、遠出のドライブはね、やっぱり、父親がのんきに助手席に座ってたんじゃ格好つかないでしょう」

そこまで言うほどのことではないだろうと思ったが、橋本さんの口調に迷いはなかった。

「がんばりましたよ。たまたま雑誌見てたら、アウトドアの特集でしてね、親父と息子が二人でドライブして、渓流釣りだったかな、キャンプだったかな、とにかくすごくいい雰囲気のグラビアがあったんですよ。これぞ正しい親父と息子っていう感じで。それを見てね、私、決めたんです。息子と……健太と二人でドライブに行くぞ、女房抜きで、男どうし、いろんな話をして……」

「単純なんだよね」――約束の三分間はたっていなかったが、健太くんが口を挟んだ。

「純粋なんだよ、なに言ってるんだ」

「ま、いいけどさ」

「でも……やっぱり、単純なんですよね。単純っていうか、不器用なんですよ、とにかく。息子とうまくやっていきたくて、ほかに方法も見つからなくて、いまにして思えばね、免許を取ったからってどうなるわけでもないのに、あのときは夢中でしたから、とにかくドライブだ、ドライブさえすればいい父親になれるんだ、って」

橋本さんの言葉に微妙な苦みを感じて、「息子さんと仲いいじゃないですか」と言ってみた。「うらやましいほどですよ」と、本音交じりで。

だが、橋本さんも健太くんもそれには応えず、話を先に進めた。

「自動車学校に通いました。三十三歳にして一念発起っていうやつです」

「すっごい時間とお金がかかったんだよね。仮免の試験、何回落っこちたんだっけ」

「三回。卒業検定が四回。教習所の新記録でした」

「自動車学校の先生もね、もし卒業試験にあと一回落ちたら、いままでのお金ぜんぶ返すから運転はあきらめたほうがいいってパパに言うつもりだったんだって。けっこう良心的な学校だよね」

「それでも、五回目の卒業検定に受かって、幸か不幸か……」

「不幸だよ」

健太くんはぴしゃりと言った。

橋本さんも、まあそうだな、とうなずいた。

「とにかく免許を取ったんですよ。嬉しくってねえ、私、英検の二級を持ってるんですけど、そのときよりも嬉しかったな、うん。ほんとうに嬉しかった。鮫洲《さめず》の試験場で免許証をもらって、その足で車を買いに行ったんですよ」

「なにを買うか決めてたんですか？」

「そりゃあもう、カタログだけで何十通と集めましたから。いろんな角度から検討しましてね、考え抜きましたよ」

「僕もママも、ちっちゃな車のほうが運転しやすいよって言ったんだけどさ」

「オデッセイが欲しかったんです。なんていうか、すごく家族の車っていう感じがして。デザインも気に入ったし、装備も充実してたし、ご存じですか？『オデッセイ』の意味」

「冒険、でしたっけ」

「そう、長い冒険旅行。古代ギリシアの叙事詩に『オデュッセイア』というのがあるんですが、それがそもそもの語源なんです。いいですよね、そういうの。名前だけでもわくわくしちゃうでしょう」

「ウチのパパ、松本零士のコミックスぜんぶ持ってるんだよ」

「ジュール・ヴェルヌも好きだったんですよ。『海底二万里』なんて、何十回読み返したかわかりません」

「自分は泳げないんだけどね」

「……うるさいなあ、ほんと、おまえは」

「それでオデッセイをお買いになったんですか？」

「そうそう、やっぱり最終的には名前でしたね。買ったんです、オデッセイ。三十六回ローン組んで、任意保険も大きいのに入って。納車までの間は、ああいう気分ってどう言えばいいんでしょうね、子どもと同じですよ、どきどきしちゃって」

僕はあらためて車内を見まわした。オデッセイに乗るのは初めてだった。我が家の車はウイングロード。車検を三回通して、走行距離は五万キロを超えた。だが、最近はほとんど乗っていない。たまに車でどこかに出かけても、助手席にもリアシートにも乗るひとはいない。車を処分すれば、どれくらいの生活費になるだろう……。

「金曜日の夕方に納車されて、土曜日の朝にドライブに出かけたんです」

橋本さんが言った。

「マンションの駐車場から出るときに、いきなり向かいの家の塀にこすりそうになったんだけどね」と健太くんが笑う。

「秋晴れの、いい天気でした。絶好のドライブ日和《びより》って感じで」

「中央高速も空いてたし」

「気持ちよかったですよ。助手席に息子が乗って、こう、並んでるわけですよね、親父と息子が。憧れてたんですよ、自分には無理だとあきらめながら、やっぱり、どこかで、ずうっとね」

健太くんは「子どもを助手席に乗せるのって非常識だと思わなかったの？」と言ったが、その声は僕の耳をすり抜けていくだけだった。別のことを考えていた。広樹と最後にドライブに出かけたのはいつだっただろう。まだ小学校を卒業する前だったっけ。車に乗らなくてもいい、広樹と僕が同じ時間を過ごしたことは、四月から何度あって、いつ終わったのだろう。

僕の反応が鈍かったのが不満なのか、健太くんはもう一度言った。

「ふつう、子どもは後ろの席だよね。おじさんちもそうでしょ？」

「息子が小学生の頃は、そうだったかな」

「それが常識だよね。エアバッグが付いてても、危ないんだよ。だから僕、最初に言ったんだ、ママが二列目で、僕が三列目に座ればいいんじゃないの、って」

「三列目だと追突されたら危ないだろう」橋本さんが言う。「二列目に二人で並ぶと少し窮屈だし……」

「窮屈でも、死ぬよりましだよ」

一瞬、間が空いた。いくら子どもの冗談でもタチが悪いんじゃないかと鼻白みかけた、そのときだった。

「ほんとだよなあ」と橋本さんはおかしそうに笑った。

「でしょう？」と健太くんも、まいっちゃうよ、というふうに笑う。

そして、橋本さんは笑顔のまま言った。

「やっちゃったんですよ、私」

「はあ？」

「事故です。蓼科《たてしな》のほうのビーナスラインってあるでしょ、あそこを走ってて、つい景色に見とれちゃいましてね、カーブでセンターラインからはみ出して、トラックにドカーン、でした」

「サイテーだよね」

「息子に申し訳がたたなくってねえ、かわいそうなことをしました」

「いや、あの……でも、いまは、ほら、元気に……」

「死んじゃいました」

さらりと言った。

「二人とも、即死」

健太くんの口調も軽かった。

「そういう交通事故があったの、あなたも覚えてるでしょ？　五年前ですよ。間抜けな父親の、哀れな交通事故」

思いだした——と同時に、息が詰まり、唇がわななないた。

「おじさん、トイレの中で朝刊読んだんだよ。失礼だよなあ」

「しょうがないさ、おとなはみんな忙しいんだから」

僕は震える息を継いだ。

「日本中のひとに笑われましたよ」と橋本さんは言った。

「僕は日本中のひとに同情されたけどね。ワイドショーも来たんだ」

「こいつね、同級生のサナエちゃんが泣いてくれたっていうんで、すごく喜んでたんですよ」

「そりゃあ嬉しかったけどさあ、やっぱ、悲しかった」

「まだ八歳だったんですよ」

「人生、これからだったのに」

「申し訳ないことをしたと思ってます。父親失格ですよね」

「パパはすごく後悔してて、僕はめっちゃ悔しくて、だからいつまでたってもジョーブツできないの」

ジョーブツ――成仏、でいいんだよな。

「おかげで運転はすっかりうまくなりましたけどね」

橋本さんはそう言って、ハンドルを軽く掌で叩《たた》いた。

「さあ、もうちょっと急ぎましょうか」

「夜のうちに遠くまで行かなくちゃね」

前方の信号は、青、青、青、青、青、青……ゆるやかに蛇行しながら。

沈黙のなか、オデッセイは滑るように、飛ぶように、夜を駆けていく。自分たちの正体を明かしたあとは、橋本さんも健太くんも黙り込んだ。健太くんの体はシートの背もたれに隠れて、スウェットのハーフパンツを穿《は》いた脚しか見えない。寝ているのかもしれない。

ジョーブツできない幽霊が眠るのかよ、と苦笑交じりに首をかしげる僕も、二人に声はかけない。窓の外は闇だ。明かりはなにも見えない。方角で言うなら南に向かっているはずだが、いまの位置を確かめても意味がないことぐらいは、もう受け容れた。

最初の驚きが消えると、あとは自分でも意外なほど冷静だった。目の前の出来事にどんなに困惑していても、頭の芯や胸の奥が、どうだっていいや、と醒《さ》めていた。

僕は死んでいるのかもしれない。それでも、いい。バス乗り場のベンチで心筋梗塞《こうそく》でも起こしたか、脳溢血《のういっけつ》か、背後から忍び寄ってきた誰かに金属バットで頭を割られたのか。いずれにしても、きっと一瞬のことだったのだろう。痛みも苦しみもなかった。自分の体が日ごとに衰えていく悲しみや歯がゆさも味わわずにすんだ。ふるさとの父もこんなふうに死ぬべきだったのだ。

僕の死体は誰が見つけるのだろう。すぐに発見されることはないはずだ。夜明け前、始発電車を迎える駅に明かりが灯り、当直の駅員があくび交じりに改札のまわりをホウキで掃除しながらバス乗り場のほうにふと目をやって、それから。

救急車が駆けつける。パトカーも来るだろう。身元は免許証でわかる。「御車代」の封筒も見つかってしまうのが、少し恥ずかしいけれど。

美代子は泣いてくれるだろうか。泣いたあとで怒るかもしれない。生命保険を解約したことを——その前に会社をクビになったことも、けっきょく言えずじまいだった。

広樹はどうだろう。悲しんでくれとは言わない。父親の死をきっかけになんとか立ち直ってほしいと願うのも、あいつにとってはうっとうしいだけだろう。ただ、自分の家族が一人いなくなった、もう二度と会えない、そのことにほんの少しでも感情が揺れてくれれば、それだけでいい。

窓に顔を近づけた。外の景色はわからない。一面の闇だ。背後になにかを隠しているのではなく、どこまでいっても涯《はて》のないような、深い闇。

ああ、俺はひとりぼっちなんだな、と思った。

三十八年生きてきて、数えきれないほどのひとに出会い、いくつもの——ときにはがんじがらめにされてしまうほどたくさんの関係を結んできたのに、最後はひとりぼっちだった。そばには誰も残らなかった。「人間は一人で生まれて一人で死んでいくものだ」と訳知り顔の言葉を思い浮かべ、消しゴムをかけるように、それがどうした、と笑う。

父のことを思いだす。父は強いひとだった。怖いひとで、冷たいひとで、ひとりぼっちのひとだった。

この半年間、父を思いだす機会が増えた。思い出をたどったり懐かしんだりというのではなく、あのひとだったら——と考える。

あのひとだったら、理不尽なリストラ人事を会社から突きつけられたらどうしただろう。

あのひとだったら、我が家から心の離れてしまった妻の背中にどんな言葉をかけるだろう。

あのひとだったら、笑わなくなった一人息子の肩をどんなふうに叩くだろう。

あのひとだったら、かつて憎んでいた父親が枯れ枝のように衰えていくのを、どんなまなざしで見つめるだろう。

あのひとは三十八歳の頃、どんなことを考え、どんなことに悩み、どんなことを夢見ていたのだろう……。

「泣いてるんですか？」

橋本さんが言った。

僕は黙っていた。

「ちょっと休憩しませんか。外の風にあたりましょうよ」

車は加速したときと同じように、静かにスピードをゆるめた。

「いま、どこなんですか？」

橋本さんは僕の質問には答えず、「四十年近く生きてると、人間、いろいろありますよね」と笑った。

車が停まる。窓の外の暗闇に、ぽつりぽつりと町の灯が浮かびあがった。

「もうすぐ夜が明けますよ」

そんなに長い時間乗っていた――？

訝しむ僕をよそに、橋本さんは車から降りた。ドアを開けたとき車内に流れ込んだ風には、潮《しお》のにおいが溶けていた。

懐かしい、ふるさとのにおいだった。

3

車は胸の高さほどの防波堤の前に停まっていた。波の音はおだやかで、沖には島影が幾重にもかさなりあって浮かんでいた。船の明かりが遠くで瞬《また》きながら、一列に並ぶ。瀬戸内海――間違いない。ここは、僕のふるさとの海だ。

橋本さんは階段で防波堤の上にのぼり、気持ちよさそうに伸びをした。

「いいところですねえ、のんびりしてて」

僕は車の横に立ちつくしたまま、海を見つめる。暗がりに目が慣れてくると、島影の形もわかってきた。いちばん手前の大きな島とこちら側とに橋が架かっている。五、六年前に開通したときに税金の無駄遣いだとさんざん批判された、有料道路の通る橋だ。この角度で見えるということは、いま、僕たちがいる場所は、父の入院している病院の建つ丘の真下だ。振り向いて仰ぐと、病棟の屋上に掲げられた看板の端が見えた。

「いま、お父さん、ひどく苦しまれてますよ。嫌な夢を見たんです。意識も混濁してきて、当直医の先生がとりあえず鎮静剤を打って……明日の朝には主治医の、医局長さんでしたよね、その先生がモルヒネの使用を奥さんに勧めるはずです」

「わかるんですか、そういうの」

「ええ、だいたいはね」

「女房や息子のことも、ご存じでしたよね」

「はい、だいたいのことは」

「……まいっちゃうな」

「でも、そういう相手と会ってるほうが楽でしょ？　見栄を張ったり嘘をついたりしなくていいだけでも」

橋本さんは防波堤の上に座り込んで、僕を手招いた。

「こっちに来ませんか。遠いと声が大きくなって、健太が起きちゃうかもしれないから」

助手席の窓から中を覗《のぞ》き込むと、健太くんは首をかくんと左に倒し、口を半開きにして寝入っていた。

「やっぱり眠るんですね」

「いや、だから、健太くん……」

ああ、と橋本さんはうなずいて、まじめくさった顔で言った。

「寝てるんじゃなくて、死んでるんですけどね」

笑っていいのかどうか、よくわからない。

「でも、この二、三年ですよ、健太がぐっすり寝てくれるようになったのって。最初のうちはね、パパの運転なんかもうぜったいに信じないからって、寝てくれなかったんですよ。体は眠ってるのに、窓の上のグリップですか、あそこをぎゅっと握って、目をつぶらないんですよ、背筋も伸ばしたままで」

「じゃあ」僕は階段をのぼりながら言う。「いまはパパの運転、信頼してるんだ」

「というか、わかったんじゃないですか、あいつも。一度死んじゃったんだから二度も死ぬことなんてありえないんだ、って」

橋本さんは自分の言葉にハハッと短く笑ったが、すぐに真顔に戻って、ため息交じりにつづけた。

「寝てくれるようになってからも、しばらくのうちは大変でした。うとうとすると、すぐにうなされて、しまいには大声で絶叫するんですよ。事故の瞬間のこと、あいつ、見てますからね、ぜんぶ」

「なにがですか？」

僕は黙って、橋本さんの隣に座った。橋本さんは海を見つめていた。寂しそうな横顔だった。

「でもね、もっと悲しくなるときがあるんですよ。いまでも、たまにあるんです。健太がね、寝言を言うんですよね、ママ、ママ……って。そういうの、つらいですよ、ほんと」

「奥さんは、いまは……」

「わかりません」

「見えないんですか」

「この世に未練の残りそうなものは、だめなんですよ。これでなかなか厳しくってね、思いどおりにはならないんです」

「一つ教えてもらえますか」

橋本さんは海を見つめたまま、「ええ、どうぞ」と言った。

「僕は、もう死んでるんですか？」

答えは返ってこなかった。

「死んでるんですよね？　いいんです、もう覚悟してますから、ほんとうのことを教えてください」

少し間をおいて、「どっちがいいんですか？」と逆に訊かれた。

「そりゃあ、まあ、死んでるよりは……」

「生きてるほうがいい?」

あいまいにうなずくと、「じゃあ生きてるんですよ」と言われた。そっけない、突き放すような口調だった。

「ごまかさないで教えてください。ほんとに、覚悟はできてるんですから」

今度も返事はなかった。橋本さんは僕を振り向きもせず、ただ海を見つめるだけで、僕もそれ以上はもうなにも言わなかった。


どれくらい沈黙がつづいただろう。あたりの空気が少しずつ重くなってきた。靄《もや》というほどはっきりとしたものではないが、夜の闇にほんのわずかな白が溶けて、潮のにおいが強くなる。波の音がくぐもる。じっとりとした湿り気が頬にまとわりつく。

この町で高校卒業までの十八年間を過ごした僕は知っている。一日に二回、明け方とたそがれどきに、波がしらはほとんど立たなくなり、風も止まる。朝凪《なぎ》と夕凪。ひとはそのときに生まれたり死んだりするのだと、小学生のうちに亡くなった母方の祖母に聞いたことがある。おとなになった僕は、もちろんそんな話を信じてはいない。信じてはいないのだが、風や波といっしょに時間も止まってしまうような朝凪と夕凪の頃なら、こちら側の世界と向こう側の世界との行き来は簡単かもしれないという気は、少しする。

橋本さんの声が聞こえた。

「私も健太も、死にたくなかった」

海を見つめたまま、つぶやくように、噛みしめるように。

「自分が生きたいのか死にたいのかなんて考えることもなくてね、生きているのがあたりまえだと思い込んでて……」

声は、耳に流れ込んだあとも、僕たちのまわりに漂っていた。

「あなたはさっき、どうして、生きているほうがいいに決まってるだろう、と答えなかったんですか？　もっと強くうなずいて、そんなことを訊いた私のほうが恥ずかしくなるくらい、きっぱりと答えてくれなかったんですか？」

僕は橋本さんの横顔から足元の砂浜に目を落とした。嘘も見栄も要《い》らないんだよな、と肩の力を抜いた。

「もう嫌だったんですよ、家に帰るのも、明日になるのも。先に進みたくなかった……どこにも行きたくなかったし、なにかをする気にもならなかったし……」

「わかりますよ」

「絶望してるわけじゃないんです。でも、この先に、希望がないっていうか、なんのためにこれから何十年も生きていくのかわからなくなったっていうか。贅沢《ぜいたく》で甘いし、弱くて、情けない考えだと思うけど、どうしようもないんですよ」

「わかりますよ、すごく」

「……わかったふりしないでくれませんか」

橋本さんの家族は幸せだったはずだ。家族で出かけた初めてのドライブで事故を起こすなんて、これ以上ないほどの不運で不幸な巡り合わせで、だから逆に、事故の直前までの一家の幸せが、僕の胸に滲《し》みる。

うらやましい、と思った。家族揃《そろ》って交通事故——我が家は、もう、それすらできない。家族でドライブに出かけた最後はいつだったろう。そのときに事故で三人とも死んでいれば、幸せな日々の記憶だけ抱いていられただろうか。

「五年前はね、ウチの息子も……広樹も、健太くんみたいだったんですよ。お父さんお父さんって、女房よりも僕のほうになついてて、勉強はそこそこだったけど、明るくて、元気のいい子でね……」

橋本さんは「違うでしょう」と笑い返した。「五年前じゃなくて、この春までは、でしょう？」

かまわず「女房だってね、昔は……」とつづけかけたが、急にむなしくなって、やめた。代わりに「わかったふりしないでほしいんですよ、とにかく」と吐き捨てる。

「でも、知ってますから、おたくの事情は」

「どこまで知ってるんですか。ぜんぶですか？　ウチのこと、ぜんぶ知ってるんですか？」

「息子さん、ずっと学校に行ってないですよね」

「……あとは」

「あなたや奥さんに、暴力も」

淡々とした口調だった。同情する響きがなかったことに、少し救われた。

「じゃあ、女房のことも、知ってるんですね」

「ええ。離婚届のしまってある場所も」

すごいな、とため息をついた。薄笑いが浮かぶ。こんな力を得られるのなら、死ぬのも悪くないじゃないか。

「それから、奥さんが……」

「もういいです」とさえぎった。聞きたくなかった。橋本さんも口にしたくなかったのだろう、ほっとしたように何度かうなずいた。

「どうですか」さっきよりもっと薄っぺらに、僕は笑う。「橋本さんだって、家族がこんなになっちゃったら、死んでもいいっていう気持ちになるでしょ、なりませんか？」

橋本さんは黙っていた。

「教えてください、お願いします。僕は死んでるんですか？　まだ生きてて、夢を見てるんですか?」

今度もまた答えてもらえなかった。

短い沈黙のあと、橋本さんは、さて、と立ち上がる。

「そろそろ行きましょうか」

「……どこにですか」

「私にもわかりません。でも、夜が明けたときには、あなたにとってたいせつなどこかに着いてるはずです。私は、あなたをそこまでお連れするだけですから」

座ったまま、「ここにいたら、だめですか」と訊いた。

「だめです。さあ、行きましょう」

「たいせつなどこか、って……どこなんですか?」

「私にもわかりません。でも、あなたはそこに行かなきゃいけないんです。ほら、早く。そろそろ夜が明けますから」

僕は潮の香りを胸に深く吸い込んで、父のいる病院を見上げた。僕が死んでしまうのと、父が息絶えるのと、どっちが先なのだろう。母と智子はたとえ僕が先に死んでも父には伝えないはずだが、もしも知ったら、父はどんな顔になり、どんな言葉をつぶやくのだろう。怒るかもしれない。親の言いつけを聞かない子どもや親に嘘をつく子どもは犬畜生と同じだ、とよく言っていた。

目が潤む。最後の最後まで父とはわかりあえなかった。僕はそれを父のせいだと思い、父は僕が悪いんだと決めつけて、「わかりあえなかった」ということすら、僕たちはわかりあえなかった。

一人で車に戻りかけた橋本さんが、振り向いて僕を呼ぶ。僕はジャケットの袖で目元を拭って、ゆっくりと立ち上がる。瞼をこすったら、かえって新しい涙が目からあふれてしまった。

オデッセイは再び走りだした。僕は涙の名残で火照った瞼をゆっくりと上下させて、窓の外の深い闇を見つめる。

「もうすぐ朝になりますから」と橋本さんが言った。

暗闇にまだ夜明けの気配はなかったが、もういい、僕のさまよいこんだ世界をあるがままに受け容れよう、と決めた。

「朝になったら、私たちは消えます」

「……そうですか」

「でも、夜にまた会えますから」

僕にとってたいせつな場所――どこだ？　そこは。

もしもほんとうにそういう場所があるのなら、そこにほんとうに行けるのなら、僕は、僕の人生を少しは変えられるだろうか。

「ねえパパ、そろそろなんじゃない？」

「ああ、そろそろだ」

車のスピードが一気に上がる。

「じゃあ、おじさん、夜になったらまたね」

健太くんの声が聞こえるのと同時に、目のくらむようなまばゆい光が車を包み込んだ。

4

嘘だろう——と、声にならないつぶやきが漏れた。

ここが俺にとってたいせつな場所なのか？

僕は昼間の雑踏に立っていた。新宿だった。駅前のスクランブル交差点の真ん中で、呆然《ぼうぜん》と立ちつくしていた。足早に行き交うひとたちに肩をぶつけられ、聞こえよがしに舌打ちされながら、どうしても足が動かなかった。

信号が赤に変わる。発進しかけた車にクラクションをぶつけられた。向こう側の歩道に駆けだそうとして、足がもつれ、転びそうになった。つんのめりながら、なんとか歩道までたどり着き、ガードレールに両手を置いて体を支える。

嘘だろう——と、一年前の僕も胸の中でつぶやいた。去年の夏。うだるように暑かった午後。僕は新宿のスクランブル交差点で確かにそうつぶやいて、首を傾げたのだった。

美代子が歩いていた。一人ではなかった。男と二人で——肩を抱かれて。交差点を渡りきる前に気づいて、すぐに振り向いたが、二人の姿はもう雑踏に紛れていた。

顔を戻して、そんなはずないだろう、と笑った。夏バテなんじゃないか、と自分をからかって、待ち合わせの時間が迫っていた商談の場所に向かって歩きだした。

そう、僕は美代子とは逆の方角に歩いていったのだ。すぐに走って追いかけるべきだったのに追いかけなかった。ただのひと違いだと決めつけて、いつのまにかそのことも忘れてしまい、美代子から離婚を切り出されるまで、夫婦の関係を微塵《みじん》も疑っていなかったのだ。

たいせつな場所だった。たいせつな瞬間でもあった。いまなら、それがよくわかる。

僕は腕時計を気にしながら、新宿駅へ急ぐ。ほんとうに気にかけなければいけなかったひとに背を向けて、小走りに駅ビルに入った。一年前と同じ。引き返せ、二人を追いかけろ、まだ間に合う……何度自分に命じても、体は勝手に、一年前の僕をなぞっていく。

地下の改札口へ下りる階段にさしかかったとき――肩を後ろから、ぽんと叩かれた。

「なにしよるんじゃ、一雄」

嗄《か》れた、低い声だった。

「美代子さん、行ってしまうど。それでええんか」

嘘だろう――と、僕はまた息を呑《の》む。

「早うせえ。仕事やらなんやら、どげんでもよかろうが」

予感を信じられないまま振り向くと、父の顔が目の前にあった。

「……なんで？」

父は答える代わりに駅ビルの外に顎《あご》をしゃくった。

「ねえ……お父さん、なんで？」

いるはずのないひとだ。父は東京に来たことなど一度もなくて、いや、その前に、なぜこんなに若いんだ――？

年格好は僕と変わらない。三十七、八歳あたり。僕が中学生になるかならないかの頃の父が、間違いない、二十数年前の父が、いま、ここに立っている。

父は少し照れくさそうに頬をゆるめて言った。

「お父さんやら呼ばんでええ。わしら、ここじゃ朋輩《ほうばい》じゃけん。五分と五分の付き合いじゃ。おまえはカズで、わしは……そうじゃの、チュウさんでええわ」

父の親しい仲間は、名前の「忠雄」から、チュウさんと呼んでいた。そう呼ばせるのが、父なりの、相手を自分と対等の男だと認めた証《あかし》でもあった。

「いっぺん呼んでみいや」

困惑するだけの僕に、父はいらだたしげに「早うせえや」と言う。昔から短気なひとだった。せっかちなだけでなく、すぐにカッとなって、カッとなるとすぐに拳《こぶし》が出てくる。ついさっきまで上機嫌な父と酒を飲んでいた仲間が、気がつくと胸倉をつかまれて「すみません、すみません、堪忍してつかあさい」と謝っている、そんな光景を子どもの頃から何度も見てきた。

「カズ、早うせえ」

舌打ち交じりにうながされ、しかたなく「チュウさん」と呼んでみたが、うまく声が出ない。

「聞こえりゃせんぞ。男じゃろうが、腹から声出してみいや」

「……チュウさん」

これも、か細く揺れる声になった。

「もういっぺんじゃ」

「チュウ、さん」

「気持ちがこもっとらんわい、アホウ」

父は僕をにらみつけて、不意に相好を崩し、「ほいでも、まあ」とあきれたふうに首を傾げた。「息子と朋輩になるっちゃあ、おかしなもんじゃのう」

駅ビルの出口に向かって歩きだす父を、僕はあわてて呼び止めた。

「ねえ、なんで? なんで、ここに来たわけ?」

振り向いた父は「知るか、そげなこと」と言った。

「でも、おかしいと思わない? お父さんはいま六十三だよ? こんなに若いわけないじゃない」

「お父さんって呼ぶな、言うとろうが」

「だって……」

「口答えするな。難しいことはええけん、行くど、ついてこい」

父はまた僕に背を向けて歩きだした。僕の足も、ふわりと浮き上がるように動いた。追いかけるというより、父の背中に吸い寄せられる感覚だった。

外に出た。強い陽射しがビルや舗道に照り返して、風景がハレーションを起こしたように白く抜ける。色をなくした雑踏に、黒っぽい色の背広を着た父の背中だけ、くっきりと見える。

ついさっき僕の通ってきた道を引き返して、スクランブル交差点を渡った。美代子と男の行き先が父にはわかっているのか、人込みの中を進む足取りに迷うそぶりはない。

僕は父の少し後ろを歩く。すぐにでも追いつける距離まで来ていたが、並んでしまうと、どんな顔をして、なにをどう話せばいいのかわからない。

父はときどき、僕がついてきているのを確かめるように振り返る。僕は目が合う前にうつむき、父が前に向き直るタイミングを見計らって、また顔を上げる。それを何度か繰り返したあと、父は今度は足を止めて振り向いた。目をそらす僕を、猫が前肢でひっかくような手ぶりで呼んだ。

「なにぐずぐずしよるんな、早う来い」

東京のひとにはいつも喧嘩腰に聞こえてしまうふるさとの言葉を、大きな声で口にする。すぐそばを歩いていた若い男がぎょっとして父から遠ざかり、立ち止まる僕とすれ違うときには、邪魔だよおっさん、というふうに嫌な顔をした。僕たちの姿は、僕たち以外のひとにも見えているようだ。

「カズ、なにしよるんな。行くど」

唇を噛んでみた。痛かった。だが、その痛みじたい、目に見えない霧に包まれているような気もする。

唇から前歯を離し、息をゆっくりと吸い込んだ。

もういいや。吐く息といっしょに、自分に言い聞かせた。

僕がさまよいこんだ世界はこういう世界なのだ。ディズニーランドの入場門をくぐれば、あとはディズニーランドのルールに従うしかない。それと同じだ。橋本さんと健太くんのオデッセイに乗り込んだときから、もうまともな筋道や理屈は通用しなくなったのだ。

「ぼさーっとするな、いつも言うとろうが」

父はまた僕を振り向いて、叱《しか》りつける顔と声で言った。

むっとして、「ついて来てるだろ」と返すと、父は口答えする僕に少し驚いた顔になったが、すぐに前に向き直って、黙って歩きだした。僕も、もう一度深呼吸をして、あとにつづく。

向き合うよりも、こうして背中を見つめているほうが懐かしい。

父はいまの僕と同じ三十八歳のときに、金貸しの会社を興した。僕は中学一年生だった。あの頃の僕は、いつも父の後ろ姿ばかり見てきた。面と向かって話したことなど、ほとんどなかった。父がこっちを見ていると思うだけで頬がこわばって、自分でも気づかないうちにうつむいてしまい、話しかけられても受け答えすらろくにできなかった。

「金を貸すんは人助けじゃ」――父はあの頃、口癖のように言っていた。「ゼニの欲しい者にわしがゼニを貸しちゃる、助けちゃるんじゃ。皆、土下座して、涙流して、仏さま見るようにわしを見るわ。地獄に仏じゃ、救いの神さまじゃ。助けてもろうたんなら、借りは色をつけて返さないけん。それが、ひとの道いうもんよ。のう？　借りるときは神さまじゃ仏さまじゃ言うといて、返すときには鬼じゃ悪魔じゃて、そげな理屈は通りゃせんよ」

父の言うことはいつでも正しかった。強いひとだった。いつも自信に満ちあふれ、弱いひとたちの泣き言や失敗をせせら笑い、僕を振り向いて、おまえはあんなふうになるな、強くなれ、強くなれ、おまえは誰よりも強くなれ、と言いつづけていたのだった。

あの頃の父の体は大きかった。幅が広くて分厚い背中だった。大柄な体格を周囲に見せつけるように、いつも胸を張り、肩を持ち上げ、ズボンのポケットに両手をつっこんで歩いていた。そんな父の歩き方が僕は嫌いだった。世の中で正しいのは自分だけだ、強いのは自分しかいない、と身振りで示しながら町を歩く父が、大嫌いだった。

だが、雑踏を行く父の後ろ姿は、記憶の中の姿とは微妙に違う。あのひとは、昔こんなに小さかったのだろうか。こんなに肩を落として歩いていたのだろうか。

足を速め、父のすぐ後ろについた。父の背丈は僕の顎のあたりまでしかなかった。

「お父さん」

父は前を向いたまま、「チュウさん、じゃ」と言う。

「……チュウさん」

「なんな?」

「美代子のこと……ぜんぶ知ってるの?」

「わしにわからんことがあるか、アホウ」

父は——チュウさんは鼻を鳴らして短く笑い、「女房を寝取られるいうて、ほんま、ぶさいくな話じゃのう」と、今度は肩を揺すり、声をあげて笑った。

その笑い方だけは、昔とちっとも変わってはいなかった。

青信号の点滅する横断歩道を渡った。駅を背にしてしばらく進み、また横断歩道を渡って、大通りから路地に入り、そこを抜けてさらに進む。通行人の姿が急に減った。陽射しのせいだけではない、澱《よど》んだ蒸し暑さがまとわりつく。あやしげな風俗店と、もっとあやしげなオフィスが入り交じった一角だ。

昼夜が逆転した街は、日暮れ時に備えてそろそろ起きだしていた。毒々しい色遣いの看板を店先に出す丸刈り頭の男がいる。ライトバンの荷室から、ケースに入ったおしぼりが店に運びこまれる。窓にスモークシートを貼ったメルセデスベンツが、ゆっくりと僕たちを追い越していく。路上にしゃがみこんで携帯電話で話している若い女がいた。しゃべる言葉は日本語ではなかった。

道を進むにつれて店はまばらになっていき、ホテルの看板が目につきはじめた。若い恋人が睦みあうより、金を仲立ちにした男と女が過ごすほうが似合う、そういうホテルが建ち並んでいた。

こめかみを汗が伝い落ちた。喉《のど》が渇く。チュウさんは歩きながら煙草《たばこ》をスーツのポケットから取り出した。銘柄はエコー。安い煙草だ。あの頃で一箱百円もしなかった。いまはもう売っているのかどうかわからない。裸一貫で事業を興した父は、成金には珍しく――いや、それこそが成金の証なのだろうか、成功を収めてからも煙草は決して高い銘柄には変えなかった。

「ここじゃ」

チュウさんは一軒のホテルの前で立ち止まり、煙草の煙といっしょに言った。

古びたホテルだった。休憩フリータイム三千八百円、宿泊六千円。看板に誇らしげに謳《うた》われている〈冷暖房完備　全室TV付〉が、場末のみすぼらしさを伝える。

こんなところ、なのか――。

あいつは、こんなうらぶれたホテルで、男と――。

もともとは白かったのが埃《ほこり》や排気ガスで黒ずんでしまった三階建てのビルをぼんやりと見つめ、ため息をついて、小さく首を横に振った。

「どげんする、カズ」

「……なにが？」

「部屋はわかっとるけん、踏み込むんなら早いところ踏み込んじゃれや。おうこら、こんなん、ひとの女房になに手ェ出しとるんなら、いうて」

くわえ煙草で笑う。僕の強さと弱さを測るような――そして、答えは最初からわかっているんだというような、冷ややかな笑い方だった。

中学生の頃なら、たぶん、意地になって「行くよ」と答えただろう。だが、僕はもう子どもではない。じゅうぶんにおとなで、おとなには感情を抑えなければならないときがあることも、よく知っている。

「そんなことしたら、みっともないだろ」

チュウさんは黙って煙草の煙を吐き出した。

「だって、そうだろ? 美代子だって無理やり連れてこられたわけじゃないんだし、あいつにもあいつの気持ちっていうか、考えがあるんだし、そんなのみっともないよ」

チュウさんはなにも答えない。煙草の煙がしみるのか、目を少し細めただけだった。

「確かめたから、いいんだ。ほんとに、もう、いいんだ」

ホテルの建物をまた見上げた。扉で隠された窓が並ぶ、その中のどこかに、美代子はいる。僕の知らない男に抱かれている。

どうして――。

予兆など、なにもなかった。我が家はどこにでもあるあたりまえの家族だったはずだ。平凡でおだやかな日々をつづけていたはずだ。僕は美代子を愛していて、美代子も僕を愛していて、それはもちろん新婚時代のような熱く燃え上がるものではなくなっていても、だからこそ、燠火《おきび》のように、いつまでも我が家の暮らしを温めてくれるのだと思い込んで、信じ込んでいた。

「教えてよ、お父さん」声が震えた。「知ってるんだったら教えてよ。美代子は、なんでこんなところにいるんだ……わからないんだよ、なにも……」

「チュウさんじゃ言うたろうが」

「どっちでもいいだろ、そんなの」

「朋輩じゃ、わしら」

「……チュウさんなら、どうする？　あんただったら、こんなとき……ねえ、どうした？　やっぱりホテルの中に入る？　部屋を探して、美代子のところに行って、それからどうする？　相手の男って、どんな奴？　僕の知らない奴だろ？　美代子はどこでそいつと知り合ったの？　なんで……わからないんだ、なにもかも……」

瞼の裏が熱くなる。うつむいた。父は弱いひとが嫌いだった。男が涙を見せるのは恥ずかしいことだと、いつも言っていた。

「カズが自分で決めることじゃ」

チュウさんは足元に捨てた煙草を靴のつま先で踏みつぶしながら、「あと一時間ほどで出てくるで」と言った。

「美代子が？」

「おう。そげんせんと、広樹が学校から帰ってくるけん」

「相手の男のこと、知ってるんでしょ」

「知らん」

突き放すような口調で返し、二本目の煙草に火を点《つ》ける。

昔からそうだった。父はいつでも僕を試していた。正しい答えは、必ず父の手の中にあった。僕が見当違いの答えに向かったり遠回りしたり道に迷ったりするのを、じっと、冷ややかに見つめ、そして最後に宣告するのだ。――カズはだめな奴じゃのう、ほんま。

僕は黙って踵《きびす》を返した。

「どこ行くんか」

「帰るんだよ」

「逃げるんか」

歩きだす。立ち止まらず、振り向きもせず、足を速めてホテル街を抜けた。

大通りに戻って最初に見つけたレストランに入り、ビールを中ジョッキで注文した。

「中生、お二つでよろしいですか？」

ウェイトレスに訊かれた。

「一つだよ」

「でも……」

ウェイトレスは僕の後ろに目をやった。そういうことかよ、と僕はしかめつらで指を二本立てた。

「まあ、とりあえずは酒じゃろうの」

チュウさんは背後から向かいの席に回って、おかしそうに笑った。

5

中ジョッキを一息で半分ほど空けると、ようやく人心地がついた。

「酒が強いんじゃのう、カズ」

チュウさんは意外そうに言った。

「べつに、人並みだよ」

「ほいでも、いつじゃったかのう、正月に酒を飲んでひっくり返ったことあったろうが」

「小学生の頃だろ、それ。一年生か二年生の、ガキの頃だよ」

「キューッと飲んでバターンじゃけえ。正月で医者も閉まっとるし、往生したで」

あの年の正月、生まれて初めての酒を飲んだのは、チュウさんより少し若い頃の父に

——頭が混乱してくるけれど、とにかくあのひとに挑発されたからだ。

取り巻きの会社の連中とコップ酒を飲んでいた父は、どこまでほんとうかわからない子ども時代の自慢話を並べ立てたすえに、僕を指さして「わしがカズぐらいの頃には、もう酒やら煙草やら、おとなに交じって飲みよったけんのう」と胸を張った。

取り巻きの半分は父の話に大袈裟《おおげさ》に感心して、残り半分は「いやあ、ほいでもカズちゃんもお父ちゃん譲りでしっかりされとりますけん」と僕の肩を持った。

父は「アホか」とせせら笑った。「わしとカズといっしょにするな」

その直後、僕は手近にあったコップを取って、酒を一気に呷《あお》ったのだった。

薬くさいにおいが鼻に抜けて、顔がカッと熱くなり、あとはなにも覚えていない。気がついたら隣の部屋に布団を敷いて寝かされていた。襖《ふすま》越しに漏れてくる父の胴間声をぼんやり聞きながら、何度も洗面器に吐いた。涙も出た。嘔吐の涙に、悔し涙も交じっていた。なにがどんなふうに悔しかったのか自分でもわからなかったが、いまならよくわかる。わかるから、思いだしたくない。そういう思い出が、僕にはいくつもある。

「カズが酒を飲む、か……」チュウさんはつぶやいて、ビールを飲んだ。「なんかどうもピンと来んのう」

「酒ぐらい飲むよ、もうおとななんだから」

「わしの知っとるカズは、中学校に入ったばあじゃけえ」

二十五年前――頭の中でとっさに計算して、いまの父の歳から引くと、チュウさんは三十八歳だった。

「……同い歳だ、僕と」

つぶやいて、あらためて顔を見つめると、チュウさんは少し照れくさそうに「わしは最初から知っとったで」と言った。「同い歳のカズに会えるんじゃ、いうて」

「どういうこと？」

「ようわからん」

「だって、いま……さっきだって、美代子のこと……」

チュウさんは「なして知っとったんじゃろうの、そこがわからん」と苦笑する。

「どこから来たの？」

苦笑いを深めて、かぶりを振る。「橋本さんと関係あるの？」と訊くと、きょとんとした顔になり、思いだしたようにジョッキを口に運んだ。

「そげなことより、のう、どげんするんか。美代子さんのこと、このままでええんか」

「……お父さんには関係ないだろ」

「チュウさんじゃ、言うとるじゃろうが」

僕は黙ってビールを飲み干した。小さなげっぷを喉の奥でせき止めると、こめかみがぼうっと火照ってきた。

ジョッキをテーブルに戻し、「もう、その話はやめてよ」と言った。「自分で考えるから、横から口出ししないでほしいんだ」

チュウさんは不服そうに「長男の嫁の不始末は、夫婦仲の問題じゃすまんじゃろうが。家の恥になるんど」と返したが、不意にその顔が頼りなげになって、「ほいでも……なしてカズが東京におるんな」と言う。「わしの会社継いだんじゃないんか？」

すべてを知っている、というわけではないのだろう。すべてを教えていいのかどうか、僕にはわからない。

チュウさんは通りかかったウェイトレスにビールのお代わりを二杯注文し、ようわからん、ようわからん、なにがなんやら、と声にならないつぶやきを漏らしながら、うつむいた。

「ねえ……チュウさん、なんで僕らが朋輩なの？」

「わからん」首をひねる。「ほいでも、朋輩なんじゃ」

「同い歳の、三十八歳なんだよね」

「おう、それは、わかっとる、わかっとるけど、やっぱりようわからん……」

「新しい会社、もうつくったの？」──三十八歳は、父が金貸しの会社を興した歳だった。

「この前、事務所開きをした。カズと智子にもケーキ買うてやったんじゃ」──中学一年生になったばかりの僕は、「ローン」や「融資」や「手形割引」の意味など知らなかった。

「覚えてるよ、智子とイチゴの取り合いになったら、親父に叱られたんだ。これからはイチゴなんか腐るほど食わせてやる、って」

チュウさんは、そうじゃそうじゃ、とうつむいたまま笑った。僕もうつむいて、テーブルクロスについた水滴をぼんやり見つめる。

二十五年前の春だ。父は三十八歳で、僕は中学一年生で、僕たちの仲はまだおかしくなっていなかった。僕と折り合いの悪かった学校の連中に「サラ金」とあだ名を付けられたことを知ったのは、夏の初め。秋にはもう、僕は父の仕事を嫌いになっていて、やがて父そのものが嫌いになって、そんな僕に父は最初戸惑い、しだいに腹を立てるようになって……。

「のう、カズ」チュウさんは息苦しそうな声で言った。「ほんま、わし、なしてここに来とるんじゃろうか。どこから来たんじゃろうか。ようわからんよ、ほんまに」

「僕にも、わかんないよ」

何度も首を傾げ、眉《まゆ》を寄せるチュウさんは、記憶の中の三十八歳の父とは、やはり微妙に違う。輪郭がずれている。父はこんな途方に暮れた顔など僕には見せなかった。いつも自信に満ちあふれていた。正しさと強さを背負って、それをふりかざして、弱いひとの弱い間違いを決して許さないひとだった。

新しいジョッキが運ばれてきた。最初の一杯と同じように、僕は乾杯のしぐさ抜きにビールを呷る。チュウさんはジョッキを取り替えようとするウェイトレスを「まだ入っとるけん」と制して、ほとんど泡だけになった一杯目のビールを啜《すす》り込むように音をたてて飲んだ。

「カズ、一つ教えてくれや」

「うん」

「わしはなんぼで死んだんな。ウチの親父は四十六でくたばったけど、わし、親の死んだ歳は越えたんか?」

「はあ?」

「花火のようにの、パーッと咲いて、早じまいの人生じゃろ。まあ、わしは得手勝手して好きに生きさせてもろうたけんええんじゃが、カズやら智子やらお母ちゃんやらに迷惑かけりゃせんかったか?」

「ちょっと待ってよ、あのさ、死んでなんかないよ」

「誰が?」

「お父さんに決まってるだろ」

最初は半信半疑の顔だった。やがて、笑ったような怒ったような困ったような複雑な角度で頬がゆるみかけ、それをあわてて引き締めて、チュウさんは言う。

「ほいでも、カズが三十八いうたら、わしは……」

「六十三だよ」

「ほんまに生きとるんか」

「うん、生きてる」

「元気なんか」

「うん……まあ……」

「ほんまか、おい、還暦過ぎまで生きとるんか」

声を少し高めて、首を傾げる。さっきまでの首の傾げ方とは違って、くすぐったそうなしぐさだった。

「のう、カズ、おまえはわしがそげん長生きする思うとったか」

「べつに六十三歳なんて、ふつうじゃない？」

「そげなことあるか、アホウ。わしはええところ五十までじゃろう思うとったんじゃ。長生きできるような生業《なりわい》と違うけえの、へた打ちでもすりゃあ四十前にくたばる覚悟も決めとったんじゃがのう」

チュウさんはビールを美味《うま》そうに飲んだ。「そうかそうか、わし、還暦過ぎても元気なんじゃのう」と、声に合わせて小刻みにうなずく。

チュウさんは確かにこれから先、二十五年間を生きることになる。だが、六十三歳の父は、チュウさんが想像しているような姿ではない。全身にチューブを差し込まれ、骨と皮だけになって、混濁した意識のなか、ただ生きているというだけの生を生きて……もうすぐ、その命も尽きる。花火のような人生にはならない。強いままでは死ねない。ぐずぐずと生きて、萎《な》えるように弱くなったすえに死んでいくのだ。

「ねえ……」

お父さん、とまた呼びそうになって、「チュウさん」と言い直した。

「三十八歳の頃から先のことは、なにも知らないの？」

「知るわけがなかろうが」

「なんにも？」

「知らん言うとるじゃろ。それより、カズ、教えてくれ。わしの会社どげんなっとる？ちゃんと大きゅうなっとるか？　県で一番になっとるか？」

ほんとうに、なにも知らないようだ。

「カズが東京におるいうことは、東京に支店でもかまえたか。東京支社じゃったら、こりゃあ大企業じゃあ」

チュウさんは上機嫌に笑い、ビールをさらに美味そうに飲んだ。

「カズ、おまえも早う飲め。さっさと出て、嫁のことはもうよかろうが、それより会社を見せてくれ。名前は昔と変わっとらんのか？　丸忠総業のままか？」

　僕はさまよっていた視線をチュウさんに戻した。覚悟を決めた。言わずにすませたいことを言うしかない覚悟と、言わなければならないことを黙っておく覚悟の、両方。

「会社の名前は変わったよ。いまは丸忠コーポレーションっていうんだ」

「ほうか、まあ、そっちのほうが垢《あか》抜けとるけんのう」

「県で一番にはなってないけど、市内では、たぶんみんな知ってると思う。サラ金は夕方のテレビでコマーシャルもやってるし、土建のほうも公共事業はうまく取ってる。バブルの頃には居酒屋も三軒やってた」

「バブル？　なんな、それ」

「あとでゆっくり説明するよ。居酒屋はけっきょくうまくいかなかったけど、この二、三年はマレーシアの商社と組んで、安売りの雑貨店が調子いいんだ」

「おう、国際的じゃのう。カズに英語を勉強せえ言いつづけた甲斐《かい》があったがな」

「でも……東京に支店なんか、ない」

　チュウさんはきょとんとして僕を見た。訊きたいことはわかるから、問いを待たずにつづけた。

「跡を継いでないんだ、僕は。東京の大学に入って、そのまま東京で就職した。お父さんとはなんの関係もない小さな部品メーカーで、いまは営業をやってる。美代子ともそこで知り合って、東京で結婚式を挙げたんだけど、お父さんは来てくれなかったんだよ」

チュウさんの顔は見る間にこわばり、険しい目つきで僕をにらんだ。中学一年生の頃なら、それだけで身震いしていたかもしれない。だが、僕はもう子どもではない。三十八歳の、チュウさんと同じ、おとなだ。

「でも、お父さんの跡継ぎはちゃんといるから。智子のダンナだよ。伸之っていう奴で、京大の法学部を出てて、いまは専務だ。はっきり言うと、伸之が経営陣に入ってくれたから、こんな不況でも会社がうまくいってるんだ」

「……嘘をつくな。なして娘婿やらが跡継ぎになるんな、なして長男がそげん勝手なことしよるんな」

濁った、低い、腹の底から絞り出すような声だった。

「嘘じゃないよ」僕はつとめて静かな口調で言う。「お父さんのつくった会社はうまくいってる。でも、僕はいない。嘘もなにもなくて、それが事実なんだよ」

「のう、言うてええ冗談といけん冗談があるんど、世の中」

「ほんとのことだから」

「ほいたら、のう、訊くけど、なしてそげんぶさいくなことになったんな。おう？　カズは跡継ぎやろうが、こまい頃からそれは決まっとることやったん違うか？」

「逃げたんだよ、僕が」

「なしてや」

「お父さんの会社も、それから……お父さんのことも、嫌いだったから」

「アホか！」

チュウさんは拳でテーブルを叩いた。小皿に残ったピーナッツが浮き上がってこぼれるほどの強さだった。店内に響き渡る音に、遅めのランチをとっていた数組の客が一斉に振り向いた。ウェイトレスは厨房に駆け込み、コック帽をかぶった店長が顔を出した。

中腰になって店長と客に謝る僕をよそに、チュウさんはビールを一息に干して、ジョッキを手にしたまま「酒はないんか、日本酒か焼酎《しようちゆう》持って来い！」と怒鳴った。

店長がフロアに出てきた。

「お客さん、すみません。ウチは洋食屋なんで、お酒でしたらよそに行ってもらえませんか」

「なんじゃあ？　わりゃ」

「やめろよ、チュウさん」

父親にではなく、同年輩の仲間に言う口調が、ごく自然に出た。店長に向き直って「すみません、すぐに出ます」と頭を下げると、チュウさんは「おまえは黙っとれ！」

と僕を一喝し、椅子から腰を浮かせかけた。

僕はチュウさんの手首をつかんだ。「やめろよ、悪いのはこっちなんだから」となだめ、もう一度、店長に「すみません」と詫《わ》びた。

チュウさんはいらだたしげに腕を揺すったが、力任せにつかんでいたわけではないのに、僕の手を振りほどけない。手首も思っていたより細い。

店長は「お願いしますよ」と僕に言った。「ここは静かに食事を楽しんでいただく店なんですから……。兄弟喧嘩なら、外でやってくださいよ」

兄弟――に見えるのだ、僕たちは。兄弟で、朋輩で、どうしようもないくらいひび割れた親子なのだ。

店長が他の客に会釈しながら厨房に戻ると、やっとチュウさんは興奮をおさめた。僕も手首をつかんでいた指を離す。

「河岸を変えようか、寿司屋なら酒が飲めるから」

だが、チュウさんは立ったまま、あらためて僕をにらみつける。

「もういっぺんだけ訊くど。正直に言わんと、しばき倒すけえの」

「うん……」

「おまえはわしの跡を継がんかったんじゃの。ほんまに、そうなんじゃの」

僕はバッグから名刺入れを取り出した。

「小さな会社だけど、営業課長なんだ、いま」

一年後にはリストラされる羽目になるんだけどね——胸の中で付け加えた。

チュウさんは名刺を一瞥《いちべつ》しただけで、上着のポケットに放り込んだ。

「息子に裏切られたわけじゃの」

言い返したいことはあったが、黙って受け止めた。

「わしが長生きした理由がやっとわかったで。長男にケツまくられたんなら、くたばるわけにはいかんけえのう」

胸の底で、息が重く澱む。

「六十三じゃ言うとったの、いまのわし。もうカズとは会うとらんかもしれんのう。おまえが会いたい言うても、会うわけがない。還暦過ぎてもそれくらいの意地は持っとるじゃろ、わしも」

唇を嚙んだ。言葉がぽろりとこぼれ落ちるのが怖かった。

「六十三の親父の代わりに、わしが言うちゃる。カズ、おまえは親不孝者じゃ。女房を寝取られるんも、その報いじゃ思うとけ」

チュウさんは出口に向かう。

「どこに行くんだよ」

「親不孝者と酒やら飲めるか」

捨て台詞《ぜりふ》になった。チュウさんは一人で店を出て、僕はジョッキに残ったビールを啜る。

たいせつなことを最後まで話さなかった後ろめたさに、ビールの苦みがしみる。

勘定を済ませて外に出た。夏の午後の陽射しはあいかわらず強い。あたりを見まわしたが、チュウさんの姿はなかった。もとの世界に帰ったのだろうか。それとも、まだ二十五年後の世界にさまよいこんだままなのだろうか。

あてずっぽうに歩きだし、寿司屋を見つけて、中を覗いてみた。がらんとした店の奥から「すみません、休憩中なんですよ。夕方は五時から開けますんで」と若い店員が賄い飯を頬張りながら言った。

詫びを言って引き戸を閉めた。近くにはもう一軒寿司屋があったが、まあいいや、とため息をついた。

腕時計を見た。チュウさんの言葉を信じるなら、美代子はまだあの古びたホテルで男といっしょにいる。そろそろ、出てくる。

ホテル街に引き返した。途中から小走りになった。路上にしゃがみこんだ女は、まだ携帯電話で話をつづけていた。

6

美代子と結婚したのは二十四歳のときだった。社会人になって、まだ二年目。世間一般の感覚では少し早い結婚となるだろう。初任給に毛の生えた程度の給料をやりくりして、ささやかな結婚式の費用を工面し、週末をつかって二泊三日で香港に出掛けたのが新婚旅行になった。その旅行先で授かったのが、一人息子の広樹だ。

同い歳の美代子は短大卒なので、会社では二年先輩だった。一般職のＯＬが結婚後も仕事をつづけられるほど考え方の柔軟な会社ではなく、求人誌で見つけた転職先も、広樹を妊娠したために、最初の一、二ヵ月しか働けなかった。

狭いアパート住まいが何年もつづいた。世間がバブル景気で浮きたつのを横目に見て、ときどきうらやみ、ときどきあきれながら、つましい暮らしを三人で紡いだ。裕福ではなかったが、幸福ではあった。

そうだよな――。

ホテルの玄関を斜《はす》に見る位置の路地にたたずんで、小さくうなずいた。

我が家は確かに幸せだった。よその誰かに分け与えられるほどではなくても、僕たちは満たされていた。その幸せがずっとつづくと信じていた。暮らしにひびを入れるようなものはなかったはずだ。思い当たる節をどんなに探っても、なにひとつ浮かばない。

三十三歳のとき、いま住んでいるマンションを買った。バブル景気が弾け、マンションの価格はようやく僕たちにも手の届くところまで下がってくれた。あと一年、二年、三年……待てば待つほどマンションの価格は下落していったのだが、そこまで言いだせばきりがない。

小学二年生だった広樹は、新しい街や学校にすぐになじんだ。勉強もスポーツもずば抜けて得意なものはなかったが、明るくて、少しのんきで、友だちの多い男の子だ。もし本人が望めば中学から私立に通ってもいいように、学資保険の積み立て額も増やしておいた。

会社はバブル崩壊の波を致命傷にならない程度でくい止めて、その頃からしだいに業績も上向いていた。僕自身も順調に昇進し、上司や部下や得意先や下請けとの関係もよかった。

引っ越して最初に家族でしたことは、表札の取り付けだった。表札は美代子が選んだ。家の形をした板に丸っこい字体のひらがなを抜いたコルクを貼りつけた、高原の観光牧場にある体験工房あたりでよく売っているボードだ。

〈ながたかずお　みよこ　ひろき〉

名前と名前はハートマークでつないだ。屋根には暖炉の煙突がついていて、もくもくとたちのぼる煙の中に、白いポスターカラーで書いた〈WELCOME〉の文字があった。

　取り付けたばかりの頃は板に塗ったニスの光沢が目立っていたが、月日が流れるうちに気にならなくなった。「ちょっとかわいらしすぎるかもね」と美代子が笑っていたデザインも、同じ色と形のドアが等間隔に並ぶ廊下の風景に少しずつ馴染んでいった。

　一年前——僕がさまよいこんだ世界の「いま」、広樹は小学六年生で、僕と美代子は三十七歳になった。

　五年生の秋頃から「中学は私立に行きたい」と言いだした広樹は、塾の夏期講習に毎日通っている。三泊四日の合宿も終えた。成績もだいぶ伸びたし、目標を持ったせいか、公立の中学に進む同級生に比べると一足早くおとなびてきたように見える。

　意外とあいつはがんばる奴なんだな、と親ばか半分で感心していた。美代子も「たとえ受験がだめでも、これだけ努力したことは広樹の人生にとってぜったいにプラスになるわよね」と言っていた。僕が「縁起でもないこと言うなよ」と真顔でたしなめると、美代子はすぐに「縁起のいい悪いなんか関係ないわよ、広樹はちゃーんと実力で受かるんだから」と返し、夫婦で顔を見交わして、勉強中の広樹の邪魔をしないよう、声をひそめて笑い合う。

　幸せだったのだ、ほんとうに。数字で測ったり形で伝えたりすることはできなくても、僕は、僕の暮らしの幸福を確かに感じていた。美代子は違ったのだろうか。それは、僕が一人で勝手に思い込んでいるだけの、まるで片思いのような家族の幸せにすぎなかったのだろうか……。

塀を二重にして通路をつけたホテルの玄関を、じっと見つめた。早く出てこい、と焦《じ》れる一方で、出てこないでほしい、とも願う。

美代子が離婚を切りだしたのは、今年の——だから、「いま」の翌年の、秋の初めだった。広樹が学校を休みがちになったのと前後して、なんの前触れもなく、市役所から取ってきた離婚届を僕に見せたのだ。

「もう限界だから」と美代子は言った。「これ以上あなたといたら、頭がおかしくなっちゃって、自殺しちゃうかもしれない」と目に涙を浮かべて、僕に訴えた。お願い、お願い、判子捺《お》して、お願いします、と泣きながら頭を何度も下げた。

慰謝料はいらないし、逆にもし僕がそれを要求するのなら、できるかぎりのことはする。広樹の親権や養育権も僕に任せる。ただ、もう僕といっしょに暮らしたくない——違う、正確には、「暮らせない」と言ったのだ。

何日もかけて、美代子は僕に離婚を求めた。ひたすら懇願するだけで、理由は教えてくれなかった。僕にも思い当たる節はなかった。よその誰が見ても、きっと、なにもなかったはずだ。

「落ち着けよ」と僕は言った。「少し時間をおいて、冷静になってから、また考えればいいんだから」

美代子も受け容れた。だが、その頃から、広樹は部屋にほとんど一日中閉じこもるようになり、たまにリビングに顔を出すと、激しく暴れるようになった。

十月の半ばあたりから、美代子は夜に外出することが増えた。行き先を告げずに、きちんと化粧をして、僕が会社から帰ってくる前に家を出る。帰宅は深夜。電車の終わったあと、の夜もあった。十一月には、朝まで帰らない日も何日か。

最初は、広樹の暴力に耐えかねて逃げたのだと思っていた。やがて、不倫の可能性が浮かんだ。美代子を問い詰めた。答えはなかった。そうだとも違うとも言わず、美代子はただ、「もういいでしょう？　離婚して、お願い、早く判子を捺して」と繰り返すだけだったのだ。

答えはここにあったんだな、と僕はホテルの玄関を見つめる。橋本さんの言った「あなたにとって、たいせつなところ」の意味が、やっとわかった。

僕はあの日──「いま」、スクランブル交差点を引き返すべきだったのだ。走って二人を追いかけて、呼び止めて、美代子が振り向いて、そうすればなにかが変わってくれただろうか──？

塀の向こうで、人影が動いた。男の髪が、上のほうだけ。女の姿は塀に隠れて見えない。

男が先に、一人で外に出た。中年のサラリーマンだった。僕は路地の奥にあとずさる。スクランブル交差点での記憶はあやふやだったが、腹の出た体型も、肩の線がくずれた背広も、地味なネクタイも、人妻と不倫をするような男のイメージからはほど遠かった。

拍子抜けして、本音ではほっとして、まなざしをゆるめた。営業の外回りをさぼって、ホテトルか、アジア系の娼婦でも買ったか、そんなところだろう。

男はいかにも小心そうな物腰で通りの左右を見渡し、だいじょうぶだ、というふうに塀のほうを振り向いて、手招いた。

女が出てきた。

不意打ち――だった。

美代子の姿は、僕の目をすり抜けて、胸にじかに刺さった。

二人はホテルの前で、短い言葉を交わしただけで別れた。美代子は大通りのほうへ向かい、男はその場に残って美代子を見送る。密会の別れ際というふうには見えなかった。美代子は妙によそよそしい様子で男から離れていったし、男のほうも、にやにやと笑いながら、なめるように美代子の腰のあたりを目で追っていた。

男は美代子とは反対の方向に歩きだした。僕はタイミングを計って路地から出て、男を追う。路地から二人を見ていたときには、怒りにまかせて男の背中に飛びかかるかもしれないと思っていたが、実際にあとをつけて歩いてみると、怒りも悔しさも嫉妬《しっと》もほとんど湧いてこなかった。

ただ、むなしさだけがある。

男の後頭部は髪が薄くなって、地肌が透けていた。歩き方もいかにもくたびれているし、膝の後ろに皺の寄ったズボンは、きっと何日もアイロンをあてていないのだろう。

こんな男が、美代子を抱いた。美代子は、こんな男に抱かれていた。

なぜ——？　それを考えると、もっとむなしくなってしまう。

男との距離は保っていたはずなのに、知らず知らずのうちに歩調が速くなっていたのだろう、気がつくと声をかければ届く位置まで近づいていた。街並みも変わった。ホテルが消え、ハングルの看板を掲げた商店や雑居ビルが目につくようになった。このまましばらく歩けば、ＪＲの駅に出る。新大久保だったか大久保だったか、細かいところはわからないが、人通りが増えてくるだろう。

呼び止めるなら、いまのうちだ。だが、呼び止めて、なんになる？

男はどうするだろう。謝るだろうか。土下座させたら気がすむのか。「別れますから」と言わせれば解決するのか。「奥さんといっしょになる覚悟はできています」と言質を取れば、それでいいのか。「私たちは幸せな夫婦なんですよ」と男に言って、「それがどうしました？」と居直られたら、僕はどんな言葉を返せばいいのだろう。

足元にまた目を落とした。帰ろう、と自分に言った。回れ右だ。重くなった足を地面から引き剝《は》がすように浮かせた。

逃げるんか――。

低い声が聞こえた。顔を上げるより早く、人影が僕を追い越して、チュウさんだ、と気づく間もなく男の肩をつかみ、前に回り込んで、胸倉《むなぐら》をねじり上げる。

男は声を裏返した。それが悲鳴に変わる前に、チュウさんは男の頰を分厚い掌で張った。

喧嘩のときの父がいつもそうしていたように、チュウさんも左手で胸倉をつかんだまま、右手で男の腹を殴りつけた。獲物をもてあそぶように力を加減しながら一発、二発、少し力を入れて三発目。男の体は「く」の字の形に折れ曲がり、殴られた瞬間は足が地面から浮いた。

僕はチュウさんの背後に回り、肩をつかんだ。

「やめろよ、死んじゃうよ」

「大袈裟《おおげさ》なこと言うな」

「いいから、もうやめてよ」

「こんなは口出しせんでええんじゃ、アホウ」

「あんたには関係ないだろ！」

背中を羽交《はが》い締めにするとチュウさんは左手を男の胸倉から離し、最後にもう一発、右の拳を下からえぐってみぞおちに入れた。支えをなくした男の体は、前のめりになってその場に崩れ落ちる。

チュウさんは僕を背負ったまま、倒れた男の頭を踏みつけた。これも父の流儀どおりだった。感情に駆られた暴力とは違う。自分の強さを相手に思い知らせて、まわりに誇らしげに見せつけて、父はいつもこの体勢で喧嘩を終える。

「カズ、暑苦しいけん、どけや」

「頭踏んだりしないでよ」

「軽う踏んどるだけじゃ。のう、こら、おい、痛うなかろうが」

「だから嫌なんだよ、そういうの、やめてよ」

「こげんしたら、もう歯向かう気も起きんようになるんじゃ。性根の底まで負けましたあ、いうての」

鼻を鳴らして笑う。おかしくて笑ったのではなく、自分はこういうときにも平気で笑えるのだと教えるために。

父もそうだった。いつもそうだった。怒りや憎しみなどなくても、ただ取り巻きの連中に見せるだけの喧嘩をしたこともあった。チュウさんは、いまは記憶の中の父の姿ときれいに重なり合っている。

羽交い締めした両腕に力を入れ、そのまま後ろに倒れ込んでもいいという覚悟で、チュウさんの体を引き寄せた。思ったより簡単にチュウさんは体のバランスを失って、後ろ向きにたたらを踏むような格好で男から離れた。記憶の中の父より体が軽く、肩や胸板も薄い。チュウさんと父はまた輪郭がずれてしまい、僕はそこに少しほっとする。

男は激しく咳《せ》き込んだ。「起きんかい、このくされ外道《げどう》が」とチュウさんにすごまれて体を起こしても、もう逃げだす力は残っていなかった。

「のう、さっきの女とはどげな関係か言うてみいや」

「……関係って、そういうんじゃないんです」

「アホか、わりゃ、行きずりの女と乳繰り合うた言うんかい。カバチも休み休みたれんと、ほんまにぶち殺されるど」

チュウさんは男を蹴りつける真似をした。

男は両手で頭をかばって、「でも、ほんとなんです」と涙声で返す。「信じてくださ い、ほんとに私、今日初めて……」

「本気でシゴしたらな、わからんようじゃのう」

声をさらにすごませるチュウさんを押しとどめて、僕は言った。

「ひょっとしたら、テレクラかなにか、ですか」

男は頭を抱え込んだまま、痙攣《けいれん》したように何度もうなずいた。

「……テレクラで、知り合ったんですか」

チュウさんが「おうカズ、なんな、テレクラいうんは」と割って入るのを無視して、つづけた。

「いつ知り合ったんですか」

「今日……昼前……」

「最初に知り合ったときですよ」

「だから……今日です、さっきです、私、店に行って、電話がかかってきて、新宿で会うことになって……だから、私、名前も知らないいし、なにも知らないんです、ほんとです……勘弁してください、お金ですか、出します、出しますから、会社や家には……」

呆然として、もうなにも言えなかった。目に映るものがすべて、巨大なポスターに印刷された写真のように厚みをなくした。音も消え、暑さもわからない。

気がつくと、僕はふらふらとした足取りで歩きだしていた。「カズ、どこ行くんな」というチュウさんの声が、耳には確かに入っているのに、頭には届かない。

「カズ、ちょっと待て、こら」

体の重みが腰に伝わらない。地面を踏みしめる感触がない。

「逃がしてええんか？　おい、カズ、聞いとるんか？」

大通りに出た。新宿駅前のスクランブル交差点を渡った。駅ビルに入った。オレンジカードでJRの切符を買った。山手線の電車に乗った。渋谷駅で降りて、携帯電話で得意先のオフィスに、これからおうかがいしますので、と連絡を入れた。

ビデオの映像を早送りするように、光景は目まぐるしく変わっていく。最初のうちは遠くから僕を呼ぶチュウさんの声が聞こえていたが、やがてそれも間遠になって、消えた。


得意先のオフィスに、僕は、いま、いる。応接ブースに通されて、担当の佐藤部長が来るのを待ちながら、バッグから書類を取り出している。

「いやあどうも、お待たせしちゃって」

ブースに入ってきた佐藤部長は、立ち上がって挨拶《あいさつ》をしようとする僕を「いやいや、まあまあ」と制して、感心したように言った。

「助かるよ、永田さん、時間にきちょうめんだから」

僕は、一年前の僕だった。スクランブル交差点で美代子を見かけ、ひと違いだと思い込んでそのまま立ち去った僕だった。

だが、僕は、一年前の僕とそっくり同じではない。美代子がなにをしていたかを知っている。

佐藤部長が冗談をとばした。僕は、まいっちゃいますねえ、と頭を掻《か》いて笑う。ジョークと酒の好きだった佐藤部長が、秋の終わりに脳梗塞で倒れて半身不随になってしまうことも、ちゃんと知っている。

仕事の話に区切りがつくと、佐藤部長は「恵比寿に気の利いた小料理屋を見つけたんだけど、暑気払いってことで、近いうちに仕事抜きで行ってみない？」と言った。

そうだったな、と思いだす。誘われたのだ、一年前のこの日。

「いいですねえ、ぜひごいっしょさせてください」

記憶の中の台詞と、口にする台詞が重なる。

「なんて言いながら、永田さん、マイホーム主義だもんなあ。付き合い悪くって」

そんなことも言われたんだな、一年前には。苦笑いでかわそうとしたが、口が勝手に動いた。

「いやあ、でもねえ、最近はすっかり邪魔者なんです。女房、息子にべったりですから。泣く子と受験生には勝てませんよ」

そうだ、そう答えたのだ、一年前の僕も。

「だったら、よけいなごむよ、その店。かまえはそこそこなんだけど、料理は美味いし、地酒も渋いところ揃えてるから。ほんとに行ってみようよ、ぜったいに気に入るから。ちょっと待ってよ、いつだったら俺、都合がいいかな……ここんところ飲み会つづきなんだよなあ……」

手帳を繰る佐藤部長に、「お酒、ほどほどにしたほうがよろしいんじゃないですか？」と言ってあげたかった。人間ドックも勧めてあげたい。

だが、今度もまた口が勝手に動く。

「私はいつでもスケジュール空けますから、お声をかけてやってください」

背筋がぞくっとした。

僕は美代子とのことも、なにひとつ変えられないのか。一年前の僕が知らなかったことをちゃんと知っているのに、一年後の未来を変えられないのだろうか。

「じゃあ、折を見て電話入れるよ」と佐藤部長は言って、また商談に戻った。僕もサブノートのパソコンを操作して、愛想笑いを交えながら数字や記号をすらすらと口にする。

心の中では別の言葉を言おうとしているのに、台本とは違うしぐさをしてみようともがいているのに、一年前の自分をなぞることしかできない。

一年後の未来は、ここに確かに見えている。だが、それは真夏のアスファルトに浮かぶ逃げ水のように、どんなにしても触れることができない。

7

残業が少し長引いて夜十時前に帰宅した僕を、美代子はいつもどおりの笑顔で迎えた。

「今日、すごく暑かったでしょ。今年最高の暑さで、都心で三十四度もあったんだって」

僕は背広のままダイニングテーブルについて、ネクタイをゆるめながら「外を歩いてると、そんなものじゃなかったぞ。道路の照り返しもあるからな」と言う——言ってしまう。それが一年前のこの夜の事実だから。僕には事実を変えることはできないのだから。

ネクタイをはずすと、よく冷えたミニサイズの缶ビールがテーブルに置かれた。からからに渇いた喉《のど》に、とりあえずビールを一杯。今日一日の仕事を終えて、我が家に帰ってきたんだと実感させてくれる、ほろ酔い未満のふわっとした酔いごこちが、僕はなによりも好きだった。

一息で何口か飲んで、軽くなった缶をテーブルに戻し、「疲れたなあ、今日も」と、喉というより肩からつぶやきを漏らす。

「お風呂どうする?」「先に飯だな」「白いごはんはやめて、素麺にしようか」「そっちのほうがいいかな」「じゃあ、麺つゆにゴマたっぷり入れるね」「おかずは？」「鶏とピーマンの炒《いた》め物に中華ソースかけたのと、冷や奴と、焼きナスと、サラダ」「サラダはパス」「だめよ、野菜とらないと。ナスなんてあんまりビタミンないんだから」「ちょっとだけ食べるよ」「お父さんがこうだから、広樹も野菜食べないのよ」「サラダなんてストレートすぎるんだよ、もっと、こう、さりげなく食えるやつがいいんだよな」「贅沢でわがままなところも、ほんと、広樹ってあなたそっくりになってきたわよ」……。

台本どおりだった。なんの変哲《へんてつ》もない夜のやり取りをいちいち覚えているわけではなくとも、一年前の僕たちは確かにこんな会話を交わしていたのだ。

だが、一年後の未来を知っている僕は、美代子がテーブルに並べる料理を見て、今夜は手間のかからないものばかりだな、と思う。あの時間に新宿を出たのなら、家に帰ったのは夕方で、広樹が塾の夏期講習から帰ってくるのとほとんど同じ頃だったはずだ。

みぞおちに苦みが貼りついている。皮膚を引き裂いて腹を取り出し、水で洗い流してしまいたいような苦みだ。それを感じているのは一年前の僕なのだろうか、いまの、体の在りかがわからない僕のほうなのだろうか。

ダイニングとキッチンを行き来する美代子を、僕はじっと見つめる。襟《えり》のゆったりしたTシャツの、胸のあたり。後ろ姿の、ウエストから腰にかけての線。ハーフパンツの尻。僕の妻でも広樹の母親でもなく、女なんだ——と思う。三十七歳の女がいる。テレクラで知り合った行きずり同然の男に抱かれた女が、いま、僕のために焼きナスの皮を剝《む》いている。

今夜のビールは、ビールの味がほとんどしない。歯医者でステンレスのヘラを舌に押し当てられたときのような、味とも感触ともつかないものが口の中いっぱいに広がる、と感じているのは、どちらの僕なのだろう。

テレビでは十時からのニュース番組が始まった。首相のやにさがった顔につづいて、記者団にまくしたてる野党の党首の顔が画面に大写しになった。物腰はやわらかいが、国会運営では強引に与党案を通す、評判の悪い首相だ。世論調査の内閣支持率もかなり下がってきたが、与党の最大派閥を率いる余裕で、眼鏡の奥の細い目をさらに細めて批判をかわしている。

でもな、と僕は冷や奴の角を箸《はし》で崩しながら、声に出さずにつぶやいた。あんた、もうすぐ病気で倒れちゃうんだ。脳梗塞だ。意識が戻ったのかどうかも俺たちにはわからないまま、次の首相が決まって、お役御免になったあんたは死ぬんだよ……。

画面はスタジオの映像に切り替わった。ニュースキャスターが、芝居めいた表情と口調で政局を嘆く。だが、彼も、もちろん一年先の話などなにも知らない。後任の首相をつとめる男は、もっと評判が悪い。新しい首相のその日の動向を伝えるキャスターは、もう嘆いたりはしない。「どうしようもありませんね」とうんざりしたふうに笑うだけだ。

「熱いっ！」

美代子がキッチンで短く叫び、すぐに水道の水音が聞こえた。

「どうした？」

「うん……指、ナスの皮が熱くて、火傷《やけど》しそうになっちゃった」

そんなこともあったのかな、とあいまいな記憶のまま僕は立ち上がり、「薬、出そうか」とキッチンを覗き込む。

そこからどうしたんだ——一年前のおまえは。

どうしたいんだ——いまの僕は。

キッチンの戸口の手前で足が止まる。逡巡《しゅんじゅん》のせいではない。一年前の僕は、テーブルに夕刊を見つけ、テレビ欄をざっと眺めるために立ち止まったのだ。

番組名を目に流し込みながら、そこからどうすればいいんだ、とあらためて自分に訊いた。美代子を責めて、謝らせて、それですべては解決するのか？　寂しい思いをさせた俺が悪かったんだと詫《わ》びて、もう二度とそんなことはしないでくれと懇願して、それで僕たちは元に戻れるのか？

混乱する頭の中を置き去りにして、体が勝手に動く。夕刊をテーブルに戻してキッチンに入り、「あー、熱かった」と指先に息を吹きかけながら笑う美代子の背後を通って、冷蔵庫のドアを開けた。

「ニンニク、食うよ」

しゃべるのと同時に、嘘だろう？　と叫びたくなった。

冷蔵庫には、いつもニンニクの醬油《しょうゆ》漬けの瓶が入っている。食べるのは、疲れがたまっていると感じた朝と、それから——。

「だいじょうぶ？　バテてるんじゃないの？」

美代子は僕に背中を向けたまま訊いた。誘いをいなすような言い方だったが、僕にはわかる、声が少しまるくなった。湿り気を帯びたようにも聞こえる。

「平気だよ」

ニンニクの瓶を片手に冷蔵庫を閉め、美代子の真後ろにまわって、Tシャツの背中に透けるブラジャーのストラップを指でなぞった。

「やだ、もう」美代子はくすぐったそうに体をくねらせる。「ナスの皮、剝けないじゃない」

僕は、指を背中の真ん中のくぼみに滑らせて笑う。笑いながら、声にならないうめきを漏らす。こんな日に、俺は美代子を抱こうとしたのか——。

美代子は腰に触れる僕の指をやんわりとどかして、「じゃあ、お風呂上がりにコロンつけないでね」と笑った。「あと、マウスペット忘れないで」

昼間の男はどうだったのだろう。コロンの香りを間近で嗅《か》ぐといつも鼻がむずむずしてしまう美代子は、あの中年男のにおいは平気だったのだろうか。男にも自分の、腋《わき》ににじむ甘く饐《す》えた汗のにおいを嗅がせたのだろうか。

「はい、これ」

美代子は皮を剝いたナスを小皿に載せ、流し台の横の水切りカゴから取ったスプーンを僕に渡した。

「十二時ぐらい、って感じかな」

「うん。でも、広樹がもっとがんばるって言ったら、今夜はパスになっちゃうけど」

「あんまり無理させるなよ。まだあせる時期じゃないんだから」

「でも、本人がやる気になってるんだしね」

「まあな……」

かつおぶしをふりかけた焼きナスの皿を受け取ると、美代子は僕の腕に軽く頭をぶつけてきた。

「だいじょうぶよ、もし広樹が寝るの遅くても、わたし一時ぐらいまでなら起きてられるから」

ささやくように言う。僕を見上げて、目が合うと、ふふっと笑う。化粧を落とした頰がほんのりと上気して、口紅をひいていないのに唇が艶《つや》めいて見えれば、それが美代子も気持ちをたかぶらせているという証だ。間違いない。美代子は僕を拒んではいない。妻の務めとして、しかたなく抱かれるわけでもない。服を着たままシャワーも浴びずに抱き合うような二十代の衝動は、さすがにお互い薄れてはいても、僕たちはじゅうぶんに満たされていた夫婦だったのだ。

僕はキッチンを出てダイニングテーブルに戻る。ニンニクの瓶の蓋《ふた》を開けて、大粒の実を二つ選んでスプーンですくう。そのまま口に運んで奥歯で嚙《か》みつぶすと、軋《きし》むような歯触りとともに刺激が鼻に抜け、頬が火照りだす。

抱けるのか、おまえは、あの女を——。

ビールを飲む。「あの女」の響きに、みぞおちがまた苦くなる。

ニンニクをもう一つ、スプーンですくう。

抱けるんだな、おまえは——。

パンツの中で、すでに性器は堅く、熱くなっている。

なにも知らないんだからな、しかたないよな——。

自嘲《じちよう》する笑みすら浮かべられない。一年前の僕はニンニクを嚙みながら、テレビのプロ野球速報に見入って、ジャイアンツの快勝に手を叩《たた》いて喜んでいた。

狭いユニットバスの洗い場で、石鹸《せっけん》をつけたスポンジを全身に滑らせる。愚かで哀れな一年前の僕が、にやついた顔で性器を念入りに洗う。

正面の鏡に、僕が映る。石鹸の泡をまとった僕が、やれやれ今日も暑かったなあ、と首を回す。なにも知らない僕が、湯気で曇りかけた鏡を掌で拭《ぬぐ》い、筋肉を失いつつある横腹を軽く叩く。

なぜ訊かなかった――。新宿駅前のスクランブル交差点で、美代子らしい女性を見かけた、それだけでよかったのに。「おまえ、今日、新宿に買い物に行ったのか？」と訊けば、もちろん美代子はとぼけてごまかすだろうし、僕も「そうか、やっぱり人違いだったんだな」とあっさり納得してしまうのだろうが、もしかしたら、その一言でなにかが――すべてが、変わってくれたかもしれないのに。

なにも知らない僕はシャワーで泡を洗い流す。なにも知らない僕は鼻歌交じりに髪を洗う。なにも知らない僕はまたお湯に浸《つ》かり、海藻のように頼りなくたゆたう陰毛を見るともなく眺めて、へへっと笑う。なにも知らない僕は、なにも知らないから、笑える。

「なにも知らない」のと「すべてを知っていて、なにもできない」のは、どちらが不幸せなのだろう――と考える僕がいることすら、一年前の僕は知らない。

脱衣所を兼ねた洗面室で髪にドライヤーをあてていたら、広樹が入ってきた。

「お父さんごめん、ちょっと顔洗わせて」

眠たげな顔と声で言って、横にどいた僕と入れ替わりに洗面ボウルの前に立ち、勢いよく流した冷たい水で顔を洗う。手つきが乱暴すぎて飛沫《しぶき》がこっちにまで飛んでくるが、小学六年生の男の子にとっては、顔を洗うことだってスポーツのようなものなのだろう。ましてや、一日の大半を机にかじりついて過ごすいまの生活では。

「ヒロ、タオルだ」

「ありがと」

さらのタオルを渡してやったのに、ろくすっぽ拭《ふ》かないで「はい」と返してくる。額の生え際を濡らしたまま、「暑いよー、もう茹《ゆ》でダコ」と笑う。

「エアコン入れろよ」

「だって、エアコンの風って体によくないもん。知ってる？　ウチの塾じゃないんだけど、去年エアコンで夏風邪ひいちゃった女の子がいたんだけど、そいつ肺炎になっちゃって、秋まで入院してて、けっきょく受験だめだったんだって。サイテーだよね、そうなったら」

「点《つ》けっぱなしにするからだろ。いまみたいに部屋の外に出てる間にエアコン入れといて、少し部屋の温度が下がったらすぐに切ればいいんだよ」

広樹は、あ、そうか、という顔になったが、「なんかさあ、でもそれ、セコくない?」とからかうように言う。

「なに言ってんだ、受験はセコさの競争なんだぞ」

僕もからかい返す。受験勉強に打ち込む一人息子のささやかな気分転換に付き合ってやるのも親の務めだと、思う。

「もう寝るのか」

「ううん、あと『予習シリーズ』を二ページやってから」

「十二時ぐらいになっちゃうんじゃないか?」

「だいじょうぶだよ、いまノッてるし、今度の模試、マジにデジカメ狙《ねら》ってるし」

広樹はガッツポーズをつくり、「狙うのは誰でもできるっつーの」と、ずっこける真《ま》似《ね》をした。明るく陽気な男の子だ。中学受験のことなど考えてもいなかった去年の夏は、「ぼく、お笑いタレントになるからね」と真顔で言っていたのだった。

そんな広樹が、親も驚くほど一所懸命勉強している。朝から夕方までは塾の夏期講習、家に帰ってからも、あれほど好きだったテレビゲームに見向きもせず、毎晩日付が変わる頃まで問題集を解く。受験をしない同級生から「プールに行こう」「サッカーをしよう」と誘いの電話がかかってきても、きっぱりと、ときには端で聞いているこっちがビクッとするくらい強い口調で断る。親としては、息子のそんな姿が嬉《うれ》しく頼もしい一方で、いじらしくも感じて、とにかくこの努力が報われてほしいと祈って……僕は、それがけっきょく報われなかったことも、知っている。

「デジカメって、何位までだ？」——なにも知らない僕が訊く。

「ベストテン」

「何人ぐらい受けるんだっけ」

「こないだは八千人だったけど……」

自分でも無謀だとはわかっているのだろう、「四教科だとぜーったいに無理だけど、二教科の順位だったら可能性ゼロじゃないもんね」と笑いながら言う。

「国語と社会の二教科だったら、な」

「グサーッ」おどけて左胸を押さえる。「しょーがないじゃん、お父さんも私立文系なんだし、お母さんも算数苦手だったたって言ってたし」

「まあ、でも、目標を持つのはいいことだよ、がんばれ」

「……だね」

ふーう、と息をつく顔に、一瞬、疲れがにじんで見えた。

僕はドライヤーのスイッチを入れ直して、「六月の模試より偏差値が上がってたら、お父さんがデジカメ買ってやるよ」と言った。

広樹は首を傾げながら「そんなの意味ないじゃん」と笑って、洗面室を出ていった。

最後の笑顔は、少し寂しそうだった。いまなら、わかる。自分の口にした言葉の無神経さも、痛いほどわかる。だが、一年前の僕は、広樹の笑顔の翳《かげ》りを見逃した。自分の言葉のいやらしさにも気づかなかった。

鼻歌を口ずさみながら、濡れた髪をドライヤーで乾かす。シャンプーをしていたときと同じ、サザンオールスターズの古い曲。会いたくなったときには君はもういない、と桑田佳祐が歌う。悔恨の歌だ。もうどうにもならない過去を振り返る歌だ。シングルヒットしたわけでもないその曲をなぜ歌いたくなったのか、いまの僕にも、わからない。

髪を乾かして、美代子に言われたとおりコロンはつけずに、リビングに戻った。湯上がりの火照った体に、エアコンの冷たい風が心地よかった。

「十二時くらいになりそうね、広樹が寝るの」

ソファーでテレビを観ながら、美代子が言う。

「しかしまあ、よくがんばるよなあ」

「ああ見えて、ストイックなところあるのよね。今日もね、同じクラスの子が夕方電話してきたのよ。あさっての多摩川の花火大会みんなで行かないか、って」

「うん、それで?」

「そんなことしてる暇ない、って。はっきり言っちゃうから、ちょっとね、誘ってくれた子がかわいそうになっちゃったりして」

口ではそう言いながら、広樹を誇るように、鼻をツンと上げる。

僕も「まあ、受験する子としない子とは、意識が違うからなあ」とパジャマのボタンを留めながら言う。

ばかだ、と思う。どうしてこんなにおまえは愚かなんだ、と自分を叱る。

僕は、広樹の受験の結果を知っている。その前の、夏休みが明けてからの成績も。冗談をとばしながらガッツポーズをつくる「いま」が、広樹のピークだった。秋から成績は落ちていく。模試を受けるたびに偏差値が下がる。もともと勉強のできる子が本腰を入れて受験勉強に取り組むようになれば、広樹に勝ち目はなかった。

本番の受験では、確実な線を狙って、志望校を夏より二ランクも落とした。この程度の学校なら地元の公立中学でもいいじゃないかと思ったが、広樹は、どうしても受験をするんだと言い張った。

それでも——だめだった。第一志望の学校も、翌日に入試のあった第二志望の学校も、そして次の週に三次にわたって入試のあった滑り止めの学校にさえ、受からなかった。

公立の第二中学に入学した広樹は、六年生の頃のようにおどけなくなった。口数も減った。夕食後はすぐに自分の部屋にひきあげるようになり、少し痩せた。

「やっぱり受験のこと、落ち込んでるのね」と美代子は言い、僕は「そろそろ親と話すのがうっとうしくなる年頃だしな」と自分自身のことを思いだしながら言った。僕たちは、なにもわかっていなかったのだ。

広樹は二学期から学校に行きたがらなくなり、登校してもすぐに腹痛や頭痛を訴えて保健室に向かうようになった。担任の教師に相談をしてクラスの人間関係を調べてもらって、いじめの標的になっているようだと教師が認めたときには、広樹はもう僕や美代子にも心を開かなくなっていた。

いじめの中心にいるのは、小学校の頃に仲の良かった、だから広樹が受験勉強中に遊びの誘いをそっけなく断りつづけた連中だった。原因がそこにあるのかどうかはわからない。ただ、別のやり方があったんじゃないか、別のやり方を教えてやれたんじゃないか、とは思う。

いじめグループが謝罪をして、反省の言葉を並べた作文を持ってきても、広樹は学校には戻れなかった。夜中に家で暴れるようになって、やがて、壁を殴りつけていた拳は、僕や美代子にも向きはじめたのだった。

冷蔵庫のドアを開ける音が聞こえた。

「ビール飲む?」

「そうだな、まだ時間かかりそうだし」

「わたしも飲もうかな。チーズかなにか切ろうか」

「でも、あれだよな、広樹も中学生になるんだし、マンションだとやっぱり、ちょっとな……」

「うん、そういうこと、やっぱり気にしちゃう年頃だもんね」

「もう、あいつ、男と女のことわかってるのかな」

「ぜんぜん知らないってことはないんじゃない？」

「だよなあ」

「できれば一戸建てに買い換えたいよね。受験が終わったら、わたしも勤めに出てもいいし」

そうか、そんなことも美代子は言っていたのか、と気づく。本音なのか昼間に家を空ける口実なのかはともかく、美代子は我が家の外に出たがっていたのだ。

「なに言ってるんだ」僕は笑う。「大学出ても就職できない奴がごろごろしてるのに、三十七歳のオバサンにできる仕事なんてそんなにあるわけないだろ」

「やだ、三十七なんて、まだオバサンじゃないわよ。あなたは家の中にいるときのわたししか見てないけど、ちゃーんとお化粧して、いい服着ちゃえば、ビシッと決まるんだからね」

「甘い甘い、いまどきの若い子なんて、もう骨格が違うんだぞ。脚なんか、もう……」

僕は、ほんとうに愚かで間抜けな男だったのだ。

逃げだしたい。

助けてくれ、と叫びたい。

ナイトスタンドのオレンジ色の明かりに、僕を裏切った女の裸体が浮かび上がる。僕は美代子の乳房を揉《も》みしだく。堅くとがってきた乳首を指でつまみ、撫《な》でる。そのまま鷲摑《わしづか》みにしてちぎり取ってやりたいのに、やわらかくうごめく僕の指は、ただ美代子を悦《よろこ》ばせるための道具にすぎない。

美代子は愛撫を受けながら、僕の性器をそっと掌で包み込む。昼間のあの男と比べているのか。あの男の性器はどんなふうに猛っていたのか。僕の愛撫はどうだ。あいつは僕よりもうまく美代子の体を扱っていたのだろうか。僕より年上だった。冴えない風体の男だった。だが、意外とああいう男のほうが女の悦ばせ方に長《た》けているのかもしれない。美代子は、どこまで、あいつにしてやった。いつも僕にしてくれることを、あいつにもしたのか。僕にはしないことも、求められて、してやったのか。求められなくても、してやったのか。あんな男に。あんな男が。あんな男なのに。あんな男のほうが僕よりも。なぜだ。どこがいけない。どこで負けた……。

美代子が吐息を漏らす。甘く饐《す》えた腋の汗のにおいを、僕は嗅ぐ。

助けてくれ、助けてくれ、と心の中で叫びながら、赤ん坊のように乳首を吸い、けだもののように美代子を四つん這《ば》いにさせる。

チュウさん——。

あんたは、いま、どこにいる。あんたなら、助けてくれる。美代子の尻に舌を這わせる僕の肩を後ろからつかんで、ひきはがし、ベッドから転げ落としてくれ。

頭がどうにかなりそうだ。

美代子が僕の性器を口に含む。僕は美代子の髪を指で梳《す》く。

チュウさん、どうして姿を見せてくれないんだ。どうして助けてくれないんだ。いま、どこにいるんだ。

美代子の脚を広げ、性器に顔を埋める。あの男を迎え入れた性器を、僕はいとおしさを込めて唇と舌で愛撫する。美代子はタオルケットの縁を口に入れて、声が外に漏れないようにする。新宿の古びたラブホテルのたたずまいを思いだす。あのホテルでは、どうだった。思いきり声をあげられたのか。後腐れのない相手だから、もっと、もっと、脚を大きく広げたのか。

愛してる、と僕は言う。わたしも、と美代子はタオルケットでふさがった口を動かす。

もうやめてくれ。

チュウさん、助けてくれ。

僕は美代子から体を離し、枕元に置いたコンドームの袋を手探りで取る。美代子の乳房と性器を隠すタオルケットを剝がして、脚をもう一度広げさせて、ゆっくりと、美代子の中に入っていく。

やめろ。

美代子が僕の背中に手を回す。

やめろ。

僕は美代子に口づけをする。

やめてくれ、頼むから……。

美代子は自分のベッドに戻ると、すぐに寝入ってしまった。僕はパジャマのズボンを穿《は》き、上はランニングシャツのまま、ベッドに仰向けに寝ころんで、週刊誌をぱらぱらめくる。

コロンの香りが苦手なことと関係あるのだろうか、美代子は眠るときに小さないびきをかく。ゆっくりとしたテンポの、メロディーのない弦楽のような、決して耳障りにはならない音だ。

どうなるんだ、これから。

このまま、僕は、我が家の壊れていく日々をただ見つめるだけなのか——。

芸能人をめった斬りにする連載コラムに笑いながら、僕はうめく。

十年前には清純派の代表格だった元アイドルのヘア・ヌードに小首を傾げてあきれながら、僕は悲鳴をあげる。

中高年のリストラは今後もますます加速されるだろうという記事を斜め読みして、まあウチはだいじょうぶだろうなと高をくくりながら、僕は助けを求めて叫ぶ。

週刊誌を閉じて、パジャマの上着を羽織る。美代子が寝返りを打って、口を小さく開けた寝顔がこっちを向いた。

僕は美代子に微笑《ほほえ》みかける。

僕は泣く。

泣きつづける。

泣き疲れて、眠る。

8

深い穴に沈み込んでいくような感覚がしばらくつづき、穴の底に着いた。目に見えたり体に感じたりというのではなく、しかし、ここが眠りの底なのだと確かにわかった。

僕を呼ぶ声がする。

「永田さん」でも「一雄さん」でもなく、「課長」でも、「あなた」でも「お父さん」でもない。

おじさん――。

おじさん？

薄目を開けると、まぶしさというほどではないが、寝室のナイトスタンドとは違う白い光が見えた。

「あ、起きた」――男の子の声。

横たわっていたのではなく、座ったまま眠っていたのだと知った。尻と背中に震動が伝わる。なにか動いているものに乗っているのだと気づき、ああそうか、とようやく自分の居場所がわかった。

「おじさん、だいじょうぶ？」

健太くんが言う。助手席のシートに膝立ちしてヘッドレストに抱きつく格好で、セカンドシートの僕を見つめていた。

「……寝てたのか、いま」

「そう。泣いてたよ」

言われて、瞬くと、涙のかけらが瞼ににじんだ。頬も濡れている。鼻の奥が熱くなった名残が、まだ、ある。

「怖い夢とか見てたの？」

健太くんは笑いながら訊いた。どうせ答えは知ってるんだろう、と僕も苦笑いを返す。

「疲れる夢、だったな」

言葉を選んで答えたわけではなかったが、健太くんは少し意外そうな顔になって運転席を振り向いた。

「初めてじゃない？　そーゆーのって」

ハンドルを握る橋本さんは「そうだなあ」と答えてから、バックミラーで僕を見た。

「でも、疲れるっていう感じ、よくわかりますよ」

「ふつうはね」健太くんは僕に向き直る。「悲しい夢だったとか、つらい夢だったとか、悪夢かと思ったとか、そーゆーこと言うの、みんな」

「何人目になるんだ？　この車に乗ったの」

「けっこうたくさんいるよ」

「みんな、俺みたいな夢……っていうか、昔の自分のこと……」

「そう。ほら、パパ言ってたじゃん、おじさんにとってたいせつなところに連れていってあげる、って」

「ああ……」

「たいせつだったでしょ？」

僕は黙ってうなずいた。

「たいせつなひとにも会えた？」

これも、黙ってうなずく。

「ねえ、おじさん、嬉しかった？　たいせつな場所に戻れて、たいせつなひとに会えて」

僕はまなざしを健太くんからはずし、フロントガラスの向こうに広がる暗闇と、その彼方にぽつんと灯《とも》る信号の青を見つめた。

「……嬉しくなんかなかったよ。苦しくて、悲しくて、悔しいだけだった」

健太くんは「そう？」と聞き返したが、声の響きは半分納得しているようにも聞こえた。

信号の青い灯は見る間に近づいてきて、フロントガラスの右側からサイドウインドウに移った、と思う間もなく一瞬のうちに消えていく。前方の暗闇には、また次の信号が見える。今度も青。ずっと、青。すべて、青。この車はどこを走って、どこへ向かっているのだろう。僕はいつまでこの車に乗せられているのだろう。車を降りたとき、僕はどこにいるのだろう。

「いままでのひとは、嬉しいって言ってた？」と僕は訊いた。

健太くんは、ふふっと笑うだけだった。

「……いないだろ、そんなひと」

「まあね」

「あたりまえだよ、嬉しいわけないいんだ、あんな、ひどい思いさせられて」

健太くんは、また笑う。

「いや、でもね」――橋本さんが口を挟んできた。

「疲れるってのね、わかりますよ。悲しいとかつらいとか、けっきょく、疲れるってことなんですもんね」

話を戻して、「ほんと、疲れる、うん、そうですよね」と、僕にではなく橋本さん自身に念押しをするように繰り返す。

オデッセイはスピードをさらに上げていく。

「その先で、ちょっと休みましょうか」

橋本さんの言葉に、健太くんは「えーっ？」と不服そうな声をあげて、シートに前向きに座り直した。「また、あそこ行くの？　パパ」

「健太は車から降りなくていいよ」

「ってゆーかさあ、そーゆーのって、ほら、なんていうんだっけ、なんとかギャグだっけ……」

「自虐だろ?」

「そうそう、ジギャクテキなんだよね、マジ」

「そんなことないだろ」

「ありまーす」

「だから、健太は車の中にいていいんだから」

「寝てるよ」

「ああ、寝てろ」

「ねえ、おじさん」シートの横から顔を出した。「いまからね、パパの大、大、大好きな場所に行くから」

「べつに好きってわけじゃないぞ」

「うっそお」また、顔をひっこめる。「だって、好きじゃーん」

「嫌いだよ、パパだって、あそこは」

「だったら行かなきゃいいじゃんよお」

「嫌いだけど……行きたいんだ」

「何度でも?」

「ああ、何度でも、だ」

健太くんもそれであきらめたのか、拗《す》ねてしまったのか、もうなにも言わなかった。

あそこ――がどこなのか、僕には見当もつかない。ただ、橋本さん父子の短い言葉のやり取りを聞いていると、むしょうにせつなくなった。

僕と広樹も、受験の結果が出るまでは、あんなふうに、距離の近いキャッチボールみたいにテンポよくしゃべっていたのだ。話の内容はすぐに忘れてしまうようなとりとめのないものでも、だからこそ、言葉と声が行き交う心地よさが記憶にくっきりと残っている。それが、せつなさの三分の一。

子どもの頃の僕だって、父とよくしゃべっていた。チュウさんよりもさらに若い頃、まだ金融業の会社を興す前の父と。しわがれた父の声はいつも怒っているように聞こえたけれど、悲しいときや困ったときは、父の声を聞くだけで、だいじょうぶだという気になれた。あの頃の父は強いひとで、怖いひとで、大きなひとで……チュウさんとは、違う。それも、せつなさの三分の一。

残り三分の一は、橋本さんと健太くんが――こんなにも仲のいい二人が、すでにこの世にはいないんだ、ということだった。ほんのわずかな運転のミスが、幸せな父と息子の会話を永遠に奪った。不運だと片づけるのが悔しくなるような、理不尽な断ち切られ方だ。二人が成仏できずにさまよいつづける理由も、なんとなくわかるような気がする。

オデッセイは、少しずつスピードを落としていった。

「ここに来るたびに、健太の奴、機嫌悪くなるんですよ」と橋本さんは言った。

「どこなんですか？」

「外に出ればわかります。寒いんで、後ろのシートにウインドブレーカーがありますから、ちょっと汚れてるんですけど、よかったらどうぞ」

僕はさっきの健太くんのようにシートに膝立ちして、三列目のシートの隅に丸めてあったウインドブレーカーを手にとった。広げてみると、確かに、えんじ色のウインドブレーカーのおなかのあたりに黒ずんだ大きな染《し》みがある。右袖にも、かなり大きな染み。細かな染みは、背中以外にまんべんなく散っている。

「すみませんね、なんだか汚くて。でも、もう乾いてますから、服に付いたりはしませんから」

「ガソリンかなにかの染みですか？」

「ああ、そういうのも交じってるかなあ。でも、それはちょっとですよ」

怪訝なままジャケットの上にウインドブレーカーを羽織ったとき、ぎくっとした。

「これ、あの、まさか……」

「私の血なんですよ、すみません。事故ったときに、パーッとね、あばらが折れて肺に刺さっちゃったんで」

あははっ、と橋本さんは笑い、思わずウインドブレーカーを脱ぎかけた僕をちらりと見て、急にしょんぼりした顔になった。

「……すみません、やっぱり、気持ち悪いですよね。でも、寒いんですよ、上に一枚着といたほうがいいと思うんですよ」

ためらいながらも、脱いだ。

「僕のジャケットも厚手ですから、だいじょうぶですよ」

弁解めいたことを言って、「べつに、気持ち悪いとか、そういうことじゃないですから」と、もっとよけいな言い訳を口にした。こういうときに健太くんが横からなにか言ってくれれば助かるのだが、もう眠ってしまったのだろうか、シートの背に隠れた体が動く気配はない。

「そうですか？　だったら、まあ、いいんですけど……それはそうですよね、あたりまえですよね、誰でもね……」

橋本さんは車をさらに減速させて、寂しそうに言った。

「外に出て、やっぱり寒そうだったら、着させてもらいます」

つくり笑いを浮かべたが、バックミラーにうまく映り込んだかどうかはわからない。

車が停まる。サイドブレーキをかけてエンジンを切った橋本さんは、気を取り直すように、ふう、と息をついて、シートベルトをはずしながら言った。

「しつこいですけど、寒いですよ、ほんとに」

「ええ……」

「標高千何百メートルですからね」

「え？」

「いまは真夜中だからなにもわかりませんけど、私と健太がこの世で最後に見たのは、ここの景色なんです」

橋本さんはドアを開けた。車から降りてドアを閉めるまでのほんの短い間に、刺すような冷気がいっぺんに車内に流れ込んできた。

高原だった。ゆるやかに蛇行しながら丘をのぼる道路に、オデッセイは停まっていたのだった。

「零下ですよ、たぶん、いま。私、こんなになっちゃってからは、いろんな感覚が鈍くなってますからいいんですけど」

ボタンダウンシャツの上にセーターを着ただけの橋本さんは、気持ちよさそうに天を仰いで両手を大きく広げた。僕はジャケットのボタンをすべて留め、シャツの襟も留めた。それでも、寒い――というより体の芯《しん》が、ネジをきりきりと締めつけられるように軋む。全身をこわばらせ、ジャケットの襟を掻き合わせた。

「だいじょうぶですか？　やっぱり寒いでしょう」

「ええ……ちょっと……」

「血の染みね、模様だと思っちゃえばいいんですよ。気の持ちようですよ、なんだって」

車に引き返して、ウインドブレーカーを羽織った。ナイロン一枚の薄さでも、冷気はだいぶさえぎられた。血の染みを見ないようにしてジッパーを引き上げて、模様だと思えば思えないこともないじゃないか、と自分を無理に納得させる。

ドアを閉める前に助手席の様子をうかがうと、健太くんはダッシュボードに脚を投げだしてシートに身を沈め、おなかの上で両手を組んでいた。

「健太くん、外に出ないの?」

「かったるい」

「ここって……交通事故の場所?」

「もっと先」

にべもない口調に、僕は「あ、そうなんだ」と間の抜けたことしか言えない。

「どーせ、連れていかれるよ」

「お父さんに?」

「他に誰もいないじゃん」

「……まあ、そうだよな」

「ドア閉めてよ」

この場所――わずか八歳で死ななければならなかったこの場所が、よほど嫌なのだろう。

僕は黙って、静かにドアを閉めた。

健太くんと僕のやり取りを聞いていなかったのか、聞こえなかったふりをしたのか、少し離れた場所まで歩きだしていた橋本さんは、のんきな顔で僕を手招いて、また天を仰ぎ見た。

「冷え込んでるぶん、星が、ほら、すごくきれいですよ」

ほんとうだ。東京では想像もつかないような広い夜空に、数えきれないほどの星が光っていた。クリスマスのイルミネーションかなにかのような、これを、降るような星空と呼ぶのだろうか。

「よく、星が瞬《またた》くって言うでしょ。あれは空気が汚れてるからなんですよ。澄みわたった空だと、瞬かないんです」

「そうですか……」

瞬かないだけでなく、星の一つ一つも、東京で見るときより明るく、一回りも二回りも大きく見える。

橋本さんは夜空を見上げたまま、言った。

「あの日ね、事故を起こさなかったら、蓼科《たてしな》の先に女神湖ってあるんですけど、そこの近くのペンションに泊まるはずだったんですよ。小さな宿なんですけどね、部屋に天窓がついてるんですよ。私ね、そこに泊まって、健太に見せてやりたかったんです、星空。二人で並んで寝ころがって……私、星のことなんかぜんぜん詳しくないんですけどね、きれいだなあ、すごいなあ、って……それだけでいいんです、見せてやりたかったんですよね……」

幽霊でも泣くんだな、と初めて知った。

街灯のない道路を、星明かりを頼りに、橋本さんと並んで歩いた。走る車は一台もない。もともと観光用につくられたドライブウェイだからなのか、いま歩いているここもまた現実とは違う世界の一部なのか、もう考えるのはやめた。ウインドブレーカーはなかなか暖かいし、夜空はほんとうに広い。

「現場はあの先のカーブを曲がりきったところなんです」

橋本さんは丘の上を指さして言った。上り坂とカーブの角度があいまって、ぎりぎりまで先が見えない。カーブミラーは設《しつら》えられていたが、事故が起きても不思議ではない場所だ。

「ちょっと遠いんですけど、あまり近くまで行って停めると、健太がかわいそうですからね」

「やっぱり、嫌なんでしょうね」

「そりゃあそうですよ、悔しいですよ。べつにそこを訪ねたからって、もう一度すべてやり直せるわけでもないし、わかりますよね、その気持ちも」

「ええ……」

健太くんの悔しさを、僕自身に重ねた。美代子の裸身が、ぞくっとするほど生々しくよみがえってくる。洗面所を出ていくときの広樹の、疲れがにじんだ顔も。

僕は立ち止まり、何度か強く瞬いて、一年前のあの日の残像を瞼から剝ぎ落とした。

「橋本さん」

「はい？」

返事はしたが、橋本さんは歩きつづける。

「僕は、自分の家庭が壊れていくのを止められないんですか？」

橋本さんの足は止まらない。

「どうにもならないことをもう一度見せつけるために、あんなところに放り込んだんですか？」

橋本さんはやっと歩くのをやめて、僕を振り向いた。思いのほか、距離が広がっていた。

「ここでね」足元を指さす。「このあたりで、私、車のスピードをちょっと上げたんですよ。坂道を上るときって、アクセルをふつうに踏んだままだとスピードが落ちてくるって自動車学校で習ったんです」

「僕の話、聞いてるんですか」

「坂が少しきつくなってるでしょ、このへん。だからね、アクセル、グイッと踏んで……バカですよねえ、そんなことしなけりゃ、トラックとあのタイミングで出くわすこともなかったんですから」

「そんなこと訊いてるんじゃないんですよ」

いらだって、小走りに橋本さんを追いかけた。橋本さんは僕が追いつくまで、黙って待っていてくれた。微笑んでいた。寂しそうな笑顔だった。

「あのですね、僕が言いたいのは、あなたは最初、そこが僕にとってたいせつな場所だとおっしゃったんだけど、そんなの……」

橋本さんは、わかりますよ、というふうにうなずいて、もう一度、足元を指さした。

「私にとっては、ここが、たいせつな場所でした。アクセルの踏み加減ひとつで、私や健太や、女房の運命が変わりました。いまなら、それがよくわかります」

数歩進んで、また立ち止まる。

「このあたりでね、パラグライダーが見えたんですよ」

「はあ?」

「空にちらっと見えて、へえ、あんなことやってるんだなあって、健太に教えてやろうと思ったんですよ。でも、それ、まあいいか、って……教えてやってれば、当然、しゃべってるときにスピードも落ちますよね。健太が、どこどこ?って訊いてくれれば、もっとスピード落ちてますよね。そうすればトラックとすれ違う場所も違ってたし、そもそもカーブでセンターラインからはみ出すこともなかったかもしれません」

「いや、でも、それは……」

「そこのカーブを曲がったら健太に教えてやろうかなと思って、パラグライダーはどっち側に飛んでいってるんだろうなって、ほんのちょっとですよ、一瞬、ちらっと横を見て……カーブだってわかってたんです、わかってたんだけど、そっちに気をとられちゃって、トラックのクラクションが聞こえて、女房が叫んで、健太が……あいつ、最後の最後まで気づかなかったのかな、黙って座ってて、そのまま……おしまいです」

橋本さんは、また歩きだした。その場にたたずんだままの僕をうながすように、「たいせつな場所って、ほんとうにたくさんあるんですよね。あとになってから、それに気づくんです」と言った。

「でも、そんなの言いだしたらきりがないじゃないですか」

「そうです」

「いまの話と、僕が言ってることは……」

「同じですよ」

どうして——と聞き返そうとしたが、橋本さんとの距離が開きすぎていた。僕は小走りに、さっきよりも足を速く運んで、橋本さんに追いつき、横に並んだ。

「たいせつな場所だったことに気づいても、なにもできないんだったら意味がないじゃないですか」

「ええ、そういう点では、意味のないことですよね」

「かえって悔しくなるだけでしょう。そうじゃありませんか？」

橋本さんは半分しかうなずかなかった。

「お気持ちは、お察しします」

少しもったいぶった口調で言って、「でもね」とひるがえす。

「一年前のあなたは、その日が家族にとってたいせつな分かれ道だと気づくことさえできなかったんじゃないんですか？」

素直には認められなかった。だが、そんな僕の反応も織り込み済みだったのか、橋本さんはすぐにつづけた。

「分かれ道は、たくさんあるんです。でも、そのときにはなにも気づかない。みんな、そうですよね。気づかないまま、結果だけが、不意に目の前に突きつけられるんです」

「ええ……」

「私ね、ときどきここに来て、夜空を見上げて、思うんですよ。同じ星空でも、星座を知ってるひとと知らないひととでは、ぜんぜん見え方が違うんだろうなあ、って。ふうに眺めてるときには、ただばらばらに散らばってるだけの星だったのに、つなげ方を知ると、確かにこの星とあの星がつながって、こんな形になってるんだとわかるんですよ。星座を知らないとぜったいにつながりっこない、遠く離れた二つの星だって、いったん知ってしまうと、他につなげようがない気がしちゃうんですよね。私ね、死んだから言うわけじゃないですけど、ひとの人生も同じだと思うんですよ」

「……ロマンチックですね」

「女房にも、よく言われてました。でも、好きなんですよ、星が、子どもの頃からずっと」

「さっき、詳しくないって言ってませんでした？」

「詳しくないんですよ、でも、好きなんです。ぼーっと見てるだけでいいんです。若い頃なんかね、一晩徹夜して、流れ星を三つ見たことがありますよ」

流れ星は意外と、そう珍しいものではないのだという。

「なにか願い事を祈ったりしたんですか？」

橋本さんは苦笑して、「気づいたら、もう、消えるまであっという間ですから、間に合わないんですよ」と言った。「そういうものですよね、願い事なんて」

僕も苦笑いを返し、空を見上げた。星座のことはまったくわからない。星占いの星座の名前を知っているくらいのものだ。流れ星が見えないだろうかと首をぐるっと回してみたが、さすがにそこまでありふれたものではないのだろう。

「あなたが気づかなかったことを教えてあげますよ」

橋本さんは足を少し速め、「奥さんが昼間あういうことをしたのは、あの日が最初じゃありません」と言った。「もちろん、最後でも、ありません」

「……そうでしょうね」

広樹のことも教えてくれた。

「息子さんの勉強机の抽斗の中に、肥後守《ひごのかみ》があります。べつにそれを使ってどうこうってわけじゃないんですけどね、勉強の合間にそれを出して、刃を引き出して、じいっと見てます」

「なんで……」

「お守りみたいなものなんじゃないんですかねえ。でも、だいじょうぶですよ、精神のバランスが崩れてるわけじゃないですから」

ほっとしかけた、その胸の内も見透かしていたのだろう、橋本さんは一呼吸おいて付け加えた。――「そうなるのは、もうちょっとあとになってから、です」

黙ってうなずくしか、なかった。

「ちょっと急ぎましょうか。早く行って、車まで戻って、夜が明けないうちにあなたを次の場所に連れていかなきゃいけないから」

「……今度も、僕にとってたいせつな場所なんですか」

「ええ、もちろん」

「やっぱり僕はなにもできないんですか」

「残念ながら」

それを聞いて、足が止まった。歩きつづける橋本さんの背中を追う気が急に失《う》せた。

「やめてください、もう」

橋本さんは、しょうがないなあ、という顔で振り向いて、「怖いんですか？」と笑う。

「違う、嫌なんだ、さっきみたいな思いをするのなんて」

「だから、怖いんでしょう？」

「悔しいんだ」

「なにもできないことが？」

うなずく僕をいなすように、橋本さんは首を傾げて、また笑った。

「私なら、なにも知らないことのほうが悔しいですけどね」

「知らないほうが、ましだ」

「被害者づらができるからですか？」――ぴしゃりと言われた。

僕は絶句してしまい、橋本さんも黙った。しばらく沈黙がつづく。やがて僕たちの沈黙は夜の闇の静けさに包み込まれ、それをさらに大きく包み込むように、星空が、ある。

「行きましょう。あと少しです」

橋本さんは体を半分だけ前に向けて、「私たちの家族が終わった場所を見てやってください」と言った。

僕は黙って歩きだす。ふわっとした、地面からほんのわずか浮いているような足取りになった。

9

道路の脇に、百合と菊の小さな花束と、缶コーヒーが二本置いてあった。きついカーブを抜けた、その出口。後ろを振り返ると、歩いてきた道が星明かりに照らされてうっすらと見渡せる。ヘッドライトを消したオデッセイは、ワインカラーの色合いまではわからないけれど、ボディーがつややかに光っていた。

健太くんは助手席で眠っているのだろうか。こっちを見つめているのだろうか。五年前のあの日、いま停まっているあたりをオデッセイが駆け抜けたときは、にこにこ笑っていたのかもしれない。なだらかな丘を登りきるまで、車のスピードなら三十秒もかからないだろう。ほんのそれだけの未来すら、ひとは見通すことができない。あたりまえのことが、あたりまえだからこそ、いま、胸に痛い。

橋本さんは花束の前にしゃがみこんだ。

「ここ、ですよ。ここで私と健太の人生は終わったんです」

意外にさばさばした口ぶりだった。運命を悔やんだり嘆いたりする時期はもう過ぎているのかもしれない。

「月命日っていうんでしたっけ、毎月、供えてくれるんです。五年間、毎月毎月、バス停からハイキングみたいなものですよ、一人で歩いてね」

僕は黙ってコーヒーの缶に記された英語のロゴを見つめる。コーヒーはブラックとカフェオレの二種類だった。おとなと子どもに合わせたのだろう。

「私と健太の人生を変えたひとです」

橋本さんはぽつりと言って、「見ず知らずのひとなんですけどね、あの一瞬だけ、とんでもなく深くかかわっちゃったんですよ」とつづけた。

「……事故のときの？」

「ええ。ウチの車とぶつかったトラックの運転手なんです」

新聞記事の記憶をたどったが、たしかトラックの運転手のほうは死ななかったんだよな、としか思いだせない。小さな記事だったのだ、とにかく。ささやかな、ありふれた、毎日どこかの町で起きていそうな交通事故だったのだ。

「若い運転手だったんです。伊藤さんっていって、二十三、四だったかな。もう結婚してて、赤ん坊が生まれるか生まれないかの頃で……だから、まあ、こっちの巻き添えをくって死んでたら、ほんとうに申し訳ないですからね、それだけが、うん、不幸中の幸いでした」

「怪我は軽かったんですか」

「ええ、右足の骨にひびが入って、あとは軽いむち打ち、それくらいですかね。会社は足が治るまで内勤でかまわないって言ったんですけど、けっきょく、会社を辞めちゃったんですよね」

橋本さんは「車の運転ができなくなっちゃったんです、伊藤さん」と付け加えて、ため息といっしょにカフェオレのほうの缶コーヒーを手に取って目の高さに掲げ、感謝を伝えるように小さく会釈をして、缶を元の場所に戻した。

「ほんとうの被害者は、伊藤さんかもしれないんです。私、そう思うんですよ……」

言葉はそこで途切れた。肩が、さらに落ちる。風が吹く。冷たい風だ。草のそよぐ音が、潮騒のように聞こえる。

「運命ですよね、そういうの」と僕は言った。こんな言葉が慰めになるとは思わなかったが。

橋本さんは振り返って、寂しそうな微笑みを浮かべた。

「けっきょく、そうなんですよね、運命なんですよね。原因をさかのぼって考えていけば、最後の最後は、なぜ自分は生まれてきたんだろう、になっちゃうんですよ」

「ええ……」

「じっさい、なんのために生まれてきたんでしょうね、私は。健太だけでも死なないでくれれば、それなりに自分が生きてきた意味もあると思うんですよ。でも、たった八歳ですよ、八歳で息子を死なせちゃったんですよ、私は。三十三歳まで生きてきて、なにも遺せなかった。うん、なにも遺せなかったんですよ、この世に」

風が、また吹き渡る。ウインドブレーカーの襟や袖《そで》が、がさがさと音をたてる。

橋本さんはカーブの先に目をやった。丘を越えたあとも、道路は草原の中を蛇行しながら、どこまでもつづいていた。

「もっと遠くまで行きたかった。健太に、もっと遠くの景色まで見せてやりたかった」

詩の一節を諳《そら》んじるように言って、「もっと、もっと、いろんなものを見せてやりたかったなあ……」とつづける声は、かすかに震えた。

僕は——どうだっただろう。父親として息子になにかを見せてやりたいと願いながら、広樹を育ててきただろうか。

父は——チュウさんは、どうだったのか。僕になにかを見せてやろうと思ったことがあっただろうか。あるとしたら、それは、いったいなんだったのだろう。

「夜が明けたら、僕はまた、どこかにいるんですよね」

橋本さんは行き着くことのできなかった丘の向こうを眺めたまま、小さくうなずいた。

「いつの、どこの場所なのかは、決められるんですか」

「リクエストですか？」

「そういうわけじゃないんですけど、また親父に会うんですか」

「わかりません」

「橋本さんにも？」

「お父さん次第なんですよ、それは」

父はいま、この瞬間も、昏睡状態がつづいているのだという。ガンに蝕《むしば》まれた体は、もう心をつなぎ止めることができないほど衰弱している、らしい。父の心は体を捨てて、タンポポの綿毛のようにふわふわと時空を漂い、そして、父の行きたいところ、会いたいひとの前に舞い降りる。

「お父さんは、あなたに会いたいんです。意識不明になってからずっと、心があなたに会いたがってるんです。会いたくて会いたくてたまらないんです。だから、お父さんがあなたにもう一度会いたいと思っているなら、また会えますよ」

「僕の気持ちは関係ないんですか」

「あります」

「……どういうふうに」

「あなただってお父さんに会いたいと思っているから、だから会えるんですよ」

橋本さんはそう言って、「まあ、あなたは認めないかもしれませんけどね」と笑った。

「……僕と親父は、昔から仲が悪かったんですけどね」

「べつに、仲良しだから会いたいっていうことだけじゃないでしょう、親子なんて」

僕は黙り込む。

「車に戻りましょうか」

橋本さんは踵を返して歩きだした。事故の現場から先へは、けっきょく足を進めなかった。

僕も橋本さんのあとを追う。満天の星空の縁が、ほんのわずか白んできたように見える。そろそろ夜明けが近い。風に草がそよぐ、その少し上を、ほの白いものが流れる。

霧が出ているのかもしれない。

少し歩いてから、後ろを振り向いた。思いのほか坂の勾配は急だったようで、もう丘の向こうの風景は見渡せなかった。

オデッセイのワインカラーと夜の闇の見分けがつくようになったあたりで、橋本さんは不意に立ち止まった。

「永田さん……今度、健太と二人で話してもらえませんか」

僕は橋本さんを二、三歩追い越してから足を止める。オデッセイをちらりと見たが、まだ車内の様子がわかるほど距離は近くない。

「話す、って?」

振り向いて聞き返すと、橋本さんは、胸に残るためらいをすべて吐き出すようなため息をついた。

「健太を事故の現場に行かせたいんです」

「さっきの場所、ですか」

「そう。健太の最期の場所です。そこに立って、自分が死んだんだということをしっかり受け容れさせたいんです」

「でも、それはもうわかってるんじゃないんですか？　車の中でもそんな話をしてたでしょう」

「口ではそう言うんですよ、でも、あいつ、ほんとうは納得してないんです。納得というか、受け容れるというか、認めてないんですよね、まだ心の奥では」

「……八歳ですもんね」

広樹や、僕自身の八歳の頃を重ねてみても、やはり、死はあまりにも遠い。テレビや漫画やゲームの中の出来事にすぎない。夜中に布団にもぐりこんで、自分がいつかは死んでしまうんだと想像して身震いすることはあっても、「いつか」は決して「いま」にはならない。想像できるということは、実感できていないということでもあるのだろう。

「でも、このままじゃかわいそうだと思うんですよ、健太が」

「ええ……」

「成仏させてやりたいんです」

いつまでも自分と二人で真夜中のドライブをつづけさせるわけにはいかない。輪廻《りんね》転《てん》生《せい》を信じる。信じたいと思う。たとえ生まれ変わることができなくても、いまとは違う世界に旅立たせて、暗闇ではない風景を見せてやりたい。一人息子の命をわずか八歳で絶ってしまった父親の、せめてもの務めとして。

一息に言った。訴えかけるように、僕をじっと見つめていた。

「永田さんも父親なんだから、息子さんがいるんだから、わかってくれますよね、私の言ってること」

「事故現場に立てば成仏できるんですか？」

「すぐには無理かもしれません。でも、少しずつでも、『よし、もういいや』と思ってほしいんですよ。死を受け容れてほしいんです。成仏してくれれば、あいつ、行きたいところに行けるんです。私なんかといっしょにいることはないんです」

「でも、橋本さんは、どうなんですか？　このままでいいんですか？」

橋本さんは苦笑交じりに小首を傾げ、少し考えたすえに「健太を見送ってから考えますよ、私のことは」と言った。

なんとなく――だ。

はっきりした確信があるわけではないし、筋道を通して考えたわけでもない。

ただ、なんとなく、橋本さんはほんとうはもういつでも成仏できるんだろうな、と思った。健太くんを一人で残して旅立つわけにはいかないから、こうして真夜中のドライブをつづけているのかもしれない。

「いままで何人もオデッセイに乗せてきたんですが、健太はあなたのことを特に気に入ってるみたいです」

「そうですか……」

「やっぱり、私たちの事故の新聞記事を気に留めてくれて、五年たっても覚えていてくれたっていうのが、嬉しいみたいなんです」

橋本さんは「私も、ですよ」と付け加えて、さらにもう一言、「五年間で自分たちのことがどんどん忘れられていってるのが、わかりますから」と寂しそうにつづけた。

僕たちはどちらからともなく、また歩きだす。

橋本さんは今年の三月のことを、問わず語りに話してくれた。

今年三月、健太くんの同級生たちは小学校を卒業した。健太くんは口には出さなかったが、ほんとうは期待していたらしい。同級生の誰かが、卒業式で、健太くんの写真の入った額を胸に抱いてくれることを。

「ほら、ニュースなんかでよくあるじゃないですか。事故や事件の犠牲になった子どもが、写真だけでも卒業式に参加する、って。校長先生が特別に卒業証書を出してくれたりしてね。健太の奴、それを狙《ねら》ってたんです。生きてる頃から目立ちたがり屋だったから」

だが、健太くんの夢はかなわなかった。卒業式のおこなわれた体育館に、額入りの写真を抱いた同級生の姿はなかった。校長先生の式辞にも、下級生の送辞にも、六年生の答辞にも、小学二年生の秋に交通事故で死んだ橋本健太という少年の名前は出てこなかった。

「事故に遭ったときのクラス担任の先生が次の年に異動になっちゃったのも、運が悪かったんですよね」

橋本さんは「あんまり関係ないかな、それは」と笑って、少し足の運びを遅くした。オデッセイのフロントガラス越しに、健太くんの姿が見える。助手席に座って、目深にかぶったキャップで顔を半分隠して——だから、眠っているのかどうか、ここからではまだわからない。

「しょうがないですよね。みんなは生きてるんだし、こっちは死んで、いなくなっちゃったわけだし。去る者は日々に疎《うと》しって言うじゃないですか、そういうことですよ」

「お母さんはどうなんですか？　友だちや先生は忘れても、お母さんは、ちゃんと……」

言葉は途中でさえぎられた。

「見えないんです」

橋本さんはきっぱりと、なにかを断ち切る口調で言った。

「最初に言いませんでしたっけ、私たち、この世に未練の残りそうなものは見ることができないんですよ。もし健太が母親に会えるとすれば、成仏することを受け容れたあとなんです。別れを告げるためにしか会えないんですよ、母親とは」

このままだと、健太くんは、いちばん会いたいひとに会えない。

「だから、さっきの話なんですよ。健太を早く成仏させてやりたいんです。永田さんに手伝ってほしいんです。最後に母親に会わせてやって、生まれ変わるのか天国に行くのかわかりませんが、とにかく、母親に会わせてやらないと……かわいそうじゃないですか、あいつが」

だが、成仏してしまうと——。

「健太くんと橋本さんは、別れ別れになっちゃうわけですか」

橋本さんは黙って、これもなにかを断ち切るように、大きくうなずいた。

オデッセイは高原の道路をUターンして、見る間に濃くなってきた霧を切り裂くように走る。

夜明けが近い。

僕たちが車に戻ったとき、健太くんはぐっすり寝入っていた。橋本さんは車にエンジンをかけながら健太くんの寝顔を覗き込んで、ふふっと笑った。嬉しそうにも寂しそうにも見える笑顔だった。

オデッセイは、滑るようにスピードを上げていく。もうすぐだな、と予感して、僕はひとつ息をつく。

今度はどこに行く——？

誰に会える——？

今度もまた、僕は筋書きの変えられない過去をもう一度なぞるだけなのか——？

フロントガラスの遥か向こうに、青く灯った信号が見えた。まるで青い光が飛び込んでくるような速さで、車はその信号を通過する。スピードがさらに上がる。飛ぶように、走る。

「お父さんに会えるといいですね」

橋本さんに言われ、「ええ」と素直に答えることができた。

「お互いに会いたい気持ちがあれば、会えますよ」

「はい……」

「奥さんと息子さんには、どうですか？」

わからない。

橋本さんは、もうなにも言わなかった。

スピードが上がる。

僕は目をつぶる。

閉じた瞼の向こうで、まばゆい光がはじけた。

10

ぽかん、と抜けたような青空だった。

ベンチに座って観覧車を見上げていた。

遊園地——？

一瞬思ったが、すぐに、違う違う、と気づいた。ここはビルの屋上だ。僕の暮らす街から丘陵地を越えたところにある街の駅前。同じニュータウンでもこちらのほうが開発が新しく、街ぜんたいの規模も大きいので、ちょっとまとまった買い物をするときには、三十分ほどのドライブがてら、観覧車がランドマークになったショッピングセンター——ここに来る。

僕は着古したトレーナーの上に、ダウンジャケットを羽織っていた。だから、季節は冬。観覧車の向こうに小さく富士山も見える。太陽の方角と高さからすると、まだ午前中。コイン式の遊具で遊ぶ子どもに付き添う若い父親が何人かいる。日曜日だ。クリスマス用のラッピングをした包みを持っているひともいるから、十二月。

僕はベンチの背に体を預けたまま、あくび交じりに、ゆっくりと回る観覧車を見るともなく目に流し込む。なるほどな、と状況が呑み込めた。去年のクリスマス間際の日曜日、僕は確かにここにいた。所在なくベンチに座って、広樹の日曜模試が終わるのを待っていた。間違いない。ダウンジャケットのポケットにはギフトを特集したチラシも入っている。近くの会場で試験を受けている広樹とここで待ち合わせて、二人で昼食をとり、クリスマスプレゼントを買ってやる約束をしていたのだった。

模試のある日曜日は、必ず僕か美代子が車で送り迎えをしていた。自転車で行くには遠いし、バス便も乗り換えがある。広樹本人は自転車でもバスでもかまわないと言っていたが、親としてせめてそれくらいは息子の受験に協力してやりたかった。

今日は俺の順番だったんだな。記憶をさっとなぞっただけで納得しかけて、いや違うぞ、と思い直した。

金曜日の夜、美代子に「あさっての模試、あなたがついていってくれない？」と頼まれた。短大時代のゼミの教授が亡くなったので、日曜日は告別式に出かけなければならないのだという。

信じた。それは、もちろん。いまだって、美代子の言葉を嘘だと断じる証拠など、なにもない。だが、僕はもう知っている。我が家の終わりがどんなふうに始まったかを、もう見てしまった。

なるほどな。もう一度、深呼吸とともに思う。なるほどな。吐き出す息が、ため息の重さになる。確かに、ここも、僕にとってたいせつな場所だ。あの頃は気づくことのなかった、たいせつな一日の、たいせつな場所に、いま、僕はいる。

あとしばらくすれば、広樹が姿を現すだろう。しょんぼりした顔でエレベータを降りて、熱帯魚やハムスターのいるペットショップを抜けて、僕に気づくと無理に笑って、それでも試験の出来がよかったときのように駆けだしてはこないはずだ。歩幅を測るようにゆっくりと、本人はうまくお芝居をしているつもりで、べつだん興味もない遊具や子どもたちにちらちらと目をやりながら、僕の待つベンチに着くまでに顔は自然とうなだれてしまうだろう。

スランプがつづいている。夏休みが終わるまではおもしろいように伸びていた成績が、二学期に入ると足踏み状態になり、志望校を絞り込む十一月頃からは少しずつ、しかし確実に、下降線をたどっていた。

クリスマス前の日曜日——今日の模試は、冬休み講習のクラス分けテストも兼ねていた。最難関の中学を目指すA組から、「公立はいじめがあるから」という程度の動機で私立を目指すE組まで、ランクは五段階。広樹は一学期はC組だったが、夏期講習でB組に上がった。二学期に入ってからのクラス分けテストは、前半はA組昇格を目指し、後半はC組降格の不安と闘いながらだった。

そして、今日、あと三十分もたたないうちに、広樹は僕に言うだろう。

「もうぜったいアウトだよ、D組に落っこちちゃうの決まったよ、サイテー」

悔しがるのなら、まだいい。ゲームやスポーツの気分で模試を受けていた一学期の頃のように、地団駄《じだんだ》を踏んだり、舌を鳴らしたり、唇をとがらせたり、美代子や僕に八つ当たりをするのなら、それはそれでよかったのだ。

だが、今日の広樹には、失敗を悔しがる気力すらなかった。疲れていた。あせって、もがいて、悩んで、迷って、途方に暮れて、どうすればいいのか自分でもわからなくなっていた。

そんな広樹に、僕は――。

思いだす。

「なに落ち込んでるんだよ、元気出してがんばれよ」

僕は広樹に言った。

「受験まであと一ヵ月半しかないんだから、悩んでる暇なんかないぞ。結果なんてどうでもいいから、ガーンと行け、そうしないと後悔しちゃうぞ」

ベンチの隣に座った広樹の肩を抱いて、「とにかく、がんばれ」と励ましたのだった。

昼食は、一つ下のフロアのレストラン街にある中華料理店で食べた。不況のあおりで冬のボーナスは十年前の水準にすら至らなかったが、それでも、少しばかりの贅沢はしてもいいだろうと思っていた。

ランチコースのいちばん高いのを選ぼうとしたら、広樹は「ぼく、ラーメンでいい」と言った。「なんか、あんまり欲しくないんだよね、ごはんとか」

「なに言ってんだ」——僕は笑ったのだ。

「ガンガン食ってスタミナつけないと、受験なんてやってけないぞ」と言って、前菜からデザートまで六品、ふかひれスープ付きのコースを注文したのだ。

間違ってはいない。

けれど、そうではないやり方だってあったのだ、と思う。

箸の進まない広樹の小皿に、「冷めちゃうぞ」「これ、コリコリしてて美味《うま》いぞ」「シジミは栄養があるんだからな」と、料理をどんどん取り分けてやった。受験の話はいっさい口にせず、プロ野球やJリーグの話をとりとめなく、ほとんど僕が一人でしゃべった。

間違ったことをしたとは思わない。

だが、やはり、そうではないやり方があったのだ。

広樹は食事中も窓の外に広がるニュータウンの街並みを見つめ、何度も、あーあ、と息をついた。

「元気出せよ」と僕はそのたびに苦笑した。

元気──の問題ではなかったのだと、いまは思う。

「誰だって、調子のいいときもあれば悪いときもあるんだから、本番の前に一回調子を落としといたほうが、かえっていいんだよ」

調子──の問題でもなかったはずだ。

コースが終盤にさしかかると、やっと広樹は明るさを取り戻した。たぶん、これも、「明るさ」とは違う言葉をあてはめるべきだったのだろう。

「受験、ぜんぶ落ちちゃったら、ちょーカッコ悪いよねえ。二中の入学式なんか赤っ恥じゃん、なんでおめーがここにいるんだよー、つって」

冗談の口調で言った、ように聞こえたのだ、あのときは。

だから僕も、少しくだけた言い方で返した。

「だーいじょうぶだって。楽勝、楽勝。めちゃくちゃ高望みしてるわけじゃないんだし、いつもどおりの実力を出せばぜったいに受かるから」

「なんかもう、受験やめたくなっちゃったなあ。そしたら、もう、ぜんぜん気楽じゃん」

「なにバカなこと言ってんだよ。結果を心配する暇があったら、どんどん勉強しろよ。野球だってサッカーだって、不安を打ち消すのは練習しかないんだからな」

追い詰めるつもりなど、なかった。僕はただ、受験直前になって悩んだり迷ったりしてもしょうがないんだから、と伝えたかっただけなのだ。

「とにかくがんばれ。お父さんもお母さんも応援してるんだし、せっかく五年生の頃からがんばってきたんだから」

追い詰めるつもりはなかったのだ、ほんとうに。

だが、受験に失敗し、地元の第二中学校に入学して、やがて学校に行けなくなってから、広樹は泣きながら僕と美代子に訴えた。

僕は受験やめたいって言ったのに、お父さんがやめさせてくれなかった——。

言い訳だ。自分の失敗をひとのせいにしているだけだ。本気で受験をやめたいのなら、あんなふうに中途半端に言うのではなく、もっときちんと伝えるべきだ。そうすれば、僕だって……「やめてもいいぞ」と言えただろうか？

心の中でうめき声を漏らしながら、僕はのんびりとあくびをする。目尻にうっすらと溜まった涙を指で拭い、いい天気だなあ、と避雷針を兼ねた観覧車のてっぺんを見つめる。なにも知らない僕は、すべてを知ってしまった僕よりも、ずっと幸せだった。

観覧車は、遠くから眺めると、タンブラーの縁に掛けた輪切りのオレンジのようにも、角材に食い込んだ円盤形の電動ノコギリのようにも、見える。レストラン街の一角から乗り降りする仕組みだ。四人乗りのゴンドラは、円周の前半——時計の文字盤でいうなら6から12にかけてはビルの外壁からはみ出す格好で上昇して、12から3にかけては屋上に迫って下降する。3から6の間は、屋上に穿《うが》たれた、空から見れば自動販売機のコイン投入口に似ている細長い穴に吸い込まれて、ゴール。

ショッピングセンターが開業したのは、広樹が小学四年生のときだった。月に一度は家族で買い物に出かけた。観覧車にも三人で何度となく乗った。最初のうち、広樹はゴンドラがビルの外壁からはみ出すのを怖がって、乗るたびに「いま落ちたら死んじゃうよね、ぜったい死んじゃうよね」と繰り返していたものだった。

僕も——正直、少し怖かった。子どもの頃から観覧車が苦手だった。遠くの景色を眺めていればいいのに、ゴンドラのことばかり考えてしまう。まるでリンゴの実のように一点だけでぶら下がっているのが心配でたまらず、閂《かんぬき》を外から掛けただけの扉がもしも開いてしまったらどうしようと思い、風で揺れたり、ボルトが軋《きし》んだりすると、それだけで身がすくんだ。

少年時代の僕が乗っていたのは、ふるさとの町から車で一時間以上かかる県庁所在地にあるレジャーランドの観覧車だった。動物園と遊園地がいっしょになった——といっても昭和四十年代の地方都市のレジャーランドだ、動物園の目玉はキリンとシマウマぐらいのもので、遊園地の遊具もちゃちなものばかりだった。いまなら小学校の低学年の子どもを喜ばせるのがせいぜいだろう。

観覧車は、いつも、レジャーランドで過ごした日曜日の締めくくりに乗った。いまから思えばショッピングセンターの観覧車よりもずっと小さな円周だったはずだが、レジャーランドじたいが山の頂上にあったので、眺望はかなりのものだった。ゴンドラが少し上昇するだけで海が見えた。夕方の海は、いつもオレンジ色の鏡のように光っていた。島の多い瀬戸内海だ。夕陽がまぶしすぎないときは、牡蠣《かき》の養殖場の筏《いかだ》も見えたし、コンビナートのある港にタンカーや貨物船を曳航《えいこう》するタグボートも見分けられた。

ゴンドラに乗り込むのは、母と僕と妹の智子の三人と決まっていた。父は乗り場の脇のベンチに座って――ちょうど、いまの僕と同じように、観覧車を眺めていた。

　ジェットコースターでもゴーカートでもメリーゴーラウンドでも同じだ。父は僕たちを遊園地に連れてきてくれるが、決して遊具には乗らない。智子が「お父ちゃんも乗らんのん?」と誘っても、ベンチに座ったまま、ポケット瓶《びん》のウイスキーをちびちび啜《すす》りながら「恥ずかしいけん、ええわ」と苦笑いを浮かべ、母が誘うと「大のおとなが、こげなオモチャに乗れるか」と少し怒ったふうに言うのだった。

僕や智子がゴンドラから手を振ると、父は照れくさそうに右手を顔の高さに掲げて応えた。人目を気にしているというより、自分が家族と遊園地にいることじたい、居心地が悪そうだった。

あの頃の父はまだ工務店の仕事だけをやっていた。金貸しを始めた頃は、僕は中学生になって、もう家族で遊園地に出かける歳ではなかった。

懐かしくないとは言わない。ただ、それは、戻りたいという懐かしさではない。いまの広樹より幼い僕がいて、いまの僕よりも若い父がいる、かつてそういう日々が確かにあったのだと嚙みしめるだけのことだ。

観覧車が回る。ゆっくりと回る。

父は、中空に浮かぶ家族を、どんな気持ちで見つめていたのだろう。ゴンドラに乗って自分から遠ざかっていき、また自分のもとに戻ってくる家族を見つめて、どんなことを思っていたのだろう。

僕は、いつも美代子と広樹と三人で観覧車に乗る。二人乗りの遊具が多い遊園地ではさすがに柵の外からビデオカメラをかまえる役回りのほうが多かったが、観覧車は必ず家族みんなで乗った。いまでも、これからも、もしも広樹が「観覧車に乗ろうよ」と言いだせば、僕はそれが当然のことのように三人ぶんのチケットを買うだろう。

「大のおとな」と父が自分のことを呼んでいた頃よりも、いまの僕は年上なのに、あの頃の父のほうがずっとおとなに思えてしかたない。同世代の知り合いや友だちを見まわしてみると、とりたてて自分が幼いとは思えないのだが、それでも、やはり、父と比べると子どもじみたところばかり目についてしまう。

観覧車が、ゆっくりと、回る。

もうすぐ広樹がやってくる。何周してもどこへも行けない観覧車のゴンドラと同じように、僕は、なにも知らなかった僕が選んでしまった道を、もう一度たどり直すしかない。

美代子は、どこにいる。和室の鴨居《かもい》に喪服が掛かっているのを出がけに見た。だが、亡くなった教授の名前は聞いていない。お芝居なのか。今日も、あの夏の日と同じように、僕も広樹もいない部屋からテレクラに電話をかけるのだろうか。それとも、すでに男との約束はとりつけていて、僕の車がマンションの駐車場を出たのを確かめてから、外出したのだろうか。その男とは何度目だ。行きずりのままなのか。特定の相手になったのか。なぜ、美代子は僕を裏切って、そんなことを……。

視界の後ろから、人影が不意に現れた。

ベンチの、僕の隣に座る。

肩とこめかみから少しだけ力が抜けた。目を向けなくてもいい。驚きはしない。僕は、このひとに会いたかったのだ。そして、このひとも、僕に会いたかったから、ここに来た。

「もうすぐ広樹が来るよ」

観覧車を見つめたまま言うと、父は——チュウさんは、「デパートなんやら遊園地なんやら、わかりゃせんのう」と笑った。

「未来なんだ。チュウさんの知ってる世界の、二十五年後」

「どこのデパートも、こげな感じなんか」

「まあ……観覧車は珍しいけど、似たようなものだよ」

「広樹も日曜日の朝っぱらからご苦労なことじゃのう。中学校やらせっかく義務教育で学校に通えるのにから、わざわざ高いゼニ払うてガリ勉して、私立じゃて、わしにはようわからん」

知ってるんだな、チュウさんはすべて。

「チュウさんの頃も、東京や大阪はそうだったんだよ。田舎だから私立がなかっただけなんだ」

「ほいたら、カズも都会におったら私立の中学校に行っとったか？」

「……わからないけど、僕はたぶん公立に行ったと思う。友だちもいるし、小学生のうちから受験勉強なんてしたくないし」

チュウさんは背広のポケットから煙草を取り出した。オレンジ色のパッケージ。エコーだ。

「どっちでもよかったんだ、僕も美代子も。広樹が受験したいんなら応援するし、公立でいいって言うんなら、それでいいと思ってたんだよ。押しつけたつもりなんて、ぜんぜんなかったんだ、ほんとに」

煙草の煙がたなびいて、懐かしいにおいが鼻をくすぐる。昔は意識したこともなかったが、これが父のにおいだ。

「もうすぐ来るんだ、広樹が。落ち込んだ顔してるよ。僕も、今度の模試も出来が悪かったのかと思って、ちょっと残念だったけど、そんなの親が怒ったってしょうがないんだから、元気づけてやって、中華料理でも食おうかってレストラン街に降りて、やっぱり広樹は元気がなかったんだけど、励まして、ハッパかけてやって……どこが間違ってたんだろうなあ……」

チュウさんは黙って煙草を吸いつづけ、僕も、これ以上は泣き言になってしまいそうだったから、口をつぐんだ。「正しい」や「間違っている」で分けるような話ではないのだろう。ただ、結果は、もう出ている。動かしようもなく、ある。

観覧車が回る。下降するゴンドラの、レンズのように少しふくらんだ窓に、幼い女の子が顔をぺったりつけているのが見える。

「カズは、こまい頃は観覧車が怖かったんど、覚えとるか」

チュウさんが、くわえ煙草で言った。

「さっきも、そのこと思いだしてたんだ」

僕は女の子の乗ったゴンドラを目で追いながら返す。あの子は笑っているんだろうか。泣いているんだろうか。

「お母さんから聞いたの？　そのこと」

「べつに聞きゃあせんよ」

「でも、お父さん……」

「……チュウさんいうて呼べや」

「チュウさん、観覧車にいっしょに乗ったことなんてなかっただろ」

「乗らんでもわかるわ、それくらい」

チュウさんは煙草を足元に捨てて、古びた革靴のつま先で火を消した。昔から吸い殻をどこに捨てようとおかまいなしのひとだったな、と思いだす。

「下から見とるだけで、わかるんじゃ」

「そうだったの？」

「あたりまえじゃ。窓から手ぇ振っとっても、智子とはぜんぜん顔が違うんじゃけえ。ほんま臆病じゃったけえのう、カズは」

女の子のゴンドラが、屋上からレストラン街のフロアに降りていく。女の子は笑っていた。目が合ったような気がして、こっそり笑い返したが、女の子に気づいてもらえたかどうかはわからない。

「ねえ、僕や智子の乗った観覧車を下から見てるとき、どんなこと考えてた？」

チュウさんは少し考えて、「カゴが落ちたらおおごとじゃのう、て心配しとった」と言った。端《はな》から冗談の口調だったので、僕は取り合わず、「もう忘れた?」と訊き直した。

「おう……忘れた……」

「だよね、ずうっと昔のことだもんね……」

話はまた途切れたが、今度の沈黙は長くはつづかなかった。

「いっぺん乗ってみようかのう」とチュウさんはつぶやくように言った。

「観覧車に?」

答えるかわりにベンチから立ち上がって、「カズも乗らんか」と言う。苦笑いで断ろうとしたら、チュウさんは「ええもんが見えるかもしれん」と、「ええもん」とは裏腹な険しい顔で言った。

11

観覧車のチケット売り場には、数組の行列ができていた。高校生ふうのカップルが一組、残りは皆、幼い子どものいる家族連れ。四十前の男どうしの組み合わせは、あらためて確かめるまでもなく、僕たちだけだった。

売り場の隣に、カラオケボックスのステージのような台がある。『ご乗車記念フォト・メモリアル』——何度見ても、そのたびに失笑してしまう。

観覧車に乗り込む前にステージに立ち、ガラス壁越しの観覧車を背景にカメラで撮影してもらえば、ゴンドラが一周するまでに写真と日付の入った絵葉書ができあがる。さびれた観光地でたまに見かける、顔のところだけくり抜いたペンキ絵の名所看板のようなものだ。

チケットを買ったカップルや家族連れは、ステージには目もやらずに、まっすぐ乗り場に向かう。僕もゴンドラ一台五百円のチケットを買うと、後ろにいたチュウさんに「行こうか」と声をかけた。

だが、チュウさんの視線は、僕ではなくステージのほうに向いていた。

「記念写真が撮れるんじゃのう……」

つぶやく声を、チケット売り場の女子係員が耳ざとく聞きつけた。

「すぐできますよ。一周する間に現像しますから、お帰りのときにお渡しできます」

また今度、といなそうとしたら、その前にチュウさんが「ほーう、そりゃあええのう」と嬉《うれ》しそうに言った。

「いまなら待ち時間なしですから」

「なんぼな、おねえちゃん」

「一枚千円です」

「いや、ちょっと待って」と言いかける僕をさえぎって、チュウさんは「よっしゃ」と大きくうなずいた。「せっかくじゃけえ、記念に撮ってくれや」

チケット売り場の奥では、若い男の係員が、マジかよお、という顔でカメラと三脚を戸棚から下ろしていた。チュウさんを振り向く僕も、似たような顔になっていたはずだ。

子どもの頃の家族写真に、父といっしょに写っているものはほとんどない。カメラに向き合って立つのが苦手で、嫌いなひとだった。「役者じゃあるまいし、そげんすました顔ができるか」というのが口癖で、といって笑顔をリクエストすると「おかしゅうもないのに笑えるか」ともっと不機嫌になってしまい、しかたなくカメラにおさまるときも「早う撮れ、早う撮れ」の連発で、通りかかったひとがこっちを見ると顔を真っ赤にして「なんぞ文句あるんかい、こら」とすごむ——そういうひとだったのだ、僕の父は。

「ここ、みんながじろじろ見るけど、いいの？」

「なんが？」

「だって……そういうの嫌いだったじゃないか」

チュウさんは、「まあ、好いとるわけじゃないけどの」と少し照れくさそうに笑った。「カズと二人の写真、一枚も持っとらんかったけえ」

「僕も写るの？」

「あたりまえじゃろうが。わし一人で写ってどげんするんな」

三脚をセットした係員が「じゃあ、お客さま、どうぞ」と呼んだ。レストラン街を歩いていた買い物客は、たぶんそのひとたちにとっても記念撮影を見るのは初めてなのだろう、からかうような視線を向けてくる。足を止めるひとまでいる。

チュウさんはネクタイを締め直し、背広のボタンを留めながら、ステージに上がった。古びた背広、野暮ったいデザインのネクタイ、横を刈り上げた——中国の卓球選手のような髪形、なにより浅黒く陽に焼けた肌とごつごつした手の甲は、日曜日のニュータウンのショッピングセンターの風景から浮き上がっていた。チケット売り場の女子係員の顔も、なんとなく笑いを噛み殺しているように見える。

「カズ、なにしよるんな。早う来い」

手招きされた。だみ声の方言に、買い物客がくすくす笑う。

「ほれ、早う来い言うとろうが」

僕のすぐ後ろで、幼稚園ぐらいの男の子が「ママ、あのひと、酔っぱらい？」と訊いた。

しかたなくステージに上がり、チュウさんの隣に立った。見物を決め込んでいる連中を舌打ち交じりににらみ、三脚の高さを細かく調節していた係員に「早くしてくれよな」と言って、昔の親父と同じじゃないかよ、と気づく。

「まあ、そげんせかしちゃるな」と上機嫌に笑うチュウさんの顔は、僕の肩の高さまでしかない。こんなに小柄なひとだったんだな、とあらためて嚙みしめた。

仏頂面の僕を取りなすように、さっきの女子係員が声をかけてきた。

「ご兄弟ですか？　雰囲気、よく似てますよね」

親子だよ――と言って信じてもらえるわけがない。あいまいに笑い返し、よけいなこと言わないでよ、とチュウさんに目配せしたが、遅かった。

チュウさんは胸をぐいと張って言った。

「わしら、朋輩じゃ。五分と五分よ」

「はあ……」

彼女がきょとんとした顔でうなずくと、入れ替わるように、カメラのファインダーを覗き込んでいた係員が顔を上げた。

「はい、準備できました。撮りますよお」

チュウさんは咳払いして、気をつけ、の姿勢をとった。

「あの、すみませーん、お兄さんのほう表情固いですよ、リラックスリラックス」

係員の言葉に、野次馬がくすくす笑う。まいったよなあ、とうんざりする僕にも、係員は言った。

「弟さんもスマイルよろしくお願いしまーす」

だから兄弟なんかじゃないって——。

フラッシュが光った。

「はい、どうもお疲れさまでしたあ。お降りになるときまでにプリントしておきますので、お楽しみに」

チュウさんは「おう、あんちゃん、男前に写してくれたんじゃろうの」と軽口をたたきながらステージから降りた。僕の記憶の中の父は、赤の他人の、しかも若い男に対して、こんなに気さくではなかった。「もとがいいから、ばっちりですよお」と調子よく返されて、「よっしゃよっしゃ」と満足げにうなずくようなひとではなかったはずだ。

いまになって、気恥ずかしさが急にこみあげてきた。

俺が親父と二人で並んで記念撮影——？

嘘だろう——？

観覧車の乗り場に向かう間も、チュウさんはご機嫌だった。

「カズ、さっき目ぇつぶっとらんかったか？」

「だいじょうぶだよ、そんなの」

「ほいでも、古いアルバム見とったら、カズが目ぇつぶっとる写真がぎょうさんあったで。不器用いうか、緊張するんかのう、ほんま、間の悪い奴っちゃ」

そうだったっけ。よく覚えていない。というより、チュウさんが昔のアルバムをめくっていることじたい、うまく想像できなかった。

「それ、いつ見たの？」

「いつ、いうことはありゃせんわい。暇な折りに見とるんじゃけえ」

「……知らなかったよ」

「なんが？」

「アルバムなんて興味ないんだと思ってた」

チュウさんは、「なしてや」と笑った。「まあ、おまえらが寝てしもうてからのことじゃけん、知らんわの」とつづけ、「子どもの知らんことは、ようけあるんじゃ、親には」と、また笑う。

だが、三十八歳のチュウさんは、二十五年後の——つまり、いまの、六十三歳の日々を知らない。

実家にある家族のアルバムを妹の智子が端からめくっていったのは、夏の終わりのことだ。遺影を選んだ。そのときになってあわてて探しても遅いから、と。父の容態は急速に悪化していた。「そのとき」はすぐ目の前に迫っている、と誰もが思っていた。

東京に「お兄ちゃんのアルバムに、お父ちゃんの写真ってない？」と電話がかかってきた。実家のアルバムには父の顔が正面から写っている写真はほとんどなかったらしい。たまにあっても怒った顔ばかりだった、という。

「お兄ちゃんのほうに、なんかええ写真あったら、送ってほしいんよ」と言われ、美代子と結婚してからの数冊のアルバムを探してみたが、こっちも似たようなものだった。ついでに、広樹が中学に入学してからの家族のスナップじたい一枚もないことにも、気づいてしまった。

ろくな写真がないことを電話で伝えると、智子は「そしたら、親戚中に訊いてみるしかないなあ」と言い、九月に入ると父の容態は持ち直したので、話はそれきりになっていた。けっきょく写真は見つかったのだろうか。橋本さんの話によれば、父は昏睡状態のまま、あと何日もしないうちに死んでしまう。「そのとき」は、今度こそ、逃れようもなく、目の前にある。

チュウさんは、それをまだ知らない。乗り場の係員にチケットを渡す僕の横で、次々に回ってくるゴンドラを見て「思うたより大きいのう、これじゃったら少々の風が吹いても落ちりゃせんわい」と子どものようなことを言って、おかしそうに笑う。

係員に外から鍵を掛けられたゴンドラは、ビルから中空に投げだされるような格好で上昇していった。

チュウさんは急に口数が減った。ふんぞり返って座っていても、腰の落ち着きが悪い。息をつくたびに、ふう、ああ、と喉が鳴る。胸の前の腕組みも、いばってそうしているというより、胸を抱きかかえているように見える。

「怖いの?」

「……アホ、子どもの乗り物じゃろうが」

「そっち側、富士山見えるよ」

「わかっとるわい」

ちらりと横の窓に目をやって、それだけ。膝の貧乏揺すりも始まった。子どもの知らない親の素顔は、なるほど、確かにあるんだな、と思う。

子どもの頃は、父には怖いものなんてなにもないんだと思っていた。いつも自信に満ちあふれて、どんなときでも自分がいちばん正しくて、誰に対しても強面《こわもて》で接するひとだった。そんな父には、怖いものがたくさんある、たとえば僕のような人間の気持ちなど、決してわからないんだと思っていた。

なだらかな丘陵地帯に広がるニュータウンを上から眺め渡すと、団地の建物や一戸建ての家屋は、丘の表面に貼りつけただけのように見える。手前の——街の中心地のビルはどれも、空の高さから見下ろされることなど考えていなかったのだろう、道路の高さからだと凝ったデザインなのに、屋上はコンクリートの灰色をのっぺりと晒《さら》して、ずいぶん不格好だった。

「チュウさん」

僕は横を向き、窓枠に這わせた腕に顎を載せて言った。

「チュウさんは知らないと思うけど、僕と親父は、これからどんどん反《そ》りが合わなくなるんだ」

「親父……いうたら、わしのことか?」

「そう。チュウさんの、これからの話」

「カズとわしが喧嘩するんか?」

「っていうほどはっきりしたものじゃないんだけど、僕は嫌いになるんだ、親父のことを」

「なしてや」

「……なんでなんだろうね」

ごまかしたわけではなかった。十八、九の頃なら父を嫌いな理由はいくらでも挙げられたのに、いまはそれがよくわからない。

「僕が会社を継がなかったこと、やっぱり怒ってる?」

チュウさんは少し間をおいて、「ええよ、それはもう、カズにはカズの人生があるんじゃけえ」と言った。

「……九年後も、同じこと言ってくれればよかったのにな」

「九年後いうたら？」

「僕が大学を卒業して、東京で就職した頃だよ。親不孝者だって怒鳴られて、誰のおかげで大きくなったと思ってるんだって殴られそうになって、おふくろと智子が泣きながら止めたんだ」

「わしが？　カズを？」

「親父も、僕のことが嫌いになってたんだよ、その頃は」

「嘘つくなや」短く笑われた。「わしはカズのこと、可愛《かわゆ》うてしょうがなかったんで？」

「変わったんだ」

「アホ、喧嘩はしても、子どもを嫌いになる親がどこにおるんな」

「でも、ほんとなんだ。嫌いになったんだよ、僕のことを」

「いつからや」

声を強めて訊くチュウさんを、僕は腕に顎を載せたまま、ゆっくりと振り向いた。チュウさんは眉をひくつかせて僕をにらんでいた。鋭い目つきだった。だが、記憶の中の父の目は、もっと鋭かった。こんなふうにまっすぐ受け止めることなんて、できなかった。

「チュウさん、サラ金の事務所を開いたばかりだろ」

「おう」

「ヤクザみたいな奴も、たくさん使って」

「そりゃあ、まあ、きれいごとですむ商売と違うけえの。ほいじゃけど、柄は悪うても根はええ奴らじゃ」

「でも、僕は嫌いだった」

「若い衆のことか？」

「あいつらも嫌いだったし、サラ金っていう仕事も嫌いだったし、そんな仕事を始めた親父が……大嫌いだった」

怒鳴られるだろうな、とは思っていた。狭いゴンドラの中だ、カッとなったチュウさんが足を蹴り上げれば、逃げられない。それでもいいや、という覚悟はできていた。

だが、チュウさんは怒鳴らず、動かず、僕をただじっとにらむだけだった。沈黙の間にゴンドラは円周のてっぺんに迫り、風で小さく揺れた。避雷針の横を通り過ぎる。ここから先は、下りだ。

「なして、そのときに言わんかったんな」

感情を抑えた声で、チュウさんは言う。「お父ちゃんサラ金の仕事せんといて、いうて……」とつづけた声の尻尾《しっぽ》が震えた。

「言えるわけないじゃない。まだ子どもだったんだから」

「我慢しとったんか」

「そう。ずっと、いやでいやでいやでたまらなかった」

「そげな、いやでいやでたまらんような仕事でわしが稼いだ金で、おまえは高校やら大学やらに通うたんじゃろうが」

「そうだよ。だから、いやだった。自分のことも、すごくいやで、すごく嫌いだった」

チュウさんはまた黙り込んだ。僕をにらむまなざしから、力が少し抜けた。僕は窓の外に向き直った。ごめん、と口を動かしたが、チュウさんに伝わったかどうかはわからない。

あと二、三分のうちにゴンドラは地上に着く。僕はまた屋上に戻る。ほどなく、落ち込んだ顔の広樹が来る。僕は、今回のテストもだめか、と憮然《ぶぜん》として広樹を迎える。ちょっと今日はしっかり励まして、元気づけて、ハッパをかけてやらなきゃなあ、と——一年後に振り返れば悔やむことばかりの一日が、また繰り返される。

「チュウさんが悪いんじゃないよ」

僕は言った。自分が聞きたいから口にした言葉だった。

「どうしようもないことなんだ。あとになって、結果が出てから振り返ったって、そのときにはそれしかできなかったんだから、しょうがないんだよ」

チュウさんの返事はなかった。かまわない。僕は、僕のために、つづけた。

「後悔のない人生なんて、そんなの、ありえないんだから」

チュウさんはまだ黙っていた。

「いまさら、もう、どうしようもないんだ……」

僕もそれ以上はなにも言わない。ゴンドラは円周の四分の三を過ぎようとしている。あと少しで屋上に穿《うが》たれた穴に吸い込まれる。

「カズ、ちょっと右側の下のほう、見てみい。早うせんと、見えんようになるど」

「……なんなの？」

「ええけん」

体をひねって、反対側の窓に倒れ込むような格好で、外の景色を見た。ショッピングセンターと駅を結ぶ、ビルの高さでは四階にあたる遊歩道が、ほぼ真下にあった。

「ベンチに座っとる子どもがおるの、わかるか」

見えた。赤いキャップを前後逆にかぶった男の子——広樹だ。ひとりぼっちで、ぽつんと座っていた。膝に頬づえをついて、行き交うひとたちを眺めていた。もう、いやになっちゃったなあ。つぶやきが、聞こえるはずがないのに、聞こえた。

僕は息を呑《の》み、広樹を見つめる。おまえは——と、心の中で言った。屋上に来る前に、こんな所にいたのか。ひとりきりで模擬試験の失敗を悔やみ、出口の見えないスランプに悩んで、いま、頬づえをはずし、両手で頭を抱え込んだ。

ゴンドラは滑るように下りていく。停まらない。大声をあげても届かない。広樹はのろのろとベンチから立ち上がった。その姿を確かめた直後、遊歩道は視界から消えた。

「哀れなもんじゃのう」とチュウさんが言う。

僕は体を起こし、「知らなかったんだ」と返した。「まさか、あいつが、あんなところで、ひとりぼっちで……」

ゴンドラは屋上の穴に呑み込まれ、窓の外が暗くなった。

「知っとったら、変わったか？」

「ぜんぜん変わってるさ」

「どげなふうにや」

「広樹を励ましたりなんかしない。もう受験なんてやめちゃおうって、言ってやった」

チュウさんは、それを聞いて笑った。冷ややかに、嘲《あざけ》るように。

「あとになってからじゃったら、なんぼでも格好のええことが言えるわの」

「……そんなことない」

「のう、カズ。さっきはえらそうなカバチたれとったけどの、言うとくが、わしは金貸しになったことを目クソほども悔やんどらんけえの」

わかっている。それが、現実の、父だ。

「カズがこげなふやけた男になるんじゃ知っとったら、最初から会社やこう継がせよう思わんかったわい。中学を出たら家から放り出しとった。後悔があるとすりゃあ、そこだけじゃ」

　憎々しげに、声を僕の耳に塗りつけるように言う。僕は黙って目を伏せた。やっぱり親父は強いひとだよなと、なぜだろう、少しほっとした。

　ゴンドラが地上に着いた。係員が鍵をはずし、ドアを開ける。

「はい、お疲れさまでした。気をつけて降りてください」

　乗り込んだときと同じように、チュウさんが先に外に出た。おまえの顔なんかもう見たくない、というふうに、そっけないしぐさで。


　チケット売り場の前を通りかかると、さっきの女子係員が「写真、できてますよ」と言った。チュウさんは押し黙ったまま、かまわず歩きつづける。僕も写真なんてどうでもいいと思っていたが、「お客さーん」と重ねて呼ばれ、しかたなく売り場のカウンターに引き返した。

　渡された絵葉書は、アイデアにふさわしく、デザインのセンスもひどいものだった。観覧車とショッピングセンターの全景があらかじめ印刷された隣に、『ご乗車記念』の写真がある。

　チュウさんの顔は、そこそこの笑顔になっていた。少なくとも、アルバムに残した写真のどれよりも自然な表情だった。

だが、隣の僕は——目をつぶってしまっていた。

肩から力が抜け、ため息も漏れた。絵葉書をジャケットのポケットに入れて、レストラン街の先のほうを振り向いた。

チュウさんはまだ、いた。足を止め、少しいらだった顔で僕を待っていた。

小走りに追いつくと、「そろそろ広樹が屋上に来る頃じゃろうが」と言う。「エスカレータ、どこにあるんな」

「チュウさんも来るの？」

「いけんのか」

「いや、そうじゃないけど……できるの？」

未来を知ることはできても変えられない。それが、橋本さんに放り込まれた世界のルールだったはずだ。

チュウさんは僕の言葉の意味がよくわからなかったようで、「エスカレータで上がればすぐじゃろう」と早足で歩きだした。僕も並んで歩く。屋上に出るエスカレータは、すぐ先だ。

「広樹に会ったら、どうするわけ？」

「わからん」

「わからん、って……」

「ほいでも、広樹はわしの孫で、カズはわしの息子じゃけん」

チュウさんは大股になって、さらに足を速めた。

「いまさらどうしようもないやら、そげな格好のええこと言うてたまるか」

怒った声で言った。

12

ペットショップを抜けて屋上に出てきた広樹は、ベンチに並んで座るチュウさんと僕に気づくと、怪訝そうな顔になった。

おう、こっちだ、と僕は軽く手を振った。

「カズによう似とる」とチュウさんは言った。

「そうかなあ」

「よう似とるわい」

実際の親父はそんなこと一度も言わなかったけどね、と心の中でつぶやいた。お父ちゃんのようなひ弱な男になっちゃいけんど、おじいちゃんのようになれえ、男の子は元気がいちばんじゃけえ——酔った勢いで乱暴に広樹を抱き上げて、僕に聞こえよがしに、そんなことを言った夜もある。

「のう、わしは広樹のこと、かわいがってやっとるか？」

「赤ん坊の頃は、べたかわいがりしてたよ。初孫だったし」

「大きゅうなってからは違うんか？」

「ほとんど会ってない。田舎に帰るのは、一年に一度あるかないかだったから。親父も東京に来たことなんかなかったし」

チュウさんは眉間に皺を寄せて、「ほんまに仲が悪かったんじゃのう」とあきれたように言った。

広樹が少しずつ近づいてくる。視線を落ち着きなくさまよわせている。誰だっけあのひと、という顔だった。落ち込んでいるのをごまかそうとして、無理に頬をゆるめた笑顔ではない。

僕の生きた一年前の現実が、少し、ずれた。変わるかもしれない。変えられるかも、しれない。僕はゆっくりと息を吸い込み、吐き出した。喉が渇く。唇が、かすかに震えた。

「わしの、孫か……」

チュウさんの声も、震えた。

広樹は僕たちの前に立ち、チュウさんをちらりと見た。

おまえのおじいちゃんだ――とは言えるはずがない。「ヒロ、挨拶しなさい。お父さんの田舎の友だちなんだ」と言うと、それに合わせてチュウさんも「さっき、ここでばったり会うたんじゃ」と笑った。

広樹は首をひょこっと前に出して、「こんにちは」と言った。まだ表情には怪訝さと、なにか警戒するような色がある。

「お父ちゃんによう似とるのぅ」チュウさんは嬉しそうに言う。「目元やら、そっくりじゃが」

広樹は助けを求めるように、僕に目をやった。子どもどうしではそうでもないが、おとなが相手だと人見知りしてしまう。僕から受け継いだのは、顔立ちよりもむしろそういうところだ。

「古い古ーい友だちなんだぞ、お父さんの」と僕は言った。

「朋輩じゃ」とチュウさんがつづける。

「朋輩っていうのはな、どう言うのかな、幼なじみで、兄弟みたいに仲が良くて……」

「こいつのためなら腕一本くれてやっても惜しゅうない、いう連れのことじゃ」

チュウさんはそう言って右手を突き出し、左手でパーンと叩いた。広樹は思わずたじろいで、また僕を見る。「田舎は乱暴だからな」と僕は苦笑して、ベンチから腰を浮かせた。模擬試験のことは訊かずに、このまま食事に連れていってやろう、と思っていた。そして、それとなく、もう受験はあきらめないか、と切り出すつもりだった。

だが、チュウさんは迷いもためらいもなく広樹に言った。

「テストじゃったんじゃての。どうじゃった？　百点取れたか？」

広樹は顔をこわばらせた。僕を見る目が、よけいなおしゃべりに抗議するようにとがる。チュウさんは気づかない。たとえ気づいていても、それがどうした、と子どものささやかなプライドや悲しみなどあっさりと切り捨てるひとだった、父は。

「あんたのお父ちゃんも、こまい頃から勉強はようできとったけえ、あんたも成績はええんじゃろ、のう？」

広樹は、もうチュウさんのほうを見ない。初対面のおとなから「あんた」呼ばわりされたことは生まれて初めてのはずだ。だが、僕は知っている。これでもせいいっぱい優しい呼び方なのだ。もともと荒っぽい土地柄の港町だったが、父は特に、言葉遣いも気性も荒々しかった。ふつうなら、僕の友だちにも「おまえ」「わりゃ」「こんなん」。小学生の頃は、父に叱られたと思って泣きだしてしまった友だちもいたほどだ。

「のう、こら、テストはどげんじゃったか訊いとるんで、おっちゃんは」

短気な性格でも、ある。

僕はベンチに座り直し、うつむいた広樹に笑いながら声をかけてやった。

「最近調子悪いんだよな、ヒロ」

広樹は小さくうなずいたが、チュウさんが横から「頭に調子のええ悪いやらあるんか」と難癖をつけるように言った。

「あるんだよ」むっとして、僕は言う。「その日のコンディションでぜんぜん変わってくるんだから」

「調子の悪いときに出るんが実力と違うんか？」

「……まあ、いいから、ちょっと黙っててよ」

「のう広樹、今日の調子はどげんじゃったんか」

呼び捨てにされた広樹は、ますます身を縮めてしまう。

「チュウさん、やめてよ。問い詰めるような言い方をされると、しゃべれないだろ」

子どもの頃の僕もそうだった。話したいことや言い返したいことがいくらあっても、父の目に射すくめられ、「早う言えや」とだみ声でうながされると、喉がきゅっとすぼまって、なにも言えなくなってしまうのだ。

「問い詰める、いうて」チュウさんは鼻で笑った。「なにをおまえ、大袈裟《おおげさ》なこと……」

二十年以上も昔の記憶が、逆流した。

「してるんだよ！　あんたにはそのつもりはないかもしれないけど、子どもにはそう聞こえるんだよ！　怖いんだよ！　だから言いたいこと、なにも言えなくなっちゃうんだよ！」

一息に怒鳴った。ニュースでよく見聞きする若い連中の「キレる」というのは、きっと、こんな感じなのだろう。

チュウさんは目を大きく見開いた。怒った顔ではない。驚いて、困惑した顔だった。広樹も、まるで自分が怒鳴られたみたいにおろおろと、僕とチュウさんを見比べる。

僕はベンチからまた立ち上がり、広樹の肩を軽く叩いた。

「ヒロ、飯食いに行こう」

「でも……」

「いいんだ。行くぞ」

一人で歩きだすと、何歩か進んだところで広樹が駆け寄ってきて、「いいの？」と訊いた。「友だちなんでしょ？　っていうか、なんだっけ、ハイホー？」

「朋輩か」

「そう、ホーバイなんでしょ、お父さんとあのおじさん」

「いいんだよ、もう」

足を速めた。やっぱり未来なんか変えられないんだ、と思い知らされた。よけいなおせっかいをされたら、かえって悪いほうに転がってしまう。

広樹が少し遅れた。早くしろよ、と振り向いたら、立ち止まってチュウさんのほうを見ていた。

「ねえ、謝ってるよ」

「うん？」

チュウさんはベンチに座ったまま、広樹に向かって両手を合わせていた。ごめんなさい、のポーズだった。いかつい顔が、おどけて、泣き顔に変わる。

そうだったよな、と僕は小さくうなずいた。喧嘩早く、気に入らないことがあるとすぐに声を荒らげる父だったが、仲間内――朋輩といるときには、なんともいえない愛敬を見せる。そういうところが、たとえヤクザまがいの連中でも、父のまわりにひとが集まってくる所以《ゆえん》だった。

「迎えに行ってやれよ」と僕は言った。「お昼ごはんいっしょに食べない？　って誘ってみろ」――ため息交じりに。

「ね、あのおじさん、チュウさんっていうの？」

「あだ名だけどな」

「おじいちゃんの会社と同じ名前っぽいじゃん。ほら、マルチュウとチュウさんって」

「……偶然だよ」

「顔も、なんか、おじいちゃんに似てるっぽくない？　お父さんにも、なーんか雰囲気似てるんだけど」

「べつに似てないって。いいから迎えに行ってやれ」

広樹は納得しきらない顔を「ま、いっか」と笑って崩し、駆けだした。小さく跳ねながら遠ざかる背中は、一年前の現実に比べると、元気そうに見える。

これでいいのかな、という迷いの溶けたつぶやきを、いいんだよこれで、と強く言い直した。

変えてやる。もう生きるのも嫌になってしまうような現実に、むざむざ放り込まれたくはないし、だめになっていくのがわかっている道に広樹を進ませたくもない。変えてやらなければいけない。絶対に。

広樹に先導されて、チュウさんがこっちに歩いてくる。僕と目が合うと、さっきの態度はなんだ、というふうに険しい顔になる。謝ったのは広樹に対してだけ、のようだった。チュウさんは広樹に二言三言話しかけて、はにかむ広樹と手をつないだ。嬉しそうだった。未来に出会うことになる孫と並んで歩くのは、どんな気分なのだろう。チュウさんは幼い子どもどうしのように、つないだ手を大きく振った。広樹は、まいっちゃったなあ、という顔だったが、人見知りのハードルは越えたのか、手を無理に離そうとはしない。祖父と孫の血脈を無意識のうちに感じて、警戒心を解いたのだろうか。

現実には、小学六年生の広樹と父がこんなふうに歩くことはできない。二人がひさしぶりに顔を合わせるとき、父はたぶん、棺《ひつぎ》の中にいる。

もっと何度も広樹を連れて田舎に帰ってやればよかった。ガンになる前の父に、もっと広樹を会わせてやればよかった。ふるさとに背を向けて過ごしたこの数年間の暮らしを、初めて悔やんだ。

エスカレータでレストラン街に下りて、フロアの案内図の前に立った。あまり食欲がないと言う広樹を、だめだぞスタミナつけなきゃ、と中華料理店に連れていった、現実の僕の過ちを繰り返す気は、もちろん、ない。

「テストのあとで疲れてるだろ。軽いものにするか？」

「うん、まあ……」広樹は歯切れ悪く言う。「そんな、めっちゃ疲れてるわけでもないけど」

「スパゲティなんかどうだ？」

「アホ」――チュウさんが口を挟む。

「おまえなに言うとるんな。疲れとるけえ、こってりしたもの食うんじゃろうが。夏バテのときに鰻《うなぎ》を食うんと同じじゃ」

よけいなことばかり言う。

「いいからチュウさんは黙っててよ。なあ広樹、スパゲティもいいし、あと、そうだな、寿司屋にするか？」

広樹はもぞもぞと背中をくねらせ、「お寿司はちょっと……」と言った。

「だったら、うどんもあるぞ。体も暖まるし、あっさりしてるし」

「うーん……」

「カレーがいいか？　でも、胃によくないしなあ。やっぱり和食がいいよなあ」

案内図を見て和食の店の写真を探していたら、チュウさんの太い指が、にゅっと横から出てきて中華料理店の写真を差した。

「ここでええ、ここで。うどんやらカレーやら、子どもに外で飯を食わせるときにケチくさいこと言うたるな」

ほんとうに、よけいなことしか言わない。

「金の問題じゃないって。広樹は疲れてるんだから」

「疲れとるやら、なしてカズが勝手に決めるんな。のう、ヒロちゃん、あんた疲れとるん？」

チュウさんが顔を覗き込むようにして訊くと、広樹は「ううん、だいじょうぶ」と答えた。調子を合わせたのではなく、はっきりと、そんなのあたりまえじゃん、というふうに。

「ほれ見い。親が子どものこと勝手に決めつけるんは、いちばんいけんのよ。よっしゃ、ほいたら、ヒロちゃん、なににする？」

「中華料理がいいかなあ」

チュウさんは得意げに胸を張って、「中華がええんじゃと」と僕に笑いかけた。「カズと同じじゃのう」

「カズって、お父さんのこと？」

「おう、そうじゃ。ヒロちゃんのお父ちゃんはのう、こまい頃は、おっちゃんが飯を食いに連れていっちゃる言うたら、いっつも中華料理を食いたがるんじゃ。酢豚《すぶた》と餃子《ギョーザ》が大好きでの、ほいでも酢豚のピーマンだけは皿の端に除けて、ようおっちゃんに怒られとったんで」

「えーっ、なんで？　変じゃん。お父さんとチュウさん、同級生ぐらいじゃないの？　それでなんでチュウさんが連れていくの？」

「いや、そりゃあのう、まあ……おっちゃんはガキの頃からおとなっぽかったけえ……」

調子に乗ってしゃべりすぎるから、こうなる。

僕は黙って歩きだした。

ふるさとの街の中華料理店を思いだした。駅前商店街にあった、店のかまえが竜宮城さながらに派手な店だ。子どもの頃、しょっちゅう家族で出かけた。僕はいつも——チュウさんの言うとおり、酢豚セットを注文した。酢豚をメインに、小皿の前菜もついていた。あとは溶き卵のスープと、ザーサイと、ごはん。日替わりの前菜は、棒々鶏《バンバンジー》が「当たり」で、クラゲの和《あ》え物が「はずれ」だった。智子は同じ組み合わせでメインが八宝菜になったセット、母は夏なら冷やし中華、それ以外の季節は五目ソバ。父はビールと餃子。餃子はいつも三皿とって、一皿と半分を父がビールのつまみにして、僕も一皿食べて、母と智子は皿に半分残った二個か三個の餃子を二人で分けるのだった。

いままで思いだすことのなかったあの店のたたずまいが、急によみがえってきた。欄《らん》間《ま》や障子に、中国風の彫り物がほどこされていた。出窓にパンダの置物があった。難しい漢字の並んだ衝立《ついたて》もあった。キリンビールのポスターもあった。いまはもう名前を忘れた芸能人のサイン色紙も、ラップで覆われて、貼ってあった。

僕たちが通されるのは、いちばん奥まった円《まる》いテーブル席と決まっていた。食べている途中で必ず店長が挨拶に来て、父と笑いながらなにかしゃべって、話の内容は聞き取れなかったが、母はときどき「子どもの前でそげん話せんといて」と、店長が厨房に戻ったあと父に言っていた。

記憶は懐かしさの甘みに包み込まれかけたが、不意に、あぶくがはじけるように割れる。

あの店は、僕が高校生の頃につぶれた。博打なのか女がらみだったのか、店長が多額の借金を背負い、そのかたに店を手放したのだ。金を貸したのは父の金融会社だった。

主のいなくなった店をあっという間に取り壊したのも、跡地に五階建てのビルを建てたのも、父の経営する建築会社。テナントを管理するのは、父の不動産会社。一階のいちばんいい場所を取った店は、父が地元の朋輩と共同経営するステーキハウスだった。

父は強いひとだった。商売の波はあっても、勝ちつづけてきたひとだった。真ん丸な頬がいつもてかてかしていたあの店の店長が、いま、どこでなにをしているのかは、知らない。

中華料理店は混み合っていた。レジの前の椅子に座った順番待ちの先客もいた。現実の記憶では、確かに混んではいたものの順番待ちが出るほどではなかったから、やはり、僕たちは現実とは違う今日を生きているのだろう。

案内されたのは、窓際のテーブル——現実と同じ。

メニューを開いた広樹は「ぼく、ラーメンでいい」とは言わなかった。これは現実とは違う。

広樹の隣に座ったチュウさんは自分のメニューをめくりながら「物価も高うなったんじゃのう」と気圧《けお》されたようにつぶやき、それでも「せっかくじゃけえ、この、いちばん高いコースにするか」と勝手にウェイターに注文した。ふかひれスープ付き、全六品のランチコース——あの日と同じ。

現実と重なり合ったりずれたりしながら、僕たちは、最後はどうなるのだろう。急に不安になった。あの日の現実から、少しでも遠ざかりたい。

注文を復唱して立ち去ろうとするウェイターを、僕はあわてて呼び止めた。

「酢豚もください、一品料理で」

「こちらのコースには、豚肉と黒豆の炒め物も入っておりますが」

「いいから、酢豚」

「はあ……」

「あと、餃子とビールも持ってきてくれや」とチュウさんが言う。

「じゃあ、ぼく、冷たいウーロン茶」と広樹も言う。

僕は椅子の背もたれに深く体を預けた。ちょっと離れられたなと一息ついて、そんなことでいちいち安堵する自分に、重い疲れを感じた。

13

食事が始まると、チュウさんは一人でしゃべりどおしだった。子どもの頃の僕の話――失敗談や恥ずかしい思い出ばかり、次から次へと出てくる。『ウルトラセブン』の最終回のラストシーンで泣いてしまったことや、小学一年生の最初の遠足で水筒の蓋《ふた》を川に流してしまったこと、智子とオモチャの取り合いで喧嘩をして、三つ年下の智子に泣かされてしまったこと、つまらない嘘をついたこと、おっちょこちょいで怪我をしたこと、不器用なせいで壊してしまったオモチャ、大好きだった割りには上手くなかった野球……。

チュウさんは、びっくりするくらいよく覚えていた。僕のことを詳しく知っていた。そんなの親父なんだからあたりまえじゃないか、とは思う。だが、それにしても詳しい。自分が目にしたはずのない昼間のできごとまで、ことこまかに、それこそ見てきたかのように再現する。

母だ、と気づいた。「お父ちゃんには言わんといてよ」と頼み込んだことを、母はあらかたしゃべっていたようだ。腹は立たなかった。なんだよ、そうだったのか、とビールを啜《すす》りながら笑った。

「すごいねーっ」広樹も感心して首を横に振る。「ホーバイって、マジ、兄弟みたいによく知ってるんだあ」

「そりゃあそうよ。わしゃあカズのことを生まれたときから見とるんじゃけえ」

「覚えてるの？　お父さんが生まれたときも」

「あたりまえじゃや。こんなん、なにやらせてもノロマじゃけえ、予定日が過ぎてもちいとも生まれてこんでから、ヘソの緒が体に巻きつく難産での、ほんま、往生したで」

また調子に乗ってしゃべりすぎたチュウさんは、広樹から「でも、チュウさんだって生まれたばっかでしょ、そんなの覚えてるわけないじゃん」と言われて、しどろもどろに「あとから聞いたんじゃ、おう、朋輩じゃけえの、なんでも知っとかにゃいけん思うて」とごまかした。

広樹はまだ少し訝《いぶか》しげだったが、チュウさんは「おう、そうじゃそうじゃ、思いだした」と強引に話を先に進めた。

僕が生まれたときのことだ。正確には、その直前、母が分娩室で苦しんでいる頃。

「……カズのお父ちゃんはの、その日は仕事じゃったんじゃ。駅の向こう側の工事現場で、まだ若うて、朋輩二人か三人で独立したばあじゃったけえ、下請けの下請けの、そのまた下請けの、しょぼい仕事よ。子どもが生まれるぐらいで休むことやらできゃあせん。ほいでも、スコップで穴掘りながらの、生まれてこいよお元気で生まれてこいよお、いうて……アホでもなんでもかまやせんけえ生まれてこい死なずに生まれてこいよお、いうて……」

チュウさんはスコップを使う身振りをしながら、声をわずかにくぐもらせて、つづけた。

「もし、どげんしても神さんがカズのこと天国に連れていく言うんじゃったら、身代わりにわしを地獄に落としてつかあさい、ての。わしが死んだるけえ、赤ん坊だけは……

わしの息子なんじゃけえ、助けてやってつかあさい、助けてやってつかあさい、いうて……」

初めて聞く話だった。僕はほとんど仮死状態で生まれた。助産婦さんがヘソの緒をおなかからはずし、背中を何度か叩いて、やっと産声をあげたのだった。

チュウさんはコップに残ったビールを呷《あお》るように飲んで、「殊勝なもんじゃ」とつぶやいて笑った。僕はチュウさんの空いたコップに、黙ってビールを注ぐ。べつに恩に着るつもりはなかったが、なんとなく照れくさくて、嬉しいか嬉しくないかと訊かれたら、やはり、それは嬉しかった。

「でもさあ」

広樹は、チュウさんからお裾分《すそわ》けされた餃子を食べながら言った。食欲は、ある。ほんとうに、びっくりするほど。

「カズのお父ちゃんって、おじいちゃんのことだよね」

「おう、そうじゃ」

「おじいちゃんって、そういう性格だったの？　っていうか、お父さんとすげー仲悪いじゃん。なんか信じられないんだよね、いまの話」

チュウさんの笑顔が、しぼんだ。僕も、チュウさんと目が合いそうになって、うつむいた。

「……仲が悪いうて、どげんふうにや」

「だから、ほら、お父さんが会社継がなかったし、東京でマンション買ったし、お母さんと結婚するときも、おじいちゃん、ちょー反対してたって。ね？　お父さん、そうだよね？　おじいちゃんって、お父さんとかウチのことが嫌いなんだよね？」

そんなことないさ——とは言わなかった。

「で、お父さんもおじいちゃんのこと、嫌いなんだよね？」

そんなことないさ——とは言いたくなかった。

チュウさんはビールを呷る。さっきよりも乱暴な飲み方になった。唇の端からあふれたビールが顎に伝い、それを手の甲でいらだたしげに拭《ぬぐ》う。

「ヒロちゃんは、どげな」無理に声をやわらかくしているのが、わかった。「あんたは、おじいちゃんのこと、どげん思うとるんな」

広樹は口の中の餃子をごくんと呑み込んで、少しだけ申し訳なさそうに言った。

「あんまり、好きくないかなあ……嫌いってほどじゃないけど、っていうか、べつに興味ないっていうか、どうでもいいんだよね」

僕はチュウさんも広樹も見ずに、酢豚の皿に箸《はし》を伸ばす。チュウさんは黙りこくっていた。広樹が「餃子、もう一個ちょうだい」と声をかけても、呆然としたまま返事はなかった。

チュウさん、これがあんたの未来なんだよ——。

ピーマンを箸でつまんで口に入れる。僕はもうピーマンを食べられる。これだって、僕の未来だ。


食事が終わり、デザートが来る前に、広樹はトイレに立った。テーブルに残された僕とチュウさんは、三本目のビールの残りを半分ずつ分けて、どちらからともなくため息交じりに笑う。

「なして、わしとカズは仲が悪うなったんじゃろうの」

「いろんなことがあったんだ」

「金貸しの仕事が、そげん好かんかったんか」

「仕事のことだけじゃないよ。いろんなことが積み重なって、それで、もう、どうしようもないぐらい離れたんだ、気持ちが」

「わしが悪いんか」

僕は小さく首を横に振った。

「親父から見れば、僕のほうが悪いんだと思う」

自分の言葉を聞いて、そうだよな、と嚙みしめた。悪いのはすべて父だと思っていた若い頃とは違う。父には父の夢があり、苦労があり、喜びや悲しみがあったんだと、いまなら思う。その夢や苦労や喜びや悲しみが僕とは相容れなかった、それだけのことで、それがどうしようもないぐらい大きなことなんだと、思う。

「長生きも、そげんええもんじゃないかもしれんの」

「……まあね」

「ほいでも、のう、カズ、いまが底かもしれんで？　これからわしも爺《じい》さんになって丸うなるはずじゃし、こんなんも少しは年寄りにも優しゅうなれるじゃろ。のう？　なんじゃかんじゃ言うても親子なんじゃけえ、最後の最後は仲直りできようが。のう？」

僕はなにも答えない。それは無理なんだよ、チュウさん——声が喉の奥でひしゃげる。

「わしは未来を信じとるけん」

チュウさんは笑いながら言って、席を立った。

「どこ行くの？」

「しょんべんじゃ」

チュウさんが店を出ていってしばらくしてから、広樹が戻ってきた。トイレでチュウさんには会わず、途中ですれ違ったりもしなかったらしい。

僕はチュウさんの席を見つめ、「じゃあ、帰っちゃったんだ」と言った。

「でも、デザート食べてないじゃん」

「気まぐれなんだよ、あいつ」

チュウさんを——父を「あいつ」と呼ぶと、背中がくすぐったくなった。

「チュウさんのぶんも食べていいぞ」

デザートは、現実と同じ、マンゴープリンだった。広樹は「うん」と答えてスプーンを取ったが、プリンを見つめたまま、手を出そうとしない。

「ねえ、お父さん。さっき、おじいちゃんの悪口言ったから、チュウさん怒っちゃったのかなあ。だから帰っちゃったんじゃない？」

「そんなことないって。なんか用事もあるって言ってたし」

「でも、急に機嫌悪くなったと思わない？」

「チュウさんはおじいちゃんのことが好きなんだ」

「そうなの？」

「ああ。すごく、好きなんだよ」

また背中がくすぐったくなる。俺は親父のことは嫌いでも、チュウさんのことは好きなのかもしれないな、と思った。

「でもさあ、お父さんとチュウさん、なんでこんなところで会ったの？　偶然でしょ？　チュウさんって、このへんに住んでるの？」

「うん、まあ……どうなんだろうな」

「でも、田舎の方言丸出しだったよね」

「ま、いいから、プリン早く食べちゃえよ」

「うん……」

広樹は気のない様子でプリンを一匙《さじ》すくったが、首を傾げて、スプーンを戻した。

「ごめん、ごはん食べすぎちゃったのかなあ。あんまり欲しくないんだよね」

現実に、戻った。

「テストで疲れてるんだよ、やっぱり」と僕は言う。「受験なんて大変だよ。まだ小学六年生なのに日曜日の朝っぱらからテストだろ、ちょっとおかしいよな、そういうの」

と、うわずりそうになる声を抑えてつづけた。

広樹は、まあね、と小さく答えて窓の外に目をやった。

「テスト、調子悪かったんだろ」追い詰めるなよ、と自分に言い聞かせる。「でも、そんなに気にするなって」

「……気にしてないけど」

「春からずーっとがんばってきたんだもんな、お父さん、ヒロがこんなにがんばったっていうだけで、すごく嬉しいよ」

本音だ。間違いない。あの日言えなかった本音を、やっと言えた。だが、耳の奥で、あの日の僕が口にした言葉もよみがえる。がんばれ——と言ったのだ。せっかくここまでがんばってきたんだから、あとひと踏ん張り、がんばってみろ——これも、本音ではあったのだ。

広樹は窓の外を見たまま「なんか、もう終わったような言い方っぽいじゃん」と、つまらなそうに言った。

「でも、がんばったっていうのはほんとなんだから」

「受かんなきゃ意味ないじゃん」

「それはそうだけど……」

現実では、広樹のほうから「受験やめちゃおうかなあ」と切りだした。それを待った。広樹は黙って窓の外を見ていた。早く言えよ、と焦《じ》れた。おまえがそう言ったら、お父さん、今度は「やめていいぞ」と答えてやるんだから。

だが、広樹は口を開かない。なにかを考え込むというより、考えることを投げだしてしまったような横顔で、ニュータウンの風景をぼんやりと見つめる。

現実を変えるんだ、と僕は自分に命じる。変えなきゃだめなんだぞ、と叱った。

「なあ、ヒロ。受験、もうやめちゃおうか」

広樹はやっと僕に向き直った。驚いた顔だった。

「なんで？　なんで受験やめなきゃいけないの？」

咎《とが》めるように聞き返されて、言葉に詰まった。広樹から目をそらし、マンゴープリンを一匙すくった。話が違う。一年前の現実と、やり直しの現実が、ずれている。

広樹は少しうつむいて、探るような声で言った。

「模試の成績が悪かったから？」

「そうじゃないさ。ぜんぜん関係ないよ、それは」

「じゃあ、なんで？」

「ヒロが……もしもだぞ、もしも、受験って嫌だなあって思ってるんだったら……」

「そんなこと言ってないじゃん、僕」

「だから、もしも、の話だよ。クラスの友だちだって、みんな公立に行くんだろ？　だったら、なあ、どっちでもいいんだぞ、ほんとに」

広樹は顔を上げた。僕をにらむように見つめ、頰をふくらませる。

「お父さん」

「うん？」

「ここまで来てさあ、変なこと言わないでくんない？　せっかく必死にがんばってんのにさあ、そういうこと言われると、なんか、むかつくっていうか、足ひっぱられちゃうよね」

「無理しなくていいんだぞ」と笑ってやっても、広樹は頰をゆるめない。

「勝手に決めないでよ、ひとのこと」

「……べつに、勝手に決めてるわけじゃないんだぞ」

「だったら、ほっといて」

食べかけのプリンを一口で頬張って、いらだたしげにスプーンをガラス鉢に戻す。

「受験するからね、ぜーったい」

膝の上のナプキンをくしゃくしゃにしてテーブルに置いた。「ごちそーさまっ」と勝手に話を切り上げて、席を立つ。「外で待ってるね」

呼び止めようとしたが、声が出なかった。腰も浮かない。体が急に、ずしりと沈み込むように重くなった。

やり直しの現実は、これ、なのか。途中で裏返っただけで、結果はなにも変わっていない。変えることができなかった。

広樹は店を出ていくまで一度も僕を振り向かなかった。父親のおせっかいにかえって発奮したのか、依怙地《いこじ》になってしまったのか、それとも一年前の現実のほうが、ふと漏らした口だけの弱音にすぎなかったのだろうか。いずれにしても、このままだと広樹は予定どおり受験に臨んでしまう。すべての私立中学に落ちて、やむなく地元の公立中学に進んで、やがて学校を休みがちになって、そして——。

伝票をつかんで、椅子から尻と腿《もも》の裏をひきはがすように立ち上がった。伝票に記された人数は三名。チュウさんが飲んだビールの代金も、ちゃんとレジに打ち込まれた。

ほらみろ、と自分に言った。一年前の現実とは違うんだ。だから、ここから先のことだって、変わってくれなければ困る。

会計がすむのを待っていたら、広樹が戻ってきた。その後ろには——チュウさん。

「お父さん、チュウさんいたよ。噴水のところで煙草吸ってたんだって」

広樹はさっきの話など忘れてしまったように屈託なく言った。

お金を払っていると、チュウさんがなにか言って、広樹が「えーっ、マジなの？」とはずんだ声で応えた。意外と気が合っているようだ。これも現実とは違う。現実の広樹は、めったに会わないおじいちゃんの方言と煙草のにおいになかなか馴染めず、いつも話の途中で逃げ出して美代子の背中に隠れてしまう。おじいちゃんが酒に酔っているときは、なおさらだった。初孫のそんなよそよそしい態度を、父が面白く思っていなかったことも、僕は母に聞かされて知っている。

チュウさんが声をあげて笑う。広樹も「マジだよ、マジ」と笑いながら言う。

父に対する愚痴を広樹に聞かせたつもりはないが、態度ににじむこともあったのだろう、帰省したときの広樹はいつも父と僕を見比べるようにして過ごしていた。美代子が帰省のたびに億劫《おっくう》がっていたのも、お金や時間がかかるせいばかりではなかったはずだ。

チュウさんはまたおかしそうに笑った。広樹も「サイテーだよね、それって」と、お父さんには内緒だよというふうに、こっちをちらちら見ながら口の前で人差し指を立てた。

レジ係の店員が、お釣りの硬貨をトレイに載せた。チュウさんの時代には五百円玉はまだなかったんだな、と気づく。駐車券に捺《お》されたスタンプの日付は、やはり一年前の十二月。僕は、通り過ぎてきた現実をうまくやり直すことができるのだろうか……。

一年前と同じように、オモチャ売り場に寄った。広樹のクリスマスプレゼントのリクエストは、ゲームソフト。これも現実どおり。「まあ、本気でやるのは受験がすんでからだけどさ」と誰にともなく言い訳するようにつぶやいたのも、はっきりと覚えているわけではないが、たぶん現実どおりなのだろう。

広樹がゲームソフトの棚に駆けだした隙に、チュウさんは僕の耳元で「オモチャいうても高えんじゃのう、どれもこれも」とあきれたように言った。「音もうるさいし、色もちかちかして、わし、頭が痛うなってきたわ」

「時代が違うんだよ。びっくりすることはたくさんあると思うけど、よけいなこと言ったりしないでよ」

「親になに指図《さしず》しよるんな、アホ」

「いまは朋輩だろ」

「それより、おう、広樹の受験のこと、どげんなった。ちゃんと引導渡したったか？」

「……だめだった。逆に、あいつ、絶対に受験するって宣言しちゃったよ」

「なしてや」

「わからないよ、そんなの」

「どげんするんか」

「なんとかするよ。とにかくもうちょっと様子見るから、ほんとによけいなこと言ったりしないでよ、頼むよ」

チュウさんは不満げに僕をにらんだが、広樹が戻ってきて、話はそのまま終わった。

選んだソフトをレジに持っていき、クリスマス用のラッピングをしてもらった。緑色のリボンの形をしたシールを貼った小さな包みを見ていると、幼い頃の広樹の姿と、いまの——壊れてしまった広樹の姿がかわるがわる浮かんで、眉間《みけん》に自然と皺《しわ》が寄る。今年のクリスマスは、たぶんプレゼントを買わない。広樹も欲しいとは言わないだろう。

売り場に戻り、「ほら、プレゼント」と広樹に渡してやった。一年前の現実では、「ラストスパートの時期なんだから、あまり遊びすぎるなよ」とも言った。僕は、ほんとうに無神経な父親だったのだ。

横から、チュウさんに肩を叩《たた》かれた。

「のう、カズ。わしも広樹になんぞプレゼントしてやるわ」

「マジ？　やったねっ」

広樹はガッツポーズとともにゲームソフトの棚に駆け戻った。

「お金、だいじょうぶなの？」と僕は小声でチュウさんに訊く。

「そこをよろしゅう頼む、言うとるんじゃ」

チュウさんは片手拝みのしぐさをして、「利子つけて返すけん」と笑った。

「金貸しが息子に借金してどうするんだよ」

「朋輩じゃろ？　わしら。相手のためなら腕一本くれてやっても惜しゅうない付き合いを、朋輩いうんじゃ」

「親子よりも深い？」

「時と場合によってはの」

チュウさんは僕が差し出した一万円札をズボンのポケットに入れて、広樹を呼んだ。

「ヒロちゃん、ゲーム違うで、こっちじゃ」

プレゼントするオモチャは最初から決めていたのだという。「どんなのぉ？」と訊く広樹に、「ええもんじゃけえ、びっくりするなよ」と笑い、先に立って売り場の奥に進む。

「これじゃ、これ」

得意げに指さしたのは、『黒ひげ危機一発』だった。「せっかくじゃけえ高いのにしような」と棚に積んだ箱からいちばん大きなサイズのものを取って、胸に抱く。

広樹は呆然としていた。失望や落胆を顔には出せず、といって喜ぶ芝居をするほど器用でもない。中途半端に頰をゆるめ、か細い声で「ありがと」と言った。

ロシアン・ルーレットの子ども版というか、樽《たる》にナイフを順繰りに刺していき、アウトの穴に刺してしまうと、樽に入った海賊の人形がバネの力で飛び出す仕組みの、ちゃちなオモチャだ。いまでは子どもの誕生会の余興にも使われないような時代遅れの遊びだが、昔は――僕が小学生の頃には、そこそこ人気があった。

「カズは子どもの頃、これが欲しゅうて欲しゅうてかなわんかったんよ、のう？」

「そうなの？　お父さん」

僕は黙って小さくうなずいた。

「六年生のクリスマスプレゼントで、どげんしても『黒ひげ』が欲しい言うてきかんのじゃ。こげなもん子どもの遊ぶオモチャじゃろうが言うても、おとなになっても遊べるんじゃ、一生これで遊ぶんじゃやてカバチたれてのう」

「で、買ってもらったの？」

チュウさんは苦笑交じりにかぶりを振る。

「おじいちゃんが反対したんだ」僕は広樹に言った。「六年生の男の子がこんなものを欲しがってちゃだめだ、って」

「うそぉ、男とか女とか関係ないじゃん」

「あるんだよ、おじいちゃんには。そういうひとなんだ」

僕を見るチュウさんの目つきが険しくなった。かまわず、僕はつづける。

「智子おばさんがサッカーゲームを欲しいって言ったときも、おじいちゃんは女の子らしくないって怒って、無理やりリカちゃん人形にしたんだ」

「ひっでーえ」

「いつもだよ、おじいちゃんは、いつもそうやって子どものことも自分で決めつけちゃうひとだったんだ」

「そんなの最低じゃん」

広樹はあっさりと切り捨てて、「ねえ、ひどいよね」とチュウさんを振り向いた。

少し間をおいて、チュウさんは「ほんまじゃの」と言った。表情や口調に動揺した様子はなかったが、広樹がつづけて「おじいちゃんってさあ、性格が悪いのって昔からだったんだね」と言うと、今度はなにも応えなかった。

「いまはだいぶ優しくなっただろ」と僕は言う。かばうつもりなど、なかったのだが。

「そんなことないって。僕にもよく言っててんじゃん、男の子はワンパクがいちばんだとか、ヒロちゃんは跡継ぎなんじゃけんとか。そういうのって、すっごいうざいんだよね。なんつーか、押しつけてるって感じで。よけいなお世話だっつーの」

チュウさんの顔は見る間にこわばった。無理に笑って「ヒロちゃんのことがかわいいけん、そげん言うんよ」と言う声もうわずってしまった。

「だったら、ほっといてくれればいちばんいいっての」

子どもの素直さは残酷さと背中合わせなのだと、あらためて気づく。

「それにさあ、チュウさん知ってる？　おじいちゃんって、お父さんのことが大、大、大嫌いなんだよね。だから、ワンパクとかなんとかっての、ぜーんぶイヤミなの。お父さんってぜんぜんタイプ違うじゃん？　やっぱ、そういうのがむかつくんじゃない？」

観察眼も、胸が痛くなるほど、鋭い。

「ヒロ、もうやめろ。そんなふうに悪口言ったりするな」——父をかばうつもりなどないのだ、ほんとうに。

チュウさんは怒りだすかもしれない、と思った。現実の父なら間違いなく腹を立てて、たとえ孫でも、広樹の頭をひっぱたくかもしれない。それでもいい。そのほうがいい。現実の父と重なり合ってくれれば、かえってチュウさんは楽になるだろう。

だが、チュウさんは怒らなかった。悲しそうな顔で「こげなガキのオモチャ、ヒロちゃんには面白うないわのう……」とつぶやくように言って、『黒ひげ危機一発』を棚に戻そうとした。

「そんなことないって、買ってよ、僕欲しいからプレゼントして」

広樹はあわてて言って、「チュウさんが落ち込むことないじゃん、なんで？」と僕を見て訊く。

「さっき、ごはん食べてるときに言っただろ、チュウさんはおじいちゃんと仲良しなんだよ。友だちの悪口言われると悲しくなっちゃうんだ」

「でも、歳がぜんぜん違うじゃん」

「歳が違っても友だちになることだってあるだろ」

「ホーバイなの？」と広樹はチュウさんに向き直る。

チュウさんは悲しそうな顔のまま、「おう」とうなずいた。「カズやヒロちゃんがどげん言うても、カズのお父ちゃんのことが大好きなんよ、わし」

「お父さんとおじいちゃんの仲が悪くても？　二人ともチュウさんのホーバイ？」

「おう」頬が、少しだけゆるむ。「わしゃあ、どっちも大好きなんじゃ」

僕はチュウさんから目をそらした。広樹に『黒ひげ』、チュウさんといっしょにレジに持っていけよ」と声をかけ、まわりのオモチャを品定めするふりをして、そっぽを向いたまま、チュウさんに言った。

「いまからウチに帰るんだけど……チュウさんも来るだろ？」

それくらいの親孝行はしてやってもいいよな、と思った。

14

チュウさんは『黒ひげ危機一発』に夢中になった。広樹が「なんでこんなのにアツくなるかなあ」とあきれるほど真剣にナイフを刺す穴を選び、目をつぶって「これでどうじゃ！」とナイフを突き刺して、セーフなら大袈裟に胸を撫で下ろし、アウトだったらもっとオーバーに「ギャッ！」と叫びながら両肩を跳ね上げる。おどけて雰囲気を盛り上げているのではなく、本気でどきどきして、本気で安堵して、本気で驚いて……そして、本気で悔しそうに「もういっぺんじゃ」と言う。

たてつづけに、チュウさんの五連敗。五回目は最初にナイフを刺した穴がアウトで、「こげなアホなことがあるか！」と、これも本気で腹を立てていた。

負けず嫌いな性格は昔から嫌というほどよく知っていたが、こんなに子どもじみているとは思わなかった。最初はリビングのソファーに座っていたのを、途中からは「ケツに力が入らんけん、いけんのじゃ」と床にじかに座り込むほどの入れ込みようだった。

だが、六回目もチュウさんの負け。作戦など立てようのない運頼みのゲームだ。ここまで負けつづけるというのはよほど運が悪いのか、それとも逆に、たった一つのアウトの穴に巡り合う強運の持ち主ということなのだろうか。

「かなわんのう、ほんま……ガキのオモチャじゃ思うて甘う見すぎとったわ」

チュウさんは樽に刺さったナイフを手早く抜き取って、「今度は負けんけえのう」と言った。

「まだやるのぉ？」

広樹はうんざりした顔になった。

「勝ち逃げやら許さんど」とチュウさんは退《ひ》かない。

「っていうか、勝ち負けとか関係ないじゃん、ゲームなんだから」

「なに言うとんな、これも立派な勝負事じゃ。ええかヒロちゃん、男と男が五分と五分でするもんは、なんでも勝負なんじゃ。それを忘れんなよ」

「おじいちゃんみたいなこと言わないでよ、チュウさん」

「……おじいちゃんもそげんこと言うんか？」

「言う言う。たまに電話で話したりするじゃん、そしたら運動会のかけっこの順位とか学級委員の選挙とか、おじいちゃんが訊くのって、勝ったか負けたか、だけなんだよね」

チュウさんは「そりゃあいけんのう」と低い声で言って、僕を見て「若い頃から一貫しとる、いうこっちゃの」とつまらなそうに笑った。

僕は一息ぶんだけ笑い返し、手に持ったナイフの束を床に置いた。

「ちょっと休憩しよう」

「なんな、カズまで勝ち逃げするんか」

「休憩だよ。ちょっとヒロ、冷蔵庫から缶ビール二本持ってきてくれ」

「じゃ、僕もジュース飲もーっと」と立ち上がった広樹は、チュウさんに気をつかったのか、「お母さんがいれば、おつまみとかソッコーでつくってくれるんだけどね」と申し訳なさそうに言ってからキッチンに向かった。

僕とチュウさんは目をちらりと見交わして、なにも応えない。ショッピングセンターから帰る車の中で、広樹が「お母さん、短大のときの先生のお葬式に行っちゃったんだ」と口にしたときと同じ。

「三時か……」

チュウさんは時計に目をやって言った。

「昔の友だちに会ったらお茶でも飲んでから帰るかもしれない、って言ってたんだ」と僕は返す。

一年前の現実では、美代子は五時前に帰宅したはずだ。「いまから晩ごはんの支度をしたら遅くなっちゃうから」と駅前のスーパーに寄って惣菜《そうざい》を買ってきていたから、たぶん、間違いない。浄《きよ》めの塩はどうしたんだっけ。会葬御礼のハンカチかなにか、持って帰っていたっけ。そこを覚えてなきゃ意味ないじゃないか……。

広樹がキッチンから戻ってきた。缶ビールを両手に持っていたが、ジュースはなかった。

「おまえはジュースいいのか？」

「部屋で飲む。いまから勉強するから」

「なんな、ヒロちゃん、宿題やっとらんかったんか」

のんきなチュウさんの言葉に、広樹は笑いながら「学校の宿題なんて昼休みにやっちゃうもん」と答えた。「そのレベルで時間とられてたら受験なんてできないっすよ」

「日曜日じゃろうが、それに、ほれ、朝のうちにテストもあったんじゃろ。疲れとるん違うか」

「チュウさんって、中学受験甘く見てない？　浪人できないし、併願もほとんどできないじゃん、はっきり言って、高校とか大学の受験の百万倍厳しいんだからね」

広樹に「ねっ？」と声をかけられて、僕は「まあな」とぎごちなくうなずいた。

厳しいのだ、ほんとうに。五年生の二学期から、一年以上も勉強をつづけてきた。塾は週四日。夕方五時から、八時半まで。家に帰るのは九時を回る。出がけにたっぷりおやつを食べていっても、帰宅する頃にはおなかが空きすぎて、マンションの手前の急な坂を自転車で登るのがキツくてたまらない、と言う。遅い夕食と入浴を手早くすませると自分の部屋に入って、日付が変わる頃まで勉強をする。日曜日は毎週のように模試。

夏休みは、夏期講習と特訓合宿とで、けっきょく家族で遊びに出かけたのは、日帰りで富士山の麓《ふもと》にあるサファリパークに行った一度きりだった。

必死に、一所懸命、がんばった。たくさん我慢をして、多くのものを犠牲にして、厳しい受験に挑んで――負けた。

僕はリビングを出ていきかけた広樹を呼び止めた。

「今日は勉強しなくてもいいだろ、たまにはのんびりしろよ」

そうじゃそうじゃ、とチュウさんも横でうなずく。

「お父さんの仕事でもそうだけど、疲れてるのにずーっと勉強するより、ときどき頭を休ませたほうが、かえって能率あがるんだぞ」

おまえだって休みたいと思ってるんだろう――と言ってやりたかった。お父さん知ってるんだぞ。ほんとうは、もう受験なんてやめちゃいたいと思ってるんだろう?

だが、広樹は「べつに疲れてないけど」とあっさり答えた。

「自分では気づかないうちに疲れがたまってるんだよ」

「……どうしたの? お父さん。珍しいじゃん」

「なにが?」

「だってさ、いつもだったら、テレビ観てるぐらいなら早く勉強しちゃえよ、って言うじゃん。あと、受験勉強は野球とか水泳とかと同じなんだから、一日休んじゃうと元に戻るまで二日かかるんだ、って」

なにも言えなくなった。言いたいことはいくらでもあるのに、体がずしんと沈み込んで、口が開かない。「じゃあねえ」と軽く歌うように言って自分の部屋に入る広樹を呼び止めることもできず、さっきまで広樹の座っていた床を、僕はただぼんやりと見つめるだけだった。

「なして言わんかったんか」

チュウさんはビールの缶を手にとって、あの頃にはほとんどなかったステイオン式のタブを怪訝そうに見つめながら訊いた。

「言えなかったんだ」

僕は自分の缶を、手元がチュウさんにも見えるようにして、ゆっくりと開ける。

チュウさんは僕を真似て栓を開け、「マンションは息が詰まるけん、喉が渇く」とつぶやいてから、顎を持ち上げてビールを呷った。僕も一口啜《すす》る。苦い味だった。缶を持った手を下ろしたチュウさんも、不味《まず》そうな顔をしていた。

「言いたかったんだ。でも、言えなかったんだよ」

「なんな、それ。負けるんがわかっとる勝負をさせるアホがどこにおるんな」

「……信じるわけないし」

「カズがよう言わんのじゃったら、わしが言うちゃる」

チュウさんは片膝を立てた。

「ちょっと待ってよ、やめてよ、よけいなことしないで」

「なにがよけいなことじゃ、広樹がかわいそうじゃ思わんのか。あんなんは、わしの孫なんど」

腰が浮く。チュウさんの前に立ちはだかった。背は僕のほうが高い。こうして向き合うと、ほんとうに、チュウさんは驚くほど――悲しくなるほど、小柄なひとだ。

「ヒロは、僕の息子なんだから。僕はあいつの父親なんだ。よけいなことしないでよ」

チュウさんは僕をにらみつけて、黙って床に座り直した。ビールを呷り、げっぷをして、気を取り直すように「まあ」と言う。「広樹にガリ勉させとる張本人になにができるんか、わしゃ知らんがの」

「そんなのじゃないよ」

「ほいでも、広樹が言うたが。お父さんに勉強せえ勉強せえ言われとるんじゃ、て」

「違うってば」

テレビを観るよりも勉強しろと言ったのは、少しでも早く勉強を終えればそれだけ早く寝られると思ったからだ。勉強をスポーツのトレーニングにたとえたのも、毎日こつこつがんばっていれば絶対にいいことがあるんだから、と応援するつもりだったのだ。

それでも——同じなのかもしれない。

腰を下ろし、ビールを啜る。苦みがまた増した。

「受験せえ言うたんはカズなんか」

かぶりを振った。

「美代子さんか」

もう一度、ため息交じりに。

「広樹が自分で言うたんか」

「そう。自分の力を試してみたいんだって言ってさ、ゲーム感覚なんだ。偏差値や順位が上がるのが楽しくて……僕や美代子も、やっぱり成績が上がると嬉しくて、でも、プレッシャーをかけたり追い詰めたりしたつもりはないんだよ、ほんとに」

「親はそげん思うとっても、子どものほうはわからんじゃろう」

「うん……」

「『親の心、子知らず』とは、よう言うたもんじゃの」

チュウさんはビールをまた呷って、「カズも同じじゃろうが」とつづけた。「親の気持ちは、子どもにはわからんのよ」

「子どもの気持ちだって、親にはわからないんだよ」と僕が返すと、へっ、と鼻を鳴らして笑われた。

いまになって思いだす。夏休みに家族でサファリパークに出かけたのは、広樹が「どこか広ーいところに行きたい」と言いだしたからだ。夏の陽射しを避けて木陰で寝そべるライオンやトラを見て、広樹は「こいつら気楽だよなあ」と笑っていたのだ。すでにその頃から、少しずつ広樹は疲れていたのだろうか。リアシートに座る広樹の笑い方を、ちゃんと見ておくべきだった。「動物は動物で大変なんだからね、いろいろ」と言った美代子は、ドライブのさなか、ほんとうはなにを思って助手席に座っていたのだろう。

あとになってから気づく——あとにならなければわからないことは、たくさんある。僕はもう我が家の結末を知っている。自分がなにをすべきだったのか、なにをすべきではなかったのか、ちゃんとわかっていて、なにもできない。

床に散らばっていた『黒ひげ危機一発』のナイフを一本拾い上げて、適当に樽に刺した。セーフ。チュウさんも黙ってナイフを刺す。これも、セーフ。

「あんまり考えんほうがええんかもしれんの、このゲームは」チュウさんは首を傾げて笑った。「意外と面白いもんじゃ」

「でも、親父は買ってくれなかったんだ」

「……男が古いことを根に持つなや」

二本目のナイフも、ともにセーフだった。樽に入った海賊の人形が、目を真ん丸にして僕を見つめる。

三本目、僕はセーフ。チュウさんは「よっしゃ、このへんからそろそろ調子に乗っとったらやられるけえの」とナイフを刺す穴を慎重に選び、樽を抱き込むようにして、裏側の、いちばん下の段に刺した。セーフ。顔を上げ、僕と目が合うと、自慢げに笑う。

「子どもみたいだな」思わず、こっちも笑った。「なんか、昔の親父のイメージが狂っちゃうよ」

「どげなイメージじゃった？」

「怖かった」

まず最初にそう答え、少し考えてから「威張ってた。いつでも、なんでも、自分が正しいんだって」と付け加えた。

チュウさんは「正しいんじゃけえ、しょうがなかろうが」とビールを呷る。

「あと、ガキっぽいことやふざけることが大嫌いだった。ドリフの『全員集合』、ほんとに嫌いだったよね」

「わしは食いものを粗末にするんは好かんのじゃ」

「天地真理も嫌いだった」

「あげな歌の下手くそなオヘチャの女の、どこがええんか」

「『仮面ライダー』も嫌いだった。変身して闘うなんて卑怯《ひきよう》だって、男らしくないって」

「……古いことを根に持つな、言うとるじゃろうが」

「僕の好きなものを、親父はぜんぶ嫌いだったんだよ」

ナイフを刺す。セーフ。

「そげなこと言われても知るか」

チュウさんのナイフも、セーフ。

「親父は、自分の嫌いなものはだめなものだって決めつけるんだ」

次のナイフも、セーフ。

「だめなものじゃけえ、嫌いになるんじゃ」

チュウさんはビールを飲み干して、空になった缶の腹を親指で軽くへこませた。

「煙草、吸うてもええか」

「ちょっと待って、灰皿持ってくるから」

「あるんか？」

「うん……お客さん用のが、どこかにしまってあると思うけど」

「空き缶に入れるけえ、ええわ」

上着のポケットからエコーとマッチを取り出すチュウさんをよそに、僕は『黒ひげ危機一発』を一人でつづけた。ナイフを次々に刺していく。セーフ、セーフ、セーフ、セーフ……なかなかアウトに出くわさないのが、しだいに悔しく思えてくる。

煙草の煙とにおいが漂う。バルコニーの窓を開けようかと思ったが、まあいいや、とビールを啜る。

「カズは煙草は吸わんのか」

「昔は吸ってたけど、ここに引っ越してからやめた」

「体のことが心配になったんか」

「まあ、それもあるけどね」——新築の壁紙が脂《やに》で汚れるから、と言ったら、チュウさんは笑うだろうか、怒るだろうか。

「禁煙やら、小器用なもんじゃの」

チュウさんは煙草の煙を吹き出すように吐いた。酒でも煙草でも、健康のことなど、父は端から考えていないひとだった。そんなことを気にするのは男らしくない。人間ドックにだって、母や智子がどんなに勧めても、けっきょく一度も入らなかった。

「のうカズ、教えてくれや。わしは六十過ぎても煙草と酒はやめとらんのじゃろ？　まさか禁煙やら禁酒やら、そげなフウの悪いこと、しとりゃせんのじゃろ？」

だいじょうぶ。僕はうなずいて、また一本ナイフを樽に刺す。今度もセーフ。

「煙草はやっぱりエコーか？　それとも、ちいたあゼニも貯まっとるはずじゃけえ、高い煙草に変えとるか？」

「エコーのままだよ。酒も、日本酒の冷やがいちばん好きだし」

「ほうかほうか」

嬉しそうに笑う。「ゼニが貯まっても浮かれとらん、いうこっちゃの」と二十五年後の自分を褒めるように、何度もうなずく。

そうだね、と僕も笑い返した。寂しい笑顔にはならないよう気をつけた。

チュウさんはくわえ煙草で時計を見て、「これ吸うたら、駅まで行くか」と言った。

「そろそろ帰ってくる頃じゃろう、美代子さんも」

「わかるの？」

「なんとなく、の。ようわからんけど、わかるんじゃ」

笑うと、煙草の先から灰が床にこぼれた。

「チュウさんはどうするの」

「知るか。夫婦のことは夫婦でケリをつけるしかなかろ？」

「帰るの？」

チュウさんはまた笑う。煙草の灰がまた落ちる。あぐらをかいた足のつま先で灰を散らせて、それでおしまい。田舎で見ていた二十五年前の父と、まったく同じだ。

「帰るいうか……ようわからん」

「でも、どこかに行っちゃうんでしょ？」

「わからん」

「なんで？」

「なんでわからんかも、わからん。わしゃあ、ほんま、カズと会《お》うとらんときには、どこにおるんじゃろうのう……」

真顔で首を傾げるチュウさんに、僕は「帰ってるんだよ」と言った。二十五年後の、ふるさとの、病院のベッドにね——声には出さない。チューブでがんじがらめにされた身動きできない体に帰っていくんだよ——それを知ったら、チュウさん、どうする？

チュウさんはフィルターを人差し指と親指でつまむようにして、煙そうな顔で煙草を吸っていた。いつも、父はそうだった。煙草はぎりぎりまで吸い、酒は一升瓶を逆さに立てて最後の一滴まで湯飲み茶碗に注ぐ。金遣いは荒いのに、そういうところは妙にしみったれたひとだった。

チュウさんが目を瞬《しばた》く。煙にむせる。全身に転移したガンの、始まりは肺だった。

「ねえ」うつむいて、僕は言う。「煙草やめれば？」

「まだ時間あるけん、だいじょうぶじゃ」

「そうじゃなくて、煙草ってやっぱり体に悪いし」

「ガキに言うようなことを親に言うな、アホ」

「朋輩だろ？」

「……朋輩は、よけいな説教せんけえ、朋輩なんじゃ」

チュウさんはほとんどフィルターだけになった吸い殻をビールの缶に捨て、ふと思いだしたように、ゲームの途中だった『黒ひげ危機一発』にナイフを刺した。バネのはずれる音がして、海賊が樽の中から飛び出してきた。チュウさんは両肩をびくっと跳《は》ね上げ、驚いた顔で樽を見つめて、「ほんま、かわいげのないオモチャじゃのう」と言った。

「でも、欲しかったんだ、ガキの頃、すごく」

僕はナイフを抜き取っていく。「欲しかったけど、買ってもらえなかったんだ……」

と、つづける気はなかったのに、勝手につぶやいた。

「じゃけん、いま買うてやったろうが」

チュウさんは怒ったように言って、「広樹じゃのうて、カズに買うてやったんじゃ」

と、もっと怒った声で付け加えた。

箱に収めた『黒ひげ危機一発』を寝室の押入れの天袋にしまうとき、観覧車の前で撮った記念写真もいっしょに入れた。

チュウさんがいて、目をつぶってしまった僕がいる。写真の中の人物の姿が薄れて消えそうになるのは、あれは『バック・トゥ・ザ・フューチャー』だった。賃貸マンションに住んでいた頃、レンタルビデオ店で借りてきて、美代子と二人で観た。過去にタイムスリップした息子が青春時代の両親の恋の仲立ちをする、という物語だった。息子が現在に戻ってきたときには、さえなかった両親が一転、理想的なパパとママになってした。勇気を持てば未来だって変えられる——いかにもアメリカらしい結末に、僕は感動したんだっけ、しらけてしまったんだっけ。

寝室を出ると、チュウさんは玄関にいた。

廊下に立つ広樹が僕を振り向いて、「チュウさん、帰っちゃうんだって」と唇をとがらせた。「晩ごはん食べていくのかと思ってた」

「すまんのう、おっちゃん、野暮用があるんじゃ」

チュウさんは少し嬉しそうだった。

「泊まってくのも『あり』なのかなって思ってたんだけど」

「ほんま、すまんのう、わしもヒロちゃんともっと遊びたかったんじゃけどのう」——

嬉しさに寂しさがにじむ。

「車で駅まで送っていくから」と僕は言った。

「じゃあ、僕も行こうかな」

広樹の肩越しに、チュウさんの顔が嬉しさと寂しさと困惑でゆがむのが見えた。

「ヒロは留守番してろよ」

「えーっ、なんで？　いいじゃん」

「ホーバイどうし、車の中でゆっくり話したいんだよ」

いたずらっぽい笑顔をうまくつくれた、と思う。

チュウさんも、そうそう、とうなずいて、「ヒロちゃん、おっちゃんのこと気に入ってくれたんか？」と訊いた。

「っていうか、なんか、いい感じ、みたいな」

平べったく発音する「いい感じ」や語尾を持ち上げた「みたいな」のニュアンスは、チュウさんには伝わらなかったかもしれない。それでも、チュウさんはいかつい顔を思いきりほころばせ、広樹も笑った。

「また遊びに来るけん、ヒロちゃんも風邪やらひかんようにの」

「バテバテだけどね」

広樹は大袈裟に肩を落とし、ため息をついた。どこまでが冗談なのか後ろ姿だけでは読み取れない。チュウさんがなにか言いかけたのを、よけいなことしないで、と目で制するのがせいいっぱいだった。

「ヒロちゃん、勉強もええけど、体がいちばんじゃけえの。あんまり無理せんと、のう、勉強やら人並みでええんじゃけん」

「甘ーい」

「そげなことないど。勉強ができても、それで人生が決まるわけじゃないんじゃ」

「あ、そういえばさあ、さっき勉強しながら思ったんだけど、チュウさんのところって子どもいるの？」

「え？」

「子ども、いるんでしょ？　いないの？」

「……二人おる、男の子と女の子じゃ。お兄ちゃんと妹」

「へえーっ、そうなんだ。お兄ちゃんって、何年生？」

「中学生じゃ。一年生」

「マジ？　マジ、マジ？　一つ上じゃん」

僕は後ろから広樹の肩を叩き、「そろそろ行くから」と、チュウさんと広樹の間に割って入るかたちで靴を履いた。チュウさんも逃げるようにドアを開ける。

「ねえねえ、名前なんていうの？」

チュウさんは通路に出て、開け放したドアレバーに手をかけたまま、正面から広樹に向き直った。

「カズオ、いうんじゃ。ヒロちゃんのお父ちゃんとおんなじよ」

「うっそぉ、ちょー偶然……っていうか、わざとお父さんと同じ名前にしたの？」

「さあ、どうじゃったかの」チュウさんは戸口の脇にどいた。「もう忘れたわ、おっちゃん」

「ヒロ、時間ないから、いいな」と僕は戸口をふさぐようにして外に出る。

「ねえ、カズオって、どんな子？　いい奴？」

チュウさんは通路の外に広がる夕暮れの空を見つめて、言った。

「ええ子じゃ。わしの息子なんじゃけん、ええ子に決まっとる」

レバーから手を離す。僕はそれを引き取って、後ろ手にドアを閉めた。照れ隠しになにか言うだろうかと思っていたが、チュウさんは黙って、先に立って歩きだした。

15

ロータリー中央の植え込み沿いに一台ぶんの駐車スペースを見つけ、車を滑り込ませた。元来は駐車禁止だが、ニュータウンと呼ぶほどの規模もないこぢんまりとした住宅街の駅前だ、平日の朝夕を除くと出入りする車が滞ることはめったにない。ロータリーを昼間の駐車場代わりにして都心の会社に通うひとまでいて、ときどき回覧板で問題になっている。

「新宿まではだいぶかかるんじゃろ」

助手席のチュウさんに訊かれ、僕はシートベルトをはずしながら「急行で四十分ほど」と答えた。「各駅停車に乗っちゃうと、へたすれば倍以上かかるんだ」

「ここも住所は東京なんじゃろ？」

「まあね。向こうの山を越えれば神奈川だけど」

「会社は新宿からすぐなんか？」

「地下鉄を二回乗り換えるから、まあ、ウチを出てから会社に着くまで、合計で一時間半ってところかな」

「……毎日毎日、往復で三時間か」

「ふつうだよ、それくらい」

ドアロックは解除したが、チュウさんに車を降りる気配はない。美代子が帰ってくるのも、チュウさんがこの世界から立ち去るのも、まだ、なのだろう。

バス乗り場には、駅が始発のバスが停まっていた。まともな世界の僕が最後にいたのは、いまはバスに邪魔されて見えない、あそこのベンチだった。

あれからずいぶん長い旅をしてきたような気がするのに、ロータリーに着いても懐かしさは不思議なほど湧いてこない。「もうドライブは終わりですよ」と橋本さんにいま言われたら、ほっとするよりも、逆に気が重くなってしまうかもしれない。

あんな家にはもう帰りたくない——それは、いまも、変わらない。

チュウさんは前を向いたまま、ぽつりと言った。

「なして、ここに住んどるんな」

「予算との兼ね合い、だよね。もっとお金があれば都心に近い街にしたし、もっとお金がなかったら、もっと遠いところのマンションしか買えなかったし」

しゃべりながら、自分でも、ちょっとむなしい答えだよな、と思った。

「ここ、環境はすごくいいんだ」声を少し高くした。「緑も多いし、買い物にも便利だし、ヒロの学校だって近いし、ローンも生活を切り詰めなきゃいけないってほどじゃないし」

「借金しとるんか？」

「あたりまえだよ、いまどき」

「わしはなんぼ出してやったんな」

「……ゼロ」

声と、指で輪をつくって答えた。

マンションを買うことは、ふるさとの両親には一言も相談しなかった。資金の援助を頼まない代わりに、すべてを事後報告ですませた。父に頭金を少し出してもらえば都心に近いマンションが買えたはずだが、それだけはしたくなかった。母を通じてマンションのことを知った父は、こめかみに青筋を立てて怒ったらしい。僕を裏切り者呼ばわりもした、らしい。

チュウさんはため息をついて言った。

「そげん、東京がええんか」

「田舎が嫌だったんだよ」と僕もため息交じりに返す。

「家を継ぐんは好き嫌いの問題じゃなかろうが。おまえは長男なんじゃけえ」

「親父も同じこと言ったよ」

「そりゃそうじゃ、あたりまえじゃ、跡継ぎが借金までしてよその街に家をかまえるやら、聞いたことがないわ。田舎におれば、大きな家はちゃんとあるし、会社もあるし、なんの苦労もせんでええのに」

こんな簡単なことがなぜわからないんだとあきれるふうに言ったチュウさんに、僕は「でも……」と返した。

「田舎には親父がいる」

チュウさんの返事はなかった。身じろぎもしない。ふう、と息を吐く音だけが伝わる。僕も前を向いたまま、ロータリーの風景をぼんやりと目に流し込む。電車の時刻が迫っているのだろう、歩道を駅に向かうひとたちが少し増えてきた。みんな足早で、小走りのひともいる。

チュウさんは無言のまま、ドアを開けた。僕のまなざしは動かない。チュウさんが車を降りる。「今度着く電車で美代子さんが来るけん」とつぶやくように言って、ドアを閉める。車道を横切って、ガードレールの隙間から歩道に上がり、雑踏というほどの密度はないひとの流れに吸い込まれて、券売機の前の柱に体が隠れて……それきり、だった。

僕はチュウさんの背中を追っていた目を閉じる。傷つけちゃったかな、と苦笑して、シートの背に体を深く預ける。振り返ってくれれば手ぐらい振ったのに。なんてな、とまた笑うと、瞼の裏がじんわりと熱くなった。

昔とは——チュウさんの知らない未来とは、逆だ。昔は憮然として黙りこくるのは僕の役回りだった。言い争いの最中よりも、むしろなにげないやり取りのときに、そうなることが多かった。酒に酔って上機嫌になった父が口にした軽い一言にむっとして居間を出ていくことが何度もあった。一つ一つはもう覚えていない、その程度の言葉だ。僕が出ていったあと父はいつも「なにをぷりぷり怒りよるんな、あいつは」と怪訝そうに言って、「アホが」と笑っていた、と母から聞いた。

目を開ける。バス乗り場では、電車の到着に合わせて発車を待っていたバスがエンジンをかけて身震いを始めたところだった。改札を抜けたひとたちはロータリーを左右に分かれる。右に進めばバスとタクシーの乗り場、左に進めばスーパーマーケット。美代子は、たぶん左側。この位置からでは、改札は柱に隠れて見えないし、ロータリーの左側を歩くひとの姿も確かめられない。

「じゃあ、まあ……行くか」

わざと声に出してつぶやき、車を降りた。陽の暮れかかった外は思いのほか冷え込んでいて、頬や顎がいっぺんにこわばった。チュウさんは寒くなかっただろうか。寒さや暑さは感じないのだろうか。チュウさんはほんとうに、どこから来て、どこへ帰るのだろう。

肩をすぼめてズボンのポケットに両手を突っ込み、小走りに車道を横切った。さっきのチュウさんと同じようにガードレールの隙間から歩道に駆け上がると、くしゃみが出た。

電車が着くのを改札の脇で待った。唇を嚙んだり、すぼめたり、眉間に皺を寄せたり、目をきつく閉じたりして、美代子を迎える顔を、なかなか決められない。

もう現実をなぞるだけではない。僕はなにかを美代子に言えるはずだし、なにかを言わなければならないのだとも思う。

「知ってるんだぞ」の一言で、現実は変わる。美代子に言い逃れはできない。僕は美代子を許さないし、僕から離れてしまった美代子の心も、もとには戻らないだろう。問い詰めて、裏切りを責めて、美代子もきっと僕に対する不満を並べ立てて、それで終わりだ。途中からは離婚に向けての話し合いになるだろう。

ため息が漏れた。道のりを端折《はしょ》っただけで、たどり着くところは現実と同じだ。橋本さんを恨んだ。どうせ過去に放り出すなら、なぜもっと昔にしてくれなかったのだろう。美代子がテレクラに初めて電話をかける前なら、広樹が私立中学に行きたいと言いだす前なら……ほんとうに、すべてを変えられただろうか？

電車の到着を知らせるチャイムが鳴った。

僕は、無理に頬をゆるめ、次にしかめつらをつくって、天井を見上げ、うつむいて、僕を愛していないひとを迎える。

きょとんとした顔——それは、まあ、そうだろう。美代子は、そのあと、目をすっと横に流した。自動改札に切符を通す手つきが少しぎこちないようにも見えた。

僕も、美代子が改札を抜けるまでの十秒たらずの時間を持て余して、視線を落ち着きなくさまよわせた。

先に冷静さを取り戻したのは、美代子のほうだった。

「どうしたの？」

僕の前に立って訊く。まっすぐに、こっちを見ていた。「びっくりしちゃった」と笑う顔にも不自然なところはない。

「ちょっと、スポーツ新聞でも買おうと思って……」

たまたま駅の売店に目が向いたから、の思いつきの口実だった。

「そんなので、わざわざ？」

お芝居も嘘も、僕は美代子よりずっとへたくそだ。コンビニなら、マンションから歩いて二、三分のところにある。

「あそこ、夕方になるとけっこう売り切れてること多いんだよ」

「ふうん」美代子は軽くうなずいた。「じゃあ、買ってくれば？」

そうだな、と逃げるように歩きだした足は、すぐに止まった。財布を持ってこなかった。

「まいっちゃうな、お金、忘れちゃったよ」振り向いて、泣きだしたい気分で笑う。

「ばかだよなあ、ほんと」

美代子も「なにそれ」と笑い返し、ハンドバッグを探って小銭入れを出した。

「……やっぱり、いいや、べつにどうしても読みたいわけでもないし」

「どうしたの？　なんか変じゃない？」

「そんなことないって」

「だって、財布忘れるなんて」

「うっかりしてたんだよ」

「どうしたのよぉ、ボケちゃったんじゃないの？」

小銭入れをハンドバッグにしまった美代子は、バッグの口を閉めながら、なるほどね、というふうに小さくうなずいた。

「嘘ついてるでしょ、あなた」

一瞬、息が詰まった。

「迎えに来てくれたんでしょ。ね？　ちゃんとわかるんだから」

美代子はうつむく僕の顔を下から覗き込んで、「ほらほら、照れてる照れてる」とからかう。

「車、ロータリーに停めてるんでしょ？　だったら買い物、明日のぶんもしちゃおうかな。あと、今日トイレットペーパーが安売りなんだけど、一人一パックだから、あなたもお願いね」

いつもどおりの笑顔。いつもどおりの口調。なにかをごまかしているようには見えないし、聞こえない。だが、美代子の「いつもどおり」には僕を裏切る嘘やお芝居も含まれているのだとしたら、僕はもう、なにも見分けられなくなってしまう。

歩きだす美代子を呼び止めた。

「浄めの塩とか持って帰ったのか？」

「え？」

「……だって、葬式の帰りには貰うだろ、そういうの」

ああ、あれね、と美代子はまた笑った。

「面倒くさいから、貰わなかった。わたし、そういうのぜんぜん気にしないし」

表情の細かな変化を見逃すまいと思うと、かえってまっすぐに見つめられなくなってしまう。

「ハンカチとか、そういうのは貰わなかったのか？　ほら、会葬御礼でよく貰うだろ、挨拶状といっしょに」

「ああ、はいはい、あるね、そういうの。でも、面倒だし荷物になるし、ああいうハンカチってどうせ使わないから貰わなかったんだけど……だめだった？　欲しかったの？」

僕は目をそらした。わからない。言葉はなめらかに流れたが、なめらかすぎるという気がしないでもない。そんなことを言いだしたらきりがないじゃないかと思い、いや、そういうところが甘かったから俺は最後まで美代子の裏切りに気づかなかったんじゃないか、とも思う。

息を深く吸い込んで、僕は言った。

「ほんとに葬式だったのかぁ？」

語尾を持ち上げすぎて、冗談の言い方になってしまった。「なんちゃって」まで、勝手に口が動いて付け加えた。

美代子は笑って聞き流す。

「買い物早くしちゃおうよ。お惣菜もなくなるし、ヒロが心配しちゃうわよ」

並んで歩きだすと、美代子は「二人で買い物するのって、ひさしぶりじゃない?」と言った。嬉しそうな顔に見える。はずんだ声に聞こえる。僕の目と耳は、きっと、間抜けなほどお人好しなのだろう。

スーパーマーケットの中で、広樹の模試のことを訊かれた。今度も出来が悪かったみたいだと教えると、美代子は僕の押すカートに野菜を入れながら、「困っちゃったね」と軽い調子で相槌を打った。

「そういう段階じゃないだろ」

「なにが?」

「無理して受験させないほうがいいんじゃないかって思うんだよ、俺は」

「そうねえ……でも、本人がせっかくがんばってるんだし、親が口出しするのも変じゃない?」

僕の心配をいなすような、さらりとした答え方だった。広樹のことにも関心がないように聞こえた。

「そんなことない」——口調が強くなったのは、たぶん二つのことを同じ言葉でいっぺんに打ち消そうとしたから。

「親がブレーキかけてやったほうがいいときだってあるだろ。ヒロだって、自分からは言いだせなくても、一言こっちが言ってやれば楽になるかもしれないし」

「じゃあ言ってみれば？」

「簡単に言うなよ」

「だって、受験するかどうかなんて、けっきょくは本人が決めることなんだから、あなたがそう思ってるんなら、それを言えばいいんじゃない？」

「おまえは？」

「わたしは、まあ、どっちでもいいかな。公立だったらお弁当つくらなくてすむから助かるけど」

美代子は「そういうこと言うと、ヒロに怒られちゃうね」と笑って、僕のすぐそばのキュウリの棚に手を伸ばした。「ちょっとごめん、どいて」

急に言われてカートを動かしそこね、体がぶつかりそうになった。

香りがした。線香ではない。野菜の青臭さとも違う。石鹸《せっけん》かシャンプーの甘い香りだった。

僕はカートを引き、一歩あとずさった。美代子はなにも気づかずキュウリのパックをカートに入れる。

「なあ……」

俺は知ってるんだぞ、おまえのやってることを、ぜんぶ。言いかけた言葉は、喉の奥でつかえた。体がまた沈むように重くなる。

「なに？」と美代子が聞き返す。

顎をひきはがすように動かして、僕は、僕が決めたのではない言葉を口にした。

「おまえ、いま、幸せか？」

美代子は一瞬目をそらしてから、プッと噴きだした。

「なんなのぉ、びっくりさせないでよ。あなた今日、ほんとに変じゃない？　わけ、わかりませーん」

あきれ顔で精肉コーナーに向かう。

僕の問いは答えのないまま宙吊りになった。

そして、そのやり取りを境に、美代子は急に口数が少なくなった。

16

「残酷だよ」

目が覚めて最初に、うめき声が漏れた。「もう、いやだ……」とつづけたところで胸に残った息が尽きて、ゆっくりと新しい息を吸い込むと、顎がひくついた。

「おじさん、起きたの？」

健太くんが助手席から振り向いた。

ああそうか、と僕は肩の力を抜く。オデッセイの車内だ、ここは。こっちの世界に帰ってきた。いや、逃げ込んだ、という実感のほうが近い。

「向こうはどうだった？　なにかおもしろいことあった？」

健太くんの問いを聞き流して、シャツのボタンを一つはずす。汗をかいていた。じっとりと、重い汗だ。

オデッセイはいつものように暗闇の中を滑るように走っている。運転席の橋本さんは黙ったままだったが、ルームミラーで様子をうかがっているのだろう、後ろから見ていると、顎や頬が小さく上下するのがわかる。

「ねえってば、おじさん、どうだった？」

「……疲れたよ」

「いろんなことがあったんだぁ」

「ああ……あった」

「あんまり楽しくなかった？」

「苦しいだけ、だった」

ほんのそれだけのやり取りで、息が切れる。汗がなかなかひかない。体を起こそうとしても、背中はシートに貼りついたまま動かない。なにか重石《おもし》をつけられた――というより、僕を包み込む空気ぜんたいが重く澱《よど》んでいるような感じだ。

「少し休みますか」

橋本さんが言った。

「すみません、そうしてください」と答えると、車はさらに加速した。

「おじさん、僕と散歩しようよ。ね、パパ、いいでしょ？」

健太くんの甲高《かんだか》い声が耳にキンと響く。

橋本さんは「じゃあ、健太も遊べるところがいいかなあ」とつぶやいて、ハンドルを左に切った。

「このパターンだと、学校でしょ、違う？」

「わかるか」

「そんなのわかるに決まってるじゃん、もう、いつも、だもん」

「見抜かれちゃってるなあ」

橋本さんは苦笑して、「健太の学校なんです」と前を向いたまま僕に言った。「ときどき連れていってやるんですよ」

「せめてものお詫びのしるし、ってやつだよね」

混ぜっ返す健太くんにかまわず、橋本さんはつづけた。

「ほんとうは友だちや先生にも会わせてやりたいんですけど、そういうわけにもいきませんからね、やっぱり」

「べつに会いたくないっつーの」

「私が事故を起こさなければね、その次の週に学校でサッカー大会があったんですよ、クラス対抗の。健太はセンターフォワードで、得点王を狙ってたんです。サッカーうまいんですよ、勉強はあまりできないんですけど」

「男の子はガリ勉よりスポーツができたほうがいいって言ってたの、パパじゃん」

「まあ、それにも限度ってものがありますよねえ」

「でもさあ、パパ、なんつーの？　センタクの幅、マジ狭すぎるって」

「もう飽きちゃったか？」

「……そんなでもないけど」

「でも、確かにいつもだもんなあ。たまには、どこか別のところに行ってみてもいいかもな」

少し間をおいて、健太くんは「学校でいいよ」と答え、橋本さんは、うんうん、とうなずくだけで、もうなにも言わなかった。

沈黙のなか、オデッセイはさらに加速して闇を駆ける。ときおり思いだしたように信号の青い光が前方に灯り、見る間に近づいて、一瞬にして後ろに去っていく。

僕はシートの背に体を預けたまま、まだ動けない。汗は止まったが、逆にそれで体の奥の火照《ほて》りが行き場を失ってしまい、息苦しさがさらにつのる。残酷だよ――声に出さずに、またつぶやく。何度も繰り返す。肩で息をついて、乾いた唇を舌先で舐《な》める。ぞっとするぐらいはっきりと残っている美代子の肌の手触りを早く忘れたくて、疲れたよ、もういやだよ、と繰り返す。

あの日の現実の僕が、実際にそうしたのかどうかは覚えていない。だが、やり直しの現実の僕は、美代子を抱いた。今夜は疲れたから眠りたいと言う美代子のパジャマを脱がせ、下着を剝ぎ取って、ナイトスタンドのオレンジ色の明かりに裸体をさらした。

美代子の肌は、三十代半ばを過ぎた頃から、かつての張りをなくした代わりに、指や舌にねっとりと吸いつくような湿り気とやわらかさを帯びてきた。汗が甘い。吐息が粘っこい。乳首に指が触れただけで身を反《そ》らすような敏感さは薄れたが、乳首を口に含まれたときの悦びの表情は深くなった。

女が年をとるということは、ただ老いて、衰えていくということではない。官能の種類が変わるだけだ。男とは違う。僕は若い頃の腹筋を失い、ペニスの猛々しさをなくして、二の腕がたるみ、ふくらはぎが細くなって……代わりに、なにも得ていない。

―

美代子はスタンドの明かりをいやがって何度も「消して」と言ったが、僕は聞き入れなかった。僕の知らない男に抱かれた妻を、僕の知らない女のように指でもてあそび、舌ではずかしめた。美代子は目を閉じていた。僕は瞬《まばた》きすら惜しんで、美代子を見つめた。妻が女になる。ただの女だ、と乳房を揉みしだき、両脚を押し広げた。僕は夫のままでしかいられない。ただの男に、なれない。美代子は、僕ではない誰かに――僕でないのなら誰でもいい誰かに、男を求めた。男をむさぼるために、夫を裏切った。悔しさを、彼女の両脚の付け根に突き立てた。腰を激しく振って、妻を信じたい思いと信じられない思いとを出し入れした。女があえぐ。女が細い悲鳴をこらえる。女がシーツをつかむ。悲しみを注ぎ込んだ。女は最後まで目を閉じたままだった。

「疲れてるみたいですね、ほんとに」

橋本さんが、ぽつりと言った。

僕は小さくうなずいて、胸の息を入れ替えてから訊いた。

「あと何度、あっちの世界に行かなくちゃいけないんですか」

「さあ……」

「橋本さんにもわからないんですか?」

「まったくわからないってわけでもないんですけどね」

煮えきらない答えに少しいらだって、「もう、うんざりだ」と吐き捨てた。「疲れきっちゃいましたよ、心底」

橋本さんは、ははっ、と笑った。

「じゃあ、死んじゃったほうがましだ、とか?」

「……そうかもしれない」

「ぜーたく!」――健太くんが言った。


車から降りて、健太くんの背中を頼りにしばらく歩くと、あたりがぼんやりと明るくなってきた。小学校の校庭だった。

健太くんはグラウンドの中央に向かって、はずむように駆けだした。Jリーグの、いまはもうチームがなくなってしまった横浜フリューゲルスのグラウンドコートの裾が、軽やかにひるがえる。

僕は足を止め、少し遅れて歩く橋本さんを待った。夜空のてっぺんに月が浮かんでいる。真ん丸な月だ。校庭を照らす明かりは他にはなかったが、健太くんや橋本さんの姿はくっきりと暗がりに浮かびあがる。外から光が当たっているというより、内側から、ホタルのように発光しているのかもしれない。

僕はどうだろう。右手を軽く挙げて眺めてみたが、よくわからない。右の手首を左手でつかむ。厚みも固さも、ちゃんとある。温《ぬく》もりも伝わった。それでも、体の奥深くにあるはずの芯が、どうも頼りない。針を胸に突き刺したら、ずぶずぶと、どこにもひっかかることなく背中に抜けそうな、そんな感じだ。

ふと見ると、健太くんの足元には、いつのまにかサッカーボールがあった。ドリブルして、ふわりとボールを浮かせ、ヘディングでつないで、またドリブル。楽しそうだった。だからこそ、寂しそうにも見えた。

橋本さんが僕の隣に来た。「けっこううまいでしょ、あいつ」と健太くんに顎をしゃくって、「将来はJリーガーになるのが夢だったんです」と言う。

「ウチの息子はプロ野球の選手でした。イチローと松坂が憧れのヒーローで」

「松坂？　そんな選手っていましたっけね。イチローは知ってるんですけど、松坂ってのは初めて聞いたなあ」

橋本さんと健太くんが事故で亡くなったとき、松坂大輔はまだ高校生、もしかしたら中学生だったかもしれない。

〈贈　平成二年度卒業記念〉と小さな札が横についた、丸太を寝かせたベンチに隣り合って腰かけた。健太くんは一人でサッカーをつづけている。グラウンドの校舎に近い側にゴールがあることに気づいた。どうせならいっしょにサッカーをする友だちも出てくればいいのだが、それはたぶん、この世界のルールに反することなのだろう。

「学校にはよくいらっしゃるんですか？」と僕は訊いた。

「しょっちゅうですね。健太が退屈したら、たいがい、ここです」

橋本さんはそう答えて、「他に知らないんですよ、健太がどこで遊んでたのか」とため息をついた。

「僕も似たようなものですよ。息子のことなんて、そんなに詳しくわかるものじゃないし」

「運動会には行きました？」

唐突な質問に、思わず「はあ？」と間の抜けた声が出た。

「私ね、行ってないんですよ。事故に遭《あ》う半月ほど前の日曜日だったんですけどね、タイミングが悪くて、出張と重なっちゃったんです。あいつ、勉強ができないぶんスポーツは得意だったから、運動会は晴れ舞台だったんですけど」

「……しょうがないですよ、それは」

「おたくは息子さんの運動会には毎年行ってました？」

あらためて訊かれ、自慢にも皮肉な謙遜《けんそん》にもならないよう気をつけて、「まあ、いちおう、毎年」と答えた。

「そうですよね、ふつうはそうするんですよねえ」

「でも、橋本さんの場合は仕事だったんですから……」

「無理をすれば、なんとかなったんですよ。仕事なんてほとんどそういうものでしょ？

それは、まあ、人間関係が面倒くさくなることもあるし、借りをつくっちゃうこともあるし、嫌みを言われたり怒鳴られたりすることもあるかもしれないけど、でもねえ、こっちがどうしてもっていう覚悟を持ってれば、なんとかなるんですよ。なんとかならないほうがおかしいですよ。会社で私の代わりは山ほどいるけど、健太の父親は、私一人しかいないんですから。それをやらなかったのは、やっぱり、私が悪いんですよね」

一息に言った。言葉そのものは自分自身を責めていたが、口調は淡々として、おだやかだった。

「現実はそう理想通りにはいきませんよ」と僕は言う。慰めではなく、話を受け流したのでもない。「理想」という言葉を打ち消してみたかった。僕自身のために。

「橋本さんは間違ってないと思いますけどね。たまたまウチの場合は運動会の日に仕事や用事が重ならなかったってだけで、僕だって、もし橋本さんと同じ立場だったら……」

「運動会には行きませんか？」

「ええ」

「それ、ほんとうですか？」

「……はい」

橋本さんは、ふうん、とまたうなずいた。端《はな》から本気にしていない相槌《あいづち》だった。

「行きませんよ、絶対に」と僕は言った。「本音ですから」と付け加えて、革靴のつま先で足元の土を掘るように蹴った。

「子どもの頃の話、訊いていいですか？」と橋本さんが言う。

「ええ……」

「田舎のお父さんはどうだったんですか。お父さんは、永田さんの運動会に来てくれましたか？」

「半分だけ、でした」

「っていうのは？」

「かけっこのときだけ応援に来るんです。運動会って、他にもいろんな出し物があるじゃないですか。組体操とか、ダンスとか。そういうのにはぜんぜん興味ないんですよ、親父は。勝ち負けがつかないものはアホらしい、って。競走でも、玉転がしみたいな団体競技はだめなんです。自分一人の力で勝つか負けるかっていうのじゃないと、好き嫌いっていうより、最初から意味がないって決めつけちゃってるんです」

「なるほどねえ」橋本さんは、今度は少し気を入れて笑った。「それはそれで一貫してるってことなんでしょうね」

僕も苦笑する。父の価値観とは裏腹に、僕はかけっこが苦手で、器械体操が得意だった。クラスの男子全員で演技する創作ダンスの振り付けも、僕が毎年考えた。だが、それを父が見てくれたことは一度もない。

「お父さんには、また会えましたか？」

「はい……」

「それはよかった」

「よくないですよ、ちっとも」

「どうして」

「だって、先のことを知ってるのになにも変えられないのって、キツいですよ。残酷ですよ」

「そうですか？」

橋本さんは納得しない顔で言った。「なにもできないってことはなかったはずですけど」と首をひねって、体ごと僕に向き直る。

最初に迷いこんだ、やり直しの現実――一年前の夏とは違うはずだ、という。あのときは行動も言葉も変えられなかった。ビデオテープを再生するように、実際の現実をなぞることしかできなかった。だが、二度目は違う。一年前の冬のあの日をやり直した僕は、台本どおりの芝居を演じる男ではなかったはずだ、という。

「実際の現実とやり直しの現実がずれるときがあったでしょう？」

「ええ……」

「一歩踏み出したんですよ」

「……どこが」

「一歩でも半歩でもいいんです、とにかく現実をただ繰り返すだけじゃなかったはずなんです」

「でも、結果は変わらなかった」

「変わらなくても、変わったんです」

「そんなことない」口調が自然と強くなった。「広樹はやっぱり私立の中学を受験するし、美代子はやっぱり僕以外の男と……」

愛してる——。

自分の声が不意によみがえってきた。

愛してる。僕は、美代子にそう言ったのだ。つながっていた体を離したあと、彼女の汗ばんだ肩を抱いて、耳元でささやいたのだ。

ほんとうは違う言葉を言いたかった。たとえば「信じてる」。たとえば「知ってるんだぞ」。言うべきだった。言わなければ、未来は変わらない。それはわかっていても、たぶん、怖かった。恐れていた。自分がすべてを知っているんだと認めるのが、悔しかった。

美代子は黙って、僕の胸に頬をすり寄せた。目をつぶったまま、間抜けな夫を笑っていたのかもしれない。お人好しな夫に、ほんの少し申し訳なさを感じていたのかもしれない。それとも、僕ではない誰かの指や舌やペニスを思いだしていたのだろうか。

　僕は橋本さんに言った。

「最初と二度目とは、どうして違うんですか」

　橋本さんは「私にもよくわかりません」と答えた。「でも、いままでドライブしたひとは、皆さん、そうでした」

「未来を変えることのできたひと、いたんですか？」

　苦笑いでかわされた。

「教えてください」

「次は、もっと自由に動けますよ」

「あと何回あるんですか」

「回数じゃありません、永田さんの後悔がすべて消えるまで、です」

「消えるわけないじゃないですか、結果が変わらないのに」

「じゃあ、その結果を素直に受け容れられるようになるまで」

「できませんよ、そんなの」

「さあ……そうでしょうかねえ……」

　くそっ、と僕は足元の土を蹴った。

グラウンドでは、まだ健太くんがサッカーをつづけている。さっきのドリブルはウォーミングアップだったのか、いまはスピードをあげてゴールにボールを運び、シュートを放って、ネットに突き刺さったボールを拾って、またドリブルでゴールから遠ざかる。ひとりぼっちだ。あの子はずっとひとりぼっちで、終わりのない旅をいつまでつづけるのだろう。

「橋本さん」

「はい？」

「事故の現場で、橋本さんおっしゃってましたよね。健太くんを説得してくれ、って。現場に行けばいいんですよね？　そうすれば、健太くんは成仏っていうか……」

「ここではないどこかに行けるんです。母親にだって会えます。私なんかといっしょにいなくてもいいんです」

「要するに、自分が死んだことを受け容れるってことですよね」

「ええ、そうです」

「それが成仏なんだ、と」

橋本さんはためらいがちに「まあ、そうですね」とうなずいた。

「同じなのかな」僕は言う。「こっちも、我が家を成仏させなきゃいけないってことなんでしょうね」

困惑顔でなにか言いかけた橋本さんにかまわず、僕はベンチから立ち上がった。

「ちょっと、健太くんの遊び相手してやりますよ。ひとりぼっちでサッカーやっても、つまらないでしょ」

橋本さんを振り向いて、もう一言――「ついでに、その話もしてみます」。

橋本さんはベンチに座ったまま、黙って頭を下げる。両手を膝に載せて、深々と、まるで祈りを捧げるように最敬礼した。

17

ゴールの前に立つ僕に気づくと、健太くんは、わおっ、と口元をほころばせ、ドリブルしていたボールを右足で踏んづけるように止めた。のけぞりそうになった体を、両腕をぐるぐる回してバランスをとって立て直す。

「おじさん、サッカーできるの？」

「ボールを蹴るぐらいできるさ。あんまりうまくないけど」

健太くんは右手を前に突き出して、親指を立てた。合格、らしい。

「じゃあさあ、最初はパスね、いい？」

「わかった」

身がまえる間もなく、グラウンダーのボールが来た。スピードもコントロールも、八歳にしてはなかなか、だ。

靴の側面でトラップして、力を加減して蹴り返した。ミスキックになった。ボールに斜めの回転がついてしまい、転がるにつれて健太くんから遠ざかっていく。健太くんはずっこけるポーズをとって、小走りにボールを追いかけた。

「悪い悪い」

僕は手を挙げて謝り、健太くんも「おじさん、へたじゃーん」と軽口をたたいてボールを止めた——はずだった。

ボールは健太くんの後ろに転がっていく。空振りしたようには見えなかったのだが。健太くんもあわてて身をひるがえす。おかしいなあ、というふうに首をひねりながら。

「おじさん、もっと強く蹴っていいよ。ボールがゆるすぎると、タイミング合わないから」

負けず嫌いな男の子だ。こっちに返ってくるボールは、ライナー性の浮き球になった。ダイレクトで届いた。コントロールもぴったりだし、よけいな回転もない。つま先ではなく、きちんと足の甲にボールを当てている。

「うまいんだなあ、ほんとに」

「だめだめ、この程度だとジュニアユースじゃ入団テストにも受かんないもん」

「フリューゲルス、好きなのか」

「まあね。でも、選手でいちばん好きなのはラモスだけど。あいつ根性あるし。あと、武田とゴンも好き」

そうだよな、とあらためて気づく。あの頃、中田英寿はまだスーパースターではなかったのだ。

「いくぞ」

「うん、今度はもうちょっと本気で蹴って」

言われたとおり、右足を後ろに振って勢いをつけて、ワンバウンドで届かせるパスを送った。方向も悪くない。健太くんはダッシュしてボレーで蹴り返すポジションをとった。バウンドしたボールが弧を描いて足元に落ちてくるところを、直接キックした――はずだった。

いや、確かに、健太くんの右足はボールをとらえていた。タイミングも角度も、申しぶんなかった。なのに、ボールは健太くんの後ろではずんで、転がっていった。

「あれぇ？　なんでぇ？」

健太くんはさっきよりもさらに深く首をひねって、どうにも納得のいかない様子でボールを追った。その背中を眺めていると、不意に、背筋がぞくっとした。もしかしたら、と思った。そんなことないさ、とすぐに打ち消してはみたものの、そもそも健太くんと僕がサッカーをしていることじたいが、不合理というか、不可能というか、幻なのだ。

三球目のパス。球の強さやスピードにはかまわず、コントロールにだけ気をつけて、健太くんの真正面にボールを送った。

「おい、体で止めてみろよ」

健太くんも僕と同じ予感を胸に抱いていたのか、「わかってる」と返して、足だけでなく、体を壁のようにしてボールを受け止めた——はずだった。

今度ははっきりとわかった。ボールは健太くんの体をすり抜けていった。健太くんは、もうボールを追いかけない。口をぽかんと開けてその場にたたずみ、僕と目が合っても、表情は動かない。

僕は逃げるように、丸太のベンチのほうを振り向いた。橋本さんは、いない。校庭の外に停めたオデッセイに戻ってしまったのかもしれない。健太くんに目を戻す。まいっちゃったな、と笑いかけてみたが、健太くんの頰はほとんどゆるまなかった。

「なあ、おじさんがゴールキーパーしてやるよ。健太くんの蹴ったボールを俺が受けるのはだいじょうぶなんだから、シュートの練習すればいいだろ」

返事はなかった。

「じゃあ、俺がディフェンスでもいいんだよな。ほら、ドリブルでディフェンスをかわす練習とか、どうだ？」

健太くんは無言のまま、気乗りのしない顔になる。僕はため息をついて、健太くんに向かってゆっくりと歩きだした。ひとりぼっちなんだよな、と嚙みしめた。この子は、誰もいないグラウンドでひとりぼっちのサッカーをつづける。いままでも、これからも。

手を伸ばせば触れられる距離で、向き合った。

健太くんはうつむきかけた顔を上げて、へへっ、と笑った。

「ゆーれいって、不便だよね」

「まあ……その代わり、いいことだってあるさ」――なにを言ってるんだろうな俺は。

「ねえ、おじさんちの子どもって、サッカーが好きなの？」

「サッカーより野球だな。サッカーもたまにやってたけど、健太くんのほうがうまいよ」

「僕ね、野球もけっこう得意なの」

「運動神経いいんだな」

「うん、自分で言うのナンだけど、スポーツははっきり言って鉄棒以外はカンペキだよね。でもさあ、関係ないじゃん、交通事故で死ぬときって。一瞬だもん」

「……だよな」

「一瞬だよ、ほんとに一瞬なんだから」

わかるよ――とは言えない。一瞬の事故が断ち切った健太くんの未来を思い、広樹と同じ十三歳になっているはずだった健太くんの姿を想像すると、瞼の裏がぼうっと熱くなった。

「でも、嬉しかったよ、すごく。いままでいろんなひとが車に乗ってきたけど、いっしょにサッカーやろうって言ってくれたひと、おじさんが初めてだった」

「お父さんとはやらないの?」

健太くんは笑顔でかぶりを振った。

「僕ら、そーゆー親子じゃなかったから。生きてるときにできなかったことは、死んでからもできないんだよね」

「だけど、仲いいじゃないか、お父さんと」

健太くんは、また笑った。

「死んでからだよ」

さらりと言って、もっと軽く、「僕らは死んでから、やっと親子っぽくなったんだよ」と付け加えた。

僕のまなざしを振り払うように、健太くんはすばやく踵を返し、地面に転がったボールを目指して駆けだした。

「おじさん、学校の中、探検に行かない？」

健太くんはボールをさらに遠くに向けて蹴った。夜空に高く上がったボールは、とがった放物線のてっぺんで、闇にふっと消えた。

校舎の非常口の分厚い扉は、健太くんが手をかけただけで音もなく開く。廊下の明かりはその扉の上に灯る〈非常口〉の緑色の常夜灯だけだったが、先に立って歩く健太くんのまわりはほのかに光って、それを追っていけば道に迷ったり健太くんの背中を見失ったりすることはなさそうだった。

廊下を進み、階段を上りながら、健太くんは事故に遭う前の暮らしを話してくれた。

離婚、マジ、寸前――だったのだという。不倫や酒乱やギャンブルや家庭内暴力や嫁姑《しゅうとめ》のいさかい、というような理由があったわけではない。

「僕なんだよね、原因は。僕がパパにぜんぜんなつかなかったから」

「親子なんだから、『なつく』とか『なつかない』っていうのは違うんじゃないのかな」

健太くんは意外そうに「違うの？」と聞き返す。「でも言ってたよ、パパもママも」

「どんなふうに？」

「立ち聞きっていうか、寝てるときにリビングの声が聞こえたんだけどね、なんで健太は俺になつかないのかなあ、って。で、ママが言うわけ、時間がたてばだいじょうぶよ、って」

「……おい、ちょっと待ってくれ」

「うん？」

健太くんは階段の手すりをつかみ、片足を上の段に踏み出したまま、僕を振り返った。

「健太くんとお父さんって……」

「赤の他人、ほんとはね」

言葉に詰まる僕に、「一年生のクリスマスに、親子になったの」と言う。「ママがね、健太にクリスマスプレゼントがあるの、って」

知らなかった。というより、そんなこと、想像すらしていなかった。二人はいつもテンポよくおしゃべりをして、健太くんはすぐに橋本さんをからかうようなことを言って、橋本さんは健太くんのサッカーの腕前を嬉しそうに僕に話してくれて……。

歩きだした健太くんを呼び止めて、僕は言った。

「健太くん、いまの話、嘘じゃないんだな」

「信じないんなら、あとでパパに訊いてみれば？」

健太くんはそっけなく言って、また歩きだした。もう呼び止めても振り向かないだろう、という気がして、僕は黙ってあとを追う。階段を二階まで上り、さらに三階へと進みながら、健太くんは話をつづけた。

両親が離婚したのは、健太くんがものごころつく前だった。実の父親はどこかで誰かと新しい家庭をもうけたらしいが、詳しいことはなにも知らされていない。「もうちょっと大きくなったら、きちんと説明してあげるから」と言われたまま、だった。

「僕はどっちでもよかったんだよね。バツイチとかってフツーだし、ママがいれば、べつにパパなんていなくてもよかったの」

だが、健太くんのママは、子どもには父親がいないとよくない、と考えるひとだった。

「これ、ナイショだけどね」と前置きして、健太くんは言う。

「ママって、ほんとはパパのことをめちゃくちゃ愛してたってわけじゃないと思うんだよね。僕にはどんなお父さんが必要なのか考えて、このひとだったらいいんじゃないかな、ってパパと再婚したんだと思うの」

子連れのバツイチと結婚した橋本さんも、自分がちゃんとした父親にならないといけない、と考えるひとだった。

「すっごい気をつかうの、僕に。でも、それって嘘っぽいわけ。子育ての本とか買ったりしててさ、なんつーか、ゲームでクリアしなきゃいけない関門ってあるじゃん、そんな感じで僕と仲良くしようとしてるのがわかっちゃうわけ」

だから——なつかなかった。

「もう、シカト、シカト。僕、自分からパパに話しかけたことなんて一度もなかったと思うよ、事故に遭うまでは」

橋本さんはずいぶん悩み、落ち込んでしまったらしい。健太くんのママも、このままの状態がつづくのなら離婚したほうがお互いのためにいいんじゃないか、とまで考えていたらしい。

二年生に進級しても、健太くんはまったく橋本さんになつかなかった。

「パパが嫌いなわけじゃないんだよ。でも、こっちも意地っていうか、きっかけがないのにシカトやめるのって難しいじゃん。こっちから話しかけるのも、死ぬほど恥ずかしいし。そしたら、だんだんパパも僕に話しかけてこなくなって、離婚の話、どんどんマジっぽくなってきちゃって……」

そんな橋本さんが最後にすがった希望の糸が、運転免許だった。

「だってさあ、パパ、必死な顔して僕に言うわけ。パパにできることがあったら言ってくれ、パパは健太のしてほしいことはなんでもしてやるから、って。目がテンパってるんだよね。ママも横で泣きそうな顔して僕を見てるし。ヤッベえなあって感じで、とりあえず言っちゃったわけ、免許取ってドライブに連れてってよ、って。半分意地悪だよ、だって、パパ、マジに運動神経ないんだもん。ぜったいに無理だと思ってたんだ、僕も、ママも」

橋本さんは約束を守った。がんばって免許を取った。そして、初めてのドライブで――。

「だからね」と健太くんは三階まで階段を上りきって、ふう、と息をついた。「よーく考えてみたら、僕がいちばん悪いの」

振り返って、笑う。

「そーゆーのって、ジゴージトクっていうんだよね？」

健太くんは三階の廊下をしばらく進んで、〈二年二組〉とプレートの掛かった教室に入っていった。

「このクラスだったのか」

「そう、二年二組、出席番号二十一番。ここの席だったの」

廊下から二列目の、前から三番目。席についた健太くんは、戸口にたたずんだままの僕に「おじさん、先生みたいに教壇に立ってみてよ」と言った。「で、黒板になにか書いてるような感じで」

言われたとおりにすると、健太くんは机に両手で頰づえをついて、嬉しそうに、懐かしそうに、笑った。

「勉強って大嫌いだったんだけど、できなくなってから好きになっちゃうんだよね」

「そういうものだよ、なんでも」

「パパのこともさ、いまは好きだよ。ずーっと二人で車に乗ってると、やっぱ、好きになっちゃうよね」

僕は微笑んで、さっきの橋本さんの話を伝えてやった。

「運動会の応援に行ってやればよかったたって、後悔してたよ」

健太くんは「マジ？」と聞き返し、照れくさそうに頬をゆるめたり締めたりした。

「でもさあ、運動会に来ても来なくても、事故ってたと思うんだよね。結果おんなじだよ」

「同じでも……違うよ」

自分の言葉に、笑みが浮かぶ。今度は少し苦く。橋本さんに言われたことを裏返しているだけだな、と思った。

「後悔とか言うんだったら、僕のほうがあるよね」

「そう？」

「だって、パパのことシカトしちゃって、バカだよね。ほんとは、嫌いなわけないじゃん、好きかどうかはよくわからないけど、でも、パパってすごく優しくて、不器用なのにいろんなものつくってくれて、ゲームとかもさあ、チョーへたなんだけど、やりたがるの。そーゆーの、うざったいから、パパがやりたがるときは、僕、いつもコントローラー放り投げて自分の部屋に逃げてたんだけど……そんなこと、しなきゃよかった。マジ、死ぬほど大後悔、って死んでるけど、もう」

無理にギャグにしなくていいのに。おとなは――かつて誰かの息子だったり娘だったりしたひとなら誰だって、健太くんの気持ちはわかるのに。

「僕がパパのことシカトしたりしなかったら、事故んなかったよね、ぜったい。僕も死なずにすんだし、パパも死ななかったよね」

わからない。それは、神さまにしか。

「あー、もう大後悔だよお……サイテーだよ」

健太くんは床を足で踏み鳴らした。

それが止《や》むのを待って、僕は言う。

「健太くんがパパと仲良しだったとしても、同じだよ」

「結果が？」

「そう。同じなんだと思う」

「違うのに同じって、さっきと逆じゃん。わけわかんねーっ」

僕も心の中で「わけわかんねーっ」と健太くんを真似てつぶやいた。それでも、自分が間違ったことを言っているとは思わない。

「どっちにしても、パパはがんばって運転免許を取ったさ」

「そう？」

「健太くんと仲良しだったら、もっともっと仲良くなろうと思って、もっともっといろんな景色を見せてやらなくちゃって張り切って、教習所に通ったと思う」

「……勝手に決めんなっつーの」

「でも、健太くんも、そんな気がしないか？」

する——とは言わなかった。だが、健太くんは、へへっ、と笑った。肩を揺すり、白い歯を見せて、へへっ、へへっ、へへっ、と笑いつづけた。

僕は静かに言った。

「パパは、健太くんに成仏してほしいって言ってるんだ。事故の現場、まだ行ってないんだろ？　そこに行って、早く成仏してほしい、って」

「なんで？」

「このままだと、健太くん、どこにも行けないから。お母さんにも会えないし、生まれ変わることもできないし、ずーっとあの車に乗ったままなんだ。パパは、それがすごくかわいそうだって言ってるんだ。思いだすのはつらいかもしれないけど、やっぱり事故に遭ったところに行って……」

「べつにつらいわけじゃないよ」

健太くんはぴしゃりと言って、頬づえをはずし、腕を枕にして横向きに突っ伏した。

「じゃあ、今度行ってみるか？」

「やだ」

「どうして？」

「いやだから、やだ」

「……パパは、健太くんのことが大好きなんだよ。だから、健太くんをこれ以上ここの世界にいさせたくないんだ。おじさんも、その気持ちはわかるんだ、すごく」

「ぜーんぜん、わかんない」

「健太くん」

「わーかりませーん」

突っ伏したまま、掌で机を何度も叩く。椅子を後ろに引いて姿勢を低くして、机に張りついてしまう。

僕は、やれやれ、と息をついて「お母さんに会いたくないの？」と訊いた。

健太くんは、なにも答えない。

「パパは、健太くんのことをいちばんに考えてるんだ。わかるだろう、それは。健太くんを事故に遭わせたのをすごく申し訳ないと思ってて、だから、せめて早く……」

「よけーなお世話だっつーの」

声がくぐもった。顔を伏せているせいだけなのかどうかは、わからない。

僕は教壇から下りて、手近な席に座った。小学二年生の机や椅子はこんなにも小さいんだと思うと、健太くんのきゃしゃな肩が急にせつなく、いとおしく感じられた。

「おじさん」健太くんは、突っ伏したまま言った。「僕がジョーブツしちゃったら、パパはどうなるの？」

「たぶん、パパも成仏できるよ」

「で、どうなるの？」

「おじさんにはわからない。でも……」

たぶん、と言いかけて、別の言葉に言い直した。

「もしかしたら、パパと健太くんは離ればなれになっちゃうかもしれないな」

「……だよね」

「でも、パパはそれでもいいって言ってる。健太くんと別れちゃうのは悲しいけど、健太くんにとってなにがいちばん幸せかって考えたら、やっぱり、それしかないんだよ」

「さっきも言ったじゃん、勝手に決めんなって。おじさん、はっきり言うけど、すげーおせっかい」

「おせっかいでもいいよ。でもな、よく考えてみろよ。このままだと、健太くんはずーっとひとりぼっちでサッカーして、友だちにも会えないんだぞ」

「本人がいいって言ってんだから、いいじゃん。ほっといてよ」

机がガタガタと揺れる。僕は月明かりの射し込む窓に目をやって、ゆっくりと瞬いた。

橋本さんの後悔と健太くんの後悔が——どちらが悪いわけでもない、ただ悔やむ思いだけが、あの車を走らせていたのだろう。そして、まるでガソリンを給油するように、車はときどき、重い後悔を背負ったひとたちを乗せるのだろう。

窓の外は、ほの白い闇だ。音はなにも聞こえない。なにかが動く気配もない。

健太くんを振り向いて、僕は言った。

「パパと健太くんは、赤の他人だったんだろう？」

返事はない。ぺたんと平らになった背中が、息づかいに合わせて上下するだけだった。

「ほんとうの親子じゃないんだし、もともと他人だったんだから、いいじゃないか、別れたって。健太くんにとってもそのほうが幸せだし、パパだって、ほんとは早く成仏したいんじゃないかな。健太くんが成仏してくれないから、ここから出るに出られなくて、困ってるのかもしれないんだぜ」

勝手に、決めた。誰も悪くないのだから、誰かが悪者になるしかない。

僕は立ち上がる。わざとのんきな声を出して伸びをして、「車に戻ろう」と言った。健太くんはまた床を踏み鳴らす。橋本さんと健太くんの姿を思い浮かべないようにしよう。代わりに父と、子どもだった頃の僕を、そこに置けばいい。

「いいこと教えてあげるよ、健太くんに。あのな、息子は親父を捨てていかなきゃいけないんだ。いつまでも親父さんにべたべたしてちゃだめなんだよ。嫌ってもいいし、憎んだってかまわない。親の世界から出ていかないと、子どもはどこにも行けなくなっちゃうんだから」

父が消える。子どもだった頃の僕も消える。代わりに浮かんできたのは、親になった僕と、広樹の姿だった。

「親だって同じなんだ。子どものことはたいせつだけど、それだけを背負って生きていくのはキツいんだ。もっと楽になりたいし、自由になりたいんだ。子どもにすがってきてほしくないときだってあるんだよ、親には」

親になった僕と子どもだった頃の僕の組み合わせだと、僕はどんな言葉を口にして、どんなふうに返すだろう。

「車に戻ろう。パパも待ってるし、そろそろ朝になっちゃうだろ」

返事はなかったが、「先に行くぞ」と歩きだした。廊下は真っ暗だった。健太くんに先導されなければ、明かりがまったくない。でも、まあ、いいか、と足を進める。途中で、背後にほのかな光を感じた。健太くんはうつむいたまま、すねたような足取りで歩いていた。

ごめんな、と声に出さずに詫びた。言わなくてもいいことや、言うべきではないことを、たくさんぶつけてしまった。

僕はいくつもの後悔を背負って、橋本さんと健太くんの車に乗り込んだ。どうやらこのドライブは、手持ちの後悔を思い知らせるだけではないのだろう。新しい後悔が、両肩に載った。他の後悔に比べると、言葉だけのそれはずっと軽く、簡単に払い落とすことができそうだったが、僕は赤ん坊をおぶうように背中を少し曲げて、新しい後悔を胸に染み込ませた。

18

グラウンドに出ても口を開かず、僕に追いつこうともしなかった健太くんが、闇の中にオデッセイが見えてきたとき、不意に「うそぉ」と声をあげた。

「どうした？」と振り向く僕からも、もう目をそらさない。逆に、いたずらを仕掛けたような笑みを浮かべて、ねえねえちょっと、と小走りに僕に近寄った。

「おじさん、すごいことになっちゃったよ」

「はあ？」

「こーゆーパターンって、僕、初めて」

「なんなんだよ、どうしたんだ？」

「お客さん、増えちゃった」

「……車に？」

「そうそうそう、そーなの」大きくうなずいて、目まで真ん丸に見開いた。「おじさんの、よーく知ってるひと」

驚いてオデッセイを見たが、車内の様子はここからではうかがえない。

「健太くんには、わかるのか」

「うん、わかる」

健太くんはまた大きくうなずき、「ゆーれいも便利なことあるんだよね」と笑って、闇に透かすようにオデッセイを見つめた。

「すごく後悔してるんだよ、そのひとも。だから、パパが車に乗せてあげたんだ」

「……俺が会いたくない相手なんだな」

「まあね」

軽く答え、「でも、おじさんのよーく知ってるひとって、ほとんどおじさんが会いたくないと思ってるひとなんじゃないの？」と笑って、先に立って歩きだした。

外から見るかぎりでは、オデッセイに動きはない。車の中で、そのひとは橋本さんといっしょにこっちを見ているのだろうか。どんな話をしているのだろう。そのひとの背負った後悔とは、なんなんだ——？

「ねえ、おじさん、誰だと思う？　言ってみてよ、正解だったらピンポーンしてあげるから」

かまわず、車に急ぐ。思いついたのは、三人。美代子と、広樹と、それから父——チュウさん。三人とも、できればいまは会いたくない相手だったが、心の底で、美代子だったら、と少しだけ期待した。

もしも美代子が後悔を背負っているのなら、それは僕を裏切ったことかもしれない。すべてを悔いて、詫びて、もう一度やり直させてほしいと頼んでくるのなら、どうしてやろう。許したくはないが、このまま終わってしまいたくもない。「愛している」とは、いまはもう言えない。しかし、「憎んでいる」とも言いきれない。「愛している」のかけらがまだ胸に散らばっているのなら、それを拾い集めて、もう一度……。

「甘いよ」

健太くんが言った。

「……わかるのか？」

「よくわかんないけどさ、どうせ甘いこと考えてたんじゃないの？　おじさんって、そーゆータイプだもん」

言い返す余裕もなく、ほとんど走るように車に向かった。

校庭の外に出た。通りに停まったオデッセイに着いた。スライドドアを力任せに開ける。

二列目の座席に座っていたのは、チュウさんだった。

運転席に座った橋本さんは、僕がチュウさんの隣に乗り込み、健太くんが助手席に飛び乗ると、車にエンジンをかけて言った。

「永田さんに相談なしに勝手なことをして申し訳なかったんですけど……」

「でも、ほら、この車ってウチのなんだから」と健太くんが口を挟む。

チュウさんは黙っていた。シートに両脚を揃えて座ったきり、身じろぎもしない。僕と顔を合わせたときも、驚いた表情は見せず、感情のありかもわからないまなざしで、呆然と虚空《こくう》を見つめていたのだった。

「時間がなかったんです」と橋本さんは言った。

「そう。だから、しょーがないんだよね」と健太くんが合いの手を入れる。

「お父さんにはさっきお話ししたんですが、いよいよ、です」

「キトクなの、いま」

「急に容態が悪化しました。とりあえず延命処置をとっていますが、もう昏睡状態で、二度と意識が戻ることはありません」

僕は黙ってチュウさんを見た。チュウさんは動かない。口元をきゅっと締めて、まっすぐ前を向いて、しかし、その目がどこを見ているのか僕にはわからない。

「意識をなくしたって言っても、それはただ外に出ていく出口がふさがれた、というだけなんです。お父さんは、いま、ひどく後悔してるんです。あなたに対するいろんな、数えきれないことを」

橋本さんの言葉を承《う》けて、健太くんはいつものように助手席から顔だけ振り向かせて言った。

「ほら、意識がコンダクしてるって言ってたじゃん。そのときに、おじいちゃん、なんだっけ、チュウさん？　チュウさんになっておじさんと会ったでしょ。で、おじさんからいろんなこと言われて、自分の知らないことも教えてもらって、いま、すごい後悔してるんだって」

「早くここに連れてこないと、もう永田さんに会うこともできなくなっちゃうんです」

「後悔したまま死ぬのって、すっごい、死ぬほど苦しいんだって」

「こんなこと比べてもしょうがないんですが、これだけ重い後悔を背負ったまま死のうとしているひと、めったにいません。それで、まあ、永田さんには無断だったんですが

「……」

「連れてきたの」

「すみませんでした」

橋本さんはぺこりと頭を下げて、健太くんの肩を軽くつついて、前を向くよううながした。

僕はゆっくりと息をつく。

低い声が聞こえた。振り向いて、「ごめん、聞こえなかった」と言うと、チュウさんは虚空を見つめたまま、のろのろと口を動かした。

「カズ……わしは、死ぬんか……」

僕はなにも答えない。

「嘘じゃろう？　のう、わしは、ほんまにもうすぐ死んでしまうんか？　そげなこと、嘘じゃろう？」

チュウさんの声は震え、波打った。その震えが、肩にも、腕にも、膝にも、背中にも伝わる。

「カズ、どっちなんか……嘘じゃろうが？　のう、嘘じゃ言うてくれ……」

僕は目をそらし、顔もそむけて、「怖いの？」と訊いた。チュウさんはなにか答えたが、言葉にはならない。嗚咽《おえつ》のような苦しげな声が漏れるだけだった。

「死ぬんだよ」——目を閉じて、言った。

「親父と僕は、仲直りできないまま、もう二度と会えなくなるんだ……」

車が動きだす。滑るように、加速する。やがて、チュウさんのすすり泣く声が聞こえてきた。

子どもの頃から、父が泣いている姿など見たことがなかった。最後まで、そのままがいい。僕は目を閉じたまま「しかたないんだ」と言った。


チュウさんはじっと押し黙っていた。泣きやんだあとも、涙の名残でときどき洟《はな》をすすり、湿ったため息をつく。

オデッセイは少しずつスピードを上げて、闇を滑るような走り方になった。僕は窓の外の暗闇をぼんやりと見つめながら、昔読んだ手塚治虫の『火の鳥』という漫画を思いだしていた。永遠の命を求める人間の悲しさと愚かしさを描いた作品だった。あの中に、年老いて死の床に伏しながら、最後の望みを託して不死の薬——火の鳥を捕らえさせようとした王さまの話がなかったっけ。そして、冷酷で傲慢な王さまの顔は父に似ていなかったっけ。

健太くんは、助手席からときどきチュウさんを振り向く。話しかけるためではなく、沈黙を確かめるしぐさだった。僕と目が合うと、まいっちゃうね、というふうに苦笑する。尻切れとんぼのままだった成仏の話は、健太くんの胸の中にどう残っているのだろう。死におびえるチュウさんの姿は、健太くんになにを伝えるのだろう。

前方の暗闇に青い光が次々に浮かんでは、オデッセイが追い越していく。チュウさんが洟をすする音が間遠になるのと入れ替わるように、光が浮かんで消える間隔が狭まってきた。

「そろそろ、ですね」

橋本さんが沈黙を破った。

それを待っていたように、健太くんが僕とチュウさんを振り向いて「今度は親子いっしょだよ」と笑う。「喧嘩しないで、仲良くがんばってくださーい」

どこに行くかは、わからない。ただ、そこが僕にとってたいせつな場所であることは確かだ。僕はそこに後悔を残したまま生きてきて、もう取り返しはつかなくても、せめて後悔のありかを探りたくて……現実から半歩でもいい、踏み出すことはできるだろうか。

「ちょっと待ってくれ」

チュウさんは前に身を乗り出して、運転席の背に手をかけた。

「停めてくれや。わし、降りるけん」

橋本さんは前を向いたまま、かぶりを振った。

「できません、それは」

「なしてや。ブレーキをかけりゃあええだけのことじゃ」

「だめなんです、できないんです」

「アホなこと言うな。早《はよ》う停めてくれ」

「無理なんです、ここまで来たら。私もなにもできないんですよ」

ほら、と橋本さんはハンドルから両手を離した。アクセルから足も浮かせた。オデッセイのスピードは落ちない。走る方向も変わらない。まっすぐに、ひたすらまっすぐに、加速しながら闇を滑っていく。

「降ろせ！」

チュウさんは運転席の背を強くつかんだ。「こげなわけのわからん話にこれ以上付き合えるか！　早う降ろしてくれ！」――うわずった声で叫ぶ。

橋本さんはハンドルに手を戻し、困惑して肩をすくめる。

健太くんが、やれやれ、というふうにチュウさんに声をかけた。

「降りちゃったらヤバいんだよ、わかんないの？」

「子どもは黙っとれ」

「あのねえ、車に乗っちゃったら、勝手なことできないの。ルールっていうかさ、そういうの守ってくれないと」

「子どもが口出しするな言うとろうが。ええけん、早う降ろせ、降ろしてくれ」

チュウさんは腰を浮かせて身をさらに前に乗り出した。手を伸ばす。橋本さんの肩を、つかみかける。

「死んじゃってもいいの？」

健太くんが言った。軽い声だったが、チュウさんの手は虚空で止まった。

「……どういう意味なんか、それ」

初めて健太くんのほうを見た。

「勝手に車から降りたら死んじゃうってこと」

健太くんはさらりと答え、「っていうか」とつづけた。

「チュウさん、もう半分死んでるわけ。ね、田舎の病院で意識不明なわけ。たまたまチュウさんは後悔が強かったから、体と心が離れちゃってここに来たんだけど、僕らと別れちゃったら、チュウさんは死にかけた体に戻んなきゃいけないわけ。で、そのままサヨナラーって……それでもいいの？」

チュウさんは黙って運転席の背をつかみ直し、健太くんをにらみつけた。肩で大きく息を継ぐ。なにか言いかけて口がひくひくと動いた。

「息子に会いたかったんでしょ、チュウさんは。死ぬ前に息子に会って、いろんなことを話して、仲直りしたかったんだよね？　だから、よかったじゃない、いっしょにドライブできて」

チュウさんの視線が僕に移る。僕はすっと目をそらす。

チュウさんはまた、肩で大きく息をした。怒りをこらえているのではなかった。チュウさんは怯えている。怖いのだ。死ぬことが怖くて、生にしがみつこうとしている。

僕は目をそらしたまま、言った。

「しかたないんだよ、病気なんだから。六十三歳って、ちょっと若いような気もするけど、花火みたいな人生がよかったんだろ？　太く短い人生だったよ、それでいいじゃないか」

返事はなかった。僕は「橋本さんの話は、ほんとなんだ」とつづけ、「親父はもうすぐ死ぬんだ」と念を押した。

「……わしは、どげんなるんか。のう、死ぬいうても、それは二十五年たってからのことじゃろう？　わしは関係ないんじゃろ？」

「消えるの」──健太くんが言った。

橋本さんが小声でたしなめたが、健太くんは逆に、さらに声を張り上げて「チュウさんも消えちゃうんだよ、パッと」と言った。「わかる？　死ぬって、そういうこと」

「知ったふうなカバチたれるな、クソガキが」

「信じないの？」

ため息が漏れる。こんなに弱いひとだったのか、いや、弱いひとだったのだろう、ほんとうは。子どもの頃は気づかなかった。おとなになってからは目を向けようともしなかった。だが、いま、僕は認める。父は、強くもなんともなかった。自分の死すら受け止められない、弱い――ずるいひとだった。

「ちゃんと座っててください」橋本さんが言った。「もうすぐですから」

オデッセイのスピードはさらに上がり、闇のなかを飛ぶような速さになっていた。

「降ろせ!」

チュウさんは声を裏返らせて叫ぶ。

哀れだ、と思った。うろたえて、じたばたして、八つ当たりして、逃げて……そんなひとだったのだ、僕の父は。

「もうやめてよ」勝手に声が出た。「みっともないから、やめてよ」

チュウさんは目をカッと見開いて、僕を振り向いた。

「おまえまで、そげなこと言うんか、おう、こら……」

胸倉をつかまれ、二度三度と激しく揺さぶられた。チュウさんの目が、暗い車内のわずかな光をはじいた。瞬くと、その光は頬に垂れていく。

チュウさんは無言で僕のシャツをねじり上げる。喉がふさがれ、息が詰まった。

「誰が信じるか!」

「ちょっと、ねえ、喧嘩しないでよお、こんなところで……」

健太くんは助手席からウォークスルーに出てきた。チュウさんの肘を後ろから両手でつかんで「ねえ、やめてってば」と止める。

「健太、座れ！　そっち行っちゃだめだ！」

橋本さんが叫ぶのと同時に、まばゆい光が僕たちを包み込んだ。

地下鉄の駅だった。電車から降りたところなのか、それとも乗ろうとして一本やり過ごしたのか、ホームに停まった電車のドアが閉まり、いま、走りだした。銀色に緑の帯がついた車両だった。

僕はベンチに座っていた。スーツにネクタイ。バッグを膝に載せ、その上にコートをかぶせて……電車が走り去ると、向かい側のホームの駅名表示板が正面に見えた。

〈乃木坂《のぎざか》〉――ああ、そういうことか、とため息が漏れた。うつむいて確かめると、思っていたとおりネクタイの色は黒だった。

「どこな、ここは」

隣に座ったチュウさんが、怪訝そうに周囲を見まわしながら訊いた。

「トンネルか？」

その陰から顔を出したのは、健太くんだった。

「乃木坂って、どのへんだっけ。僕、来るの初めてなんだけど」

啞然《あぜん》とする僕に、「っていうか、車に乗ったひとの世界に付き合うのって、初めて」と付け加えて、「イェーイッ！」とVサインをつくる。

「……なんで来ちゃったんだ？」

「よくわかんないけど、チュウさんに触ってたからじゃない？　ほら、『ドラえもん』とか『キテレツ』とかでよくあるじゃん、関係ないのにたまたまタイムマシンにくっついてたから、原始時代とかに行っちゃうひと。それとおんなじだと思うよ」

「いや、でも……」

「いまごろパパ、あせりまくってんじゃないかなあ」

「いいのか？」

「いいもなにも、来ちゃったんだから、しょーがないじゃん」

嬉しそうに笑った。

19

乃木坂は、仕事で縁のある街ではない。近くの六本木や赤坂、西麻布、青山あたりはバブル景気の頃に接待で何度か出かけたことがあったが、乃木坂の駅を使ったのは一度きり、だった。

バッグを探ると、替えのネクタイが入っていた。予想、というより記憶どおりだ。間違いない。僕は、今年の一月終わりに戻ってきたのだった。

「葬式に出たんだ」

黒ネクタイをはずしながら、チュウさんに言った。

「葬式って、誰のな」

「得意先の親会社の会長さん。家電メーカーなんだ。近くに青山斎場っていう大きな斎場があって、そこで社葬だったんだ、今日。ウチの会社とは直接の関係はないんだけど、大口の得意先だし、まあ、名刺だけでも置いとかないと」

「下請けいうたら、そげなもんよ」

「下請けの子会社の出入り業者だからね、ウチは」

営業部の役職付きは全員参列と決められた葬儀だった。午前中に外回りの仕事を一本すませて青山斎場に向かい、いま、ホームの時計は午後二時をさしている。

「おじさん」健太くんが言った。「これからどうするの？」

「仕事だよ」

だからほら、と替えのネクタイを健太くんに見せた。記憶がしだいによみがえってくる。そうだ、現実の僕は乃木坂駅のホームまで来たものの、黒ネクタイのままで仕事に戻るわけにはいかないので、電車を一本遅らせてベンチに座ったのだ。ここから先は、たしか、乃木坂から千代田線で日比谷に出て、三田線と浅草線を乗り継いで品川の工場に向かったはずだ。

替えのネクタイを首に掛けたまま、バッグから手帳を出して確かめた。やはりそうだ、今日は水曜日。〈13：00青山斎場　三葉電器会長社葬＊黒ネクタイ、スーツなるべく黒い色〉の下の段に、〈15：00品川　ライン主任打ち合わせ〉と走り書きしてある。

ふと思いついて手帳を一ページめくると、翌週の木曜日の欄に〈広樹　受験〉とあった。

ため息を喉の奥で押しつぶし、手帳を閉じた。

「おじさん、どうだった？　たいせつな一日だった？」

「そんなことないけどなあ」

昼間に葬儀が入った以外は、別段変わったことのない、ありふれた一日だったはずだ。家に帰ってからも、とりたてて変わったことがあったという記憶はない。

「じゃあ、この場所は？　なにかたいせつな分かれ道だったんじゃないの？」

よくわからない。無理やり結びつければ、この日の葬儀は僕の会社にとって、経営危機への坂道を転げ落ちるきっかけになった。

グループの総帥だった会長の死で、三葉電器傘下の企業は大幅に再編成され、合理化の一環として子会社の合併や下請け体制の見直しが急ピッチで進められた。得意先だった会社の社長も更迭《こうてつ》され、新経営陣はいくつもの工場や販売拠点の閉鎖を決定したすえに、三月の年度末で僕の会社との契約を打ち切った。

大口の得意先をうしなった会社は、ドミノ倒しの駒のようにあわててリストラを始めた。ここから先の話は、どうしても愚痴の口調になってしまう。目端の利く社員は、三葉電器の会長が亡くなった時点で危機を察し、会社で生き残るために手を打っていた。たぶん、この日の社葬のあとも、精進落としだのなんだのと口実をつけて、何人もの部課長クラスが役員にすり寄っていたのだろう。僕には、そこまで読めなかった。会長の死がここまで影響を与えるとは思ってもみなかった。社内の生き残り競争に出遅れ、このままだとまずいかもしれない、と気づいたときにはすでに解雇リストに名前が載っていたのだった。

「クビになったんか？」

チュウさんは驚いて言った。

「話してなかったっけ、七月にクビになった……なるんだ、半年後に」

「なにを不細工なことをしよるんな、情けないのう」

「もっと情けないこと、教えてあげるよ」

「はあ？」

「僕はいま、親父に小遣いを貰ってるんだ。病院にお見舞いに行くと、親父はいつも車代をくれて、それが生活費の足しになるから……だから、月に二度も三度もお見舞いに行ってた。親父に会うためじゃなくて、金を貰うため、だったんだ」

「……クビになったことは言うたんか」

「言わない。そんなの言えるわけないだろ、あのひとに」

チュウさんは一瞬むっとしたが、すぐに気を取り直して、「アホじゃのう」と笑った。

「見栄張ってどないするんな。ひとに使われとるけえ、捨てられるんじゃろうが。一言わしに相談すりゃあ、すぐにでも社長じゃ、ひとを使う側にまわれるんじゃ、違うか?」

違う——。

「そういう関係じゃないんだよ、もう、僕らは」

チュウさんはまた顔をしかめた。だが、今度もまた気を取り直して、ぎこちなく笑う。

「カズが意地を張っとるだけよ。仲違《なかたが》いしとっても親子は親子じゃ、息子が失業者になっとるんを知って、放っとけるわけがなかろうが。ほれ見い、お父ちゃんの会社を継いどったらこげなことにはならんかったんど、言うての、すぐにカズを社長にしとるわい」

「間違ってないと思う？　自分の言うことは」

「おう。どこが違うとるんな」

「……間違ってない」

「じゃろう？　息子が困っとるときには助ける、それが親父なんじゃけえ」

「だから、お父さんには話さなかったんだ」

ぴしゃりと言った。

チュウさんは憮然とした顔で背広のポケットからエコーを取り出したが、健太くんに「禁煙だよ、ここ」と言われ、もっと不機嫌そうに舌打ちした。

「のう、カズ、ひょっとしたら、カズが会社をクビになったことを、わしは知っとったんじゃないか？」

「一言も言ってないよ、僕は」

「言わんでも、なんとなしにわかることはあろうが。わしは昔からそげなことの勘は良かったし、なんちゅうても親子なんじゃけえ」

「……だから？」

「カズに車代を渡しとったんじゃろ？　それ、最初から生活費の足しにせえ思うて渡しとったんじゃないかのう」

病室の光景がよみがえる。痩せさらばえて、目の落ちくぼんだ父の顔が、ぼんやりと浮かんでくる。もう、ベッドに起き上がれないほど衰弱していたのだ。車代の封筒の入った戸棚を指さすことすらできない。ほとんど息だけの細い声で、仕事をしっかりやれ、と僕に言っていた。働き盛りなんだからがんばれ、と職を失った息子が見舞いに来るたびに、父は言っていたのだった。

「知らなかったと思うよ」

僕は向かい側のホームに視線を投げだして言った。チュウさんは「そうかのう……」と納得しない声で首をひねったが、知っていようがいまいが、父はもうすぐ死ぬ。僕はたぶん、現実の世界に戻ることができたとしても、父の最期の瞬間には立ち会わない。

「もういいよ、その話は。それより、次の電車が来たら乗るから」

「どこに行くの？」と健太くんが訊く。

「さっき言っただろ、仕事なんだ。これから品川まで行かなきゃいけないんだよ」

首に掛けたままだった替えのネクタイを手早く結んだ。

「でも、ここ、分かれ道なんじゃないの？」

訊いてくる健太くんにではなく、チュウさんに答えた。

「夜、常務と酒を飲むよ」

品川で打ち合わせをすませたら、いったん会社に戻る。現実から踏み出すのは、ここからだ。残業なしでまっすぐ帰宅するのではなく、新橋に向かう。たしか常務と営業部長が行きつけのスタンド割烹《かっぽう》で精進落としをしていたはずだ。常務は人事担当役員で、四月からリストラの責任者になる。別の課の課長や係長の連中も何人か仕事を終えたあと合流して、いまにして思えば、精進落としの席は、我が社の今後を見据えた常務派の旗揚げの宴会になったのだった。

「今夜顔を出しておけば、だいぶ違うと思うんだ、これからのことも」

「チュウさんと僕もついていっていいの？」

「なに言ってんだ、だめに決まってるだろ」

ホームの電光表示板が、電車が一つ手前の駅を出たことを伝えた。

「だったら、なんのために僕らが来たのかわかんないじゃん」

「そんなの知らないよ。勝手に来たんだろ？」

「でもさ、僕はそうでも、チュウさんは違うでしょ。チュウさんにとっても、おじさんと仲直りするたいせつな場所だったから、ここに来たんじゃないの？　お酒なんて飲んでたら、チュウさんの出番ないじゃん」

「……なくていいんだよ、そんなの」

僕はバッグを提げ、コートを小脇に抱いて立ち上がった。

「のう、カズ」――薄笑いを浮かべて、チュウさんが言った。

「常務かなんか知らんが、大のおとなが子分にしてもらいに行くんか。情けないもんじやのう」

ベンチに座ったまま、上目遣いに僕を見る。顔は笑っていたが、まなざしは鋭かった。

「どげな奴なんじゃ、常務いうんは。カズが頭下げるだけの価値のある男か？」

「いやな奴だよ」すぐに返した。「陰険で、金に細かくて、疑り深くて、自分の得になることしか考えてない奴で、あいつがまだ部長の頃から大嫌いだった」

健太くんが「うわっ、サイテーじゃん」と口を挟む。

「でも、いやな奴だから……敵にまわさないほうがいいんだ」

電車がもうすぐ到着する、というアナウンスが聞こえた。

チュウさんは視線をさらに険しくして、吐き捨てるように言った。

「嫌いな上役に尻尾を振って、へこへこ媚《こ》びて、そげんしてまでクビになりとうないんか」

「しょうがないだろ。クビになるとわかってて、なにもしないわけにはいかないんだし」

「アホ、そげなことなら最初からせんほうがましじゃ。おまえ男じゃろうが、男らしゅうせんか。それもできん者が、偉そうに説教たれるなや」

「だったら、死にかけた親父に小遣いもらうのが男らしいの？　そっちのほうが情けないじゃないか」

「親子は別じゃ。親に頼らん子どもがどこにおるんな」

「屁理屈言わないでよ」

「どっちが屁理屈なんじゃ。こんなん、親のスネかじって東京の大学まで行って、カバチのたれ方しか勉強せんかったんか、アホ」

東京──を持ち出されて、カッとなった。

「だったら、あんたも屁理屈言わずに死んでいけよ！」

思わず怒鳴っていた。

健太くんが、やめてよやめてよ、というふうに手を振った。

「死ぬんだよ、ガンなんだよ！　それ、嘘じゃないんだよ！」

チュウさんは唇をわななかせながら視線を下に落とし、すぐにまた僕をにらみつけた。さっきよりさらに険しい目になっていた。

僕はもうなにも言わない。興奮はあっけなく醒めていた。いまは、自分の吐いた「死んでいけよ」の言葉の苦みだけが、ある。

チュウさんも感情を抑えた声で「自分の好かん男に頭やら下げるな」と言った。「おまえにも意地いうもんがあろうが」

「……クビになるよりましだよ」

「のう、わしはそげんふうにカズを育てたんか？　そげな情けないことを考えるような男になれえ、言うたか？」

轟音《ごうおん》とともに電車が入ってきた。

しょうがないだろ、と口を小さく動かしてチュウさんから目をそらした。

「わりゃ、それでも男か！」

怒鳴り声が聞こえるのと同時に、目の前が暗くなり、光がはじけた。

頬を殴られた——と気づいたのは、ホームに倒れ込んだあとだった。

電車をもう一本見送ることになった。

「だいじょうぶ？　骨とか折れてない？」

健太くんはベンチに座る僕の正面にしゃがみ込んで、心配顔で覗き込む。だいじょうぶだよ、と笑おうとしたら、上の歯ぐきの左半分が痺《しび》れるように痛んだ。左目に涙が溜まっていた。鼻も左側だけ詰まる。

「でもさあ、すごかったね、ベンチに座ってたのに、一瞬だよ、一瞬でパーッと立って
グーパンだもん、ビビったあっ」

グーパンだったのか、と左頬を手で押さえ、痛かったわけだよな、と軽くさする。広樹もたまにつかう言葉だ。グーのパンチ、握り拳で殴られた。

隣に座るチュウさんをちらりと見た。チュウさんはすねたようにそっぽを向いて、さっきから一言もしゃべらない。

「ふつうはビンタだよねえ、こーゆーときは」

健太くんの言葉に、そうだな、と痛みをこらえて笑い返した。

父に頬をぶたれたことは何度もある。すべて平手打ちだった。最後にぶたれたのは、大学四年生の夏、父の会社を継がずに東京で就職すると告げたときだったが、それも握り拳ではなかった。痛みだけをとれば、平手打ちのほうがずっといい。だが、父の分厚い掌で頬を張られると、むしょうに悔しかった。力を加減しているのがわかるから、いっそう。

「チュウさん」

「……なんな」

「親父にグーで殴られたのって初めてだよ。最初で、最後なんだな、これが」

「同い歳の男をしばくときにビンタ張れるわけがなかろうが」

「そういうものなの？」

「五分と五分の男どうしの礼儀じゃ」

そっけないチュウさんの言葉が――そっけないからこそ、耳にくすぐったさを残した。

左頰を少し強く指で押すと、歯ぐきがうずいた。唾を呑み込んだら、鉄錆《てつさび》のにおいが鼻に抜ける。次の電車はあと二、三分で来るはずだが、仕事に戻る気は失せてしまった。夕方に新橋に向かうのも、もう、どうでもいいや、と思う。

僕の胸の内を見透かしたように、健太くんも言った。

「あのさあ、おじさん、僕思うんだけど、分かれ道って、そーゆーことじゃないんじゃないの？」

「そうかな」

「うん、だって、後悔として弱いじゃん、子分になるとかならないとかって。セコいっつーか、ちっちゃいっつーか、やっぱ弱いよ」

「……かもな」

「それに、マジにそれが分かれ道なんだったら、駅は関係ないと思わない？　夕方の会社のほうが意味あるじゃん。駅に来ちゃったってことは、やっぱ、いまから、なんだよ」

確かに、そうかもしれない。

「でも……ここから先だよね、問題は」

「ああ」

「ね、仕事キャンセルして、家に帰っちゃったら？」

僕も、それを考えていた。品川の工場に打ち合わせを延期する電話をかけ、会社には、気分が悪いので早退すると連絡を入れればいい。

「外に出ようか」と僕は言った。

「出ちゃうの？」

「地下鉄の駅は携帯電話が使えないし、家に帰るんだったらタクシーで四ツ谷か信濃町まで行ったほうが早いんだ」

「おじさん携帯電話持ってんの？　ポケベルじゃなくて？　カッコいーい」

いまは小学生でも携帯電話を持ち歩くのがざらにいるんだぜ、と教えてやったら、健太くんはどんな顔になるだろう。

「チュウさんチュウさん、外に出るって」

チュウさんはそっぽを向いたまま、つくりものめいたあくびをした。

「息が詰まりそうじゃったけん、助かったわ。駅いうてもトンネルの中と同じじゃけんの」

「地下鉄、初めてだよね」

「おう……わしゃあ田舎者じゃけえ、海が見えんといけんのよ」

ベンチから立ち上がって、僕の頬に顎《あご》をしゃくった。「痣《あざ》になるようなことはないわい」――怒っているような笑っているような、満足しているような悔やんでいるような、複雑な顔で言う。

健太くんは僕とチュウさんを交互に見て、「仲直りしたっぽくない？」とからかった。

僕は苦笑交じりに首をかしげ、チュウさんも「ほんま、生意気なこと言う子どもじゃのう」とあきれ顔になって、ぽつりと僕に訊いた。

「わしの入院しとる病院は、海が見えるんか」

「岬の突端だから、よく見えるよ。病室の窓からも見えるんだ」

「そうか……じゃったら、ええ」

チュウさんは小刻みにうなずきながら、「それじゃったら、ええ」と、もう一度つぶやいた。

改札の脇の窓口で、チュウさんと健太くんの切符を精算した。駅員は、「二人とも落としちゃったんです」という言い訳よりも、半袖のTシャツにハーフパンツという健太くんのいでたちのほうを訝《いぶか》しんでいるようだった。そそくさと改札を抜けると、健太くんは一人で駆けだした。はずんだ足取りだった。Tシャツ一枚の背中も、寒さに縮むどころか、元気を持て余しているように見える。

地上につづく階段の手前で、健太くんは立ち止まった。僕とチュウさんを振り向き、足踏みしながら、言った。

「ほんものの世界に出るのって、ひさしぶりっ！」

ああそうか、と気づく。なるほど、そうなんだよなあ——せつなさに胸が熱くなると、ささやかな記憶がよみがえってきた。どうということのない、しかし健太くんはきっと大喜びするはずの記憶だ。

「外に出てみなよ」掌をメガホンにして声をかけた。「雪が降ってるぞ」

「マジ？」

「ああ。さっき降りだしたばかりだから」

斎場から乃木坂の駅に向かう途中、空から小雪が舞っているのに気づいたのだった。積もるような降り方ではないし、コートの肩に触れるとすぐに溶けてしまう、都会の雪だ。それでも、子どもは誰だって——僕もそうだった、雪が大好きなのだ。

健太くんは階段を駆け上がっていった。僕はチュウさんと並んでゆっくりとあとを追いながら、橋本さんと健太くんのことをかいつまんで話した。そして、僕が橋本さん親子のオデッセイに乗ったいきさつも。

「だから、お父さんだけじゃないんだ、僕もたぶん、車を降りるときは死ぬときなんだと思う。後悔してることをひとつずつたどり直して、それがぜんぶ終わったときに、死ぬんじゃないかな」

話を締めくくると、それまで黙って聞いていたチュウさんが初めて口を開いた。

「ええんか、おまえはそれで」

「……死んじゃってもいいなあ、って思ってたんだ。もうどうでもいいや、って。そうしたら、橋本さんのオデッセイが目の前に停まったんだよ」

「死にたかったんか」

「そこまで強く思ってたわけじゃないけど、もう生きててもしょうがないかもなあ、ってね。疲れてたんだ、とにかく。どうしようもないほど疲れて、家に帰りたくなくて、どこにも行きたくなくて、楽になれるんだったら、死ぬのもありだよな、って……」

チュウさんはなにも答えない。階段を上る足が少し速くなっただけだった。長い階段のてっぺんが近づくと、出口から空が見えてきた。風に乗って階段に吹き込んでくる雪も。

地上に出た。健太くんは外苑東通りのガードレールに腰かけて空を仰ぎ、僕たちが姿を見せたのにも気づかずに、舞い落ちる雪を眺めていた。声をかけようとしたら、チュウさんに腕を引かれた。健太くんは、まだ僕たちに気づかない。にこにこ笑って、気持ちよさそうに、嬉しそうに、いつまでも雪を眺めていた。

20

雪は電車が新宿の街なかを抜けた頃にやみ、多摩川を渡ってすぐの駅でいったん電車を降りた頃には、薄陽も射してきた。

駅前の『ユニクロ』で健太くんにライトグレーのフリースジャケットを買ってやった。煙草が切れたと言うチュウさんには、外国煙草や葉巻も置いてあるデパートの煙草売り場まで出かけて、エコーを二箱。

パパにローマ字を教えてもらったんだと自慢する健太くんは、『ユニクロ』の看板を「ウニキュロ」と読んでしまい、チュウさんは、どこの自動販売機にもエコーがなかったことにむっとしていた。浦島太郎を二人、連れて歩いているようなものだ。

再び電車に乗って、三時半頃、僕の街に着いた。ホームに降り立つと、肌寒さに身がすくむ。コートをチュウさんに貸そうとしても、「これでええんじゃ、放っとけ」と言い張る。こういうところが父親の意地——なのだろうか。

「どうだ、フリースって暖かいだろ」

ホームを歩きながら声をかけると、健太くんは少しはにかんだように「ほんと、いろんなものができてるんだね」と言った。「あーあ、死んじゃうのって、マジ、大損だよ」

本音なのか冗談なのかわからず、笑い返すタイミングを逃してしまった。

「おじさん、あとでもう一回『ユニクロ』に連れてってくれない？」

「ああ……いいけど」

「で、悪いんだけどさあ、僕が着てるのとおそろいで、おとな用のフリース買ってほしいんだけど」

橋本さんへのおみやげにするのだという。「ほら、パパの上着って、ろくなのがないから」と笑う。事故のときの血の染みがついたウインドブレーカーを思いだした。橋本さんはフリースジャケットをきっと喜んでくれるだろう。健太くんのおみやげなら、よけいに。それでも、橋本さんは血で汚れたウインドブレーカーを捨てたりはしないだろう。なんとなく、そんな気がする。

改札を抜けた。平日の、まだ早い夕方。駅前ロータリーは閑散としている。

「あそこでおじさんと会ったんだよ」

健太くんはバス停を指さして、チュウさんに教えた。チュウさんは小さくうなずき、口を開きかけたが、言葉を呑み込んだ。買い物を終えたあたりから急に口数が減った。怒ったりすねたりしているのではなく、なにかをじっと考え込んでいる。僕も無理には話しかけないし、「どうしたの？」とも訊かない。左頬を動かすとまだ痛いし、乃木坂駅の階段を上るときによけいなことをしゃべりすぎた、その後悔がいまになって胸をざらつかせる。

「どうする？　これから」

　健太くんに訊かれ、足を止めて「そうだなあ……」と考えていたら、チュウさんがエコーに火を点《つ》けながら言った。

「広樹は、今日は塾か」

「そう」

　受験を翌週に控えたこの時期は、直前講習に毎日通っていたはずだ。

「塾は、近いんか」

「駅の裏だよ」

「何時から始まるんな」

「四時半だったかな、五時だったかな……」

「学校は何時に終わるんな」

「三時前だと思う」

　矢継ぎ早に訊かれ、どうしたんだろうと振り向くと、くわえ煙草のチュウさんは煙たそうに細めていた目をさらに細くして、「このへんに山はあるか」と言った。「山でも公園でもええんじゃけど、町を見晴らすことのできるような、あんまりひとの来んような、そげな場所はあるか」

「なんなの？ それ」

「ええけん、早う教えんか」

煙草の煙をいらだたしげに吐き出した。フィルターを強く嚙みしめているのがわかる。

山――というほどのものはなくても、町ぜんたいが起伏の多い地形だ。駅から歩いて十分ほどのところに、丘のてっぺんを造成した公園がある。おおまかに言えば駅をすり鉢の底にしたような町が、あそこなら見渡せるだろう。

「公園いうても、大きさはどれくらいな。こまい公園じゃったらいけんのじゃ」

「……わりと広いよ。奥のほうは雑木林になってるし」

「子どもがぎょうさん遊んどるんじゃないんか？」

「そうでもないと思う。向こう側は崖《がけ》になってるし、駅から行くと上り坂になるから、子どもが自転車で行くのはけっこうキツいんだ」

「ほうか……」

チュウさんは足早に歩きだした。

「ちょっと待ってよ、どうしたの？」

「ようわからんけど……おるような、気がするんじゃ」

「誰が？」

「広樹が一人でおるのが見えるんじゃ、広樹がおるんじゃ、いま、そこに」

チュウさんの足はどんどん速まっていく。あとを追う健太くんは小走りになった。

なぜ、広樹がそこにいるのか。ひとりぼっちで、なにをしているのか。

「なんもわからん」

チュウさんは坂道を上りながら言う。息を切らせて、ひたすら先を急ぐ。

僕を振り向いたのは一度だけ。

「おまえには、なんも見えんのか」——咎《とが》めるように言った、その一度だけだった。

公園は、道路より一段高くつくられている。コンクリートで固められたおとなの背丈ほどの雛壇《ひなだん》の上だ。通行人の視線が届かないので、毎年夏になると、不良が溜まり場にしているだの変質者が出るだのという注意の回覧板がまわってくる。前の通りに路上駐車した車は何台かあったが、子どもたちの姿は見かけない。遊ぶ声も聞こえない。

「どこから上がるんな」

チュウさんは坂道を上りきってようやく歩調をゆるめ、息を整えながら言った。

「その先に階段があるから」と僕は答え、健太くんが「チュウさん、どう？　はっきり見えてきた？」と訊いた。

「……ようわからん」

健太くんは「あ、そーなんだ。ダウジングとか、そーゆーものでもないんだね」と苦笑いを浮かべたが、僕の頬はゆるまない。

乃木坂の駅が分かれ道だとすれば、僕はそこからまっすぐ帰ることで、やり直しの現実を始めた。そのおかげで、会社にいたら絶対にわからなかった夕方の広樹の姿を見ることができる——のかもしれない。

広樹はここでなにをしていたんだ？　そして、それが、その後の広樹に、我が家に、どんな影響を与えるんだ？

受験前の一週間、変わった様子はなにもなかった。何度思いだしてみても見つからない。

広樹は塾に毎日まじめに通っていた。秋から下がりつづけていた模試の成績も、三学期が始まってすぐにおこなわれた最後の試験では、ほんの少しだったが上向きになった。

スランプを脱したのかもしれない、と僕は無邪気に喜んだのだ。夏の頃より二ランク下がった志望校は入学金や学債がかなり高かったが、広樹がそこに行きたいと願ってがんばってきたのだから、合格すればすぐに定期預金を解約する手筈《てはず》もととのえていた。

美代子が半日がかりで湯島天神まで出かけて学業成就のお守りをもらってきたのは、たしか明日かあさってだった。朝から夕方まで家を留守にした、その日、美代子はほんとうに一人だったのか——僕はもう、彼女のことをなにも信じられない。

チュウさんが立ち止まった。

「カズ……あの自転車、どないな」

階段のそばに、子ども用のマウンテンバイクが一台停めてあった。

健太くんが駆け寄って、前輪の泥除けのネームシールを確かめた。すぐに振り向いて、こわばった顔で、大きく何度もうなずいた。

僕の知らなかった広樹が、ここにいる。

ひとりぼっちで、僕の知らないなにかを、している。

健太くんの予想どおり、公園に人影はなかった。昼間の雪の名残で地面も遊具も濡れて、雲の切れ間から射す夕陽の明るさに、かえって風景の寒々しさが増していた。

チュウさんは無人の公園をひとわたり見まわして、雑木林に向かって歩きだした。

「遊歩道があるんだ」僕は言った。「丘の斜面を降りるような感じで、途中に小さな東《あずま》屋《や》もあって」

「他にはなんがある？」

「林のずっと奥のほうに、テレビか電話の無線基地みたいなのがあるけど」

「あとは？」

「あとは、もう……」

「東屋のほうに行ってみるか」

チュウさんを先頭に、健太くん、僕とつづいて雑木林に足を踏み入れた。溶けた雪で地面に降り積もった落ち葉が濡れて、革靴ではひどく歩きにくい。枯れ草や枯れ枝のにおいに湿り気が交じる。子どもの頃によく嗅いだ、なつかしいにおいだ。

細い丸太で段をつけた遊歩道にさしかかった。健太くんが丸太を踏みそこね、足を滑らせた。尻餅《しりもち》をつきそうになるのを、あわてて手をとって支えた。健太くんの体の重みと堅さが伝わった。生身の少年と同じ、確かな手ごたえだった。

この世界にさまよいこんだ健太くんに、なにができて、なにができないのかは知らない。だが、もしかしたら、健太くんはこのままオデッセイの世界に――橋本さんの待つ世界に戻らないほうが幸せなのかもしれない。

「おじさん、もう手を離していいよ、だいじょうぶだから」

「……ああ」

「けっこう滑るんだね、足元」

「濡れてるからな、気をつけろよ」

小声で話していたのに、チュウさんは険しい顔で僕たちを振り向いて、口の前に人差し指を立てた。

遊歩道の先のほうから、音が聞こえた。金物を叩くような、いや、もっと軽く頼りなげな、くぐもった音だった。チュウさんはまた、僕たちを振り向いた。今度は、僕も健太くんも、黙ってうなずいた。

息を詰めて遊歩道をさらに進むと、また同じ音が聞こえた。叩くというより、撃っている音だ。なにか小さなもの、たとえば小石を勢いよくぶつけるような。

東屋が見えてきた。建物の向こう側を、人影がよぎった。フリースジャケットの上にダウンベストを羽織った少年――。

健太くんが僕を見て、あの子？　というふうに目を見開いた。

チュウさんは姿勢を低くして東屋に近づいていく。

また、音がする。たてつづけに何度も。少し間をおいて、なにかがひしゃげるような鈍い音。これは聞き覚えがあった。家で聞いた。しょっちゅう聞いている。ごく身近な音だ。

東屋のすぐそばまで来て、思いだした。ペットボトルだ。資源ゴミの回収日の前夜、ベランダでペットボトルを踏みつぶして嵩《かさ》を減らすときの音だった。

僕たちは東屋の壁に張りついて、しゃがみこんだ。少年――広樹がいるのは、この真裏だ。

健太くんが、僕とチュウさんの肩をついた。声を出さずに、口が大きく、ゆっくりと動く。

ぼ・く・が・み・て・く・る。

伝わったのを確かめて、また口を動かした。

こ・こ・に・い・て・よ。

チュウさんは黙ってかぶりを振る。僕も健太くんの手首をつかんで、やめとけ、と制したが、健太くんは不満げな顔でつづけた。

だ・い・じょ・う・ぶ。

僕の手を振りほどき、止める間もなく腰を上げて、遊歩道に出た。

あまりうまくない口笛を吹きながら、東屋を過ぎて、「こんにちはーっ」と広樹に声をかける。

「お兄ちゃん、なにしてんの?」

広樹の返事はなかった。

「パチンコで撃ってんの?」

健太くんの声に、僕とチュウさんは顔を見合わせる。Yの字形のグリップを握り、弾力の強いゴムで小石を撃つ、あれ、だ。さっき聞こえていたのは、パチンコでペットボトルを撃つ音だったのだろう。

「カッコいーい、なんか、武器ーって感じ」

実況中継のつもりなのか、健太くんは一人でしゃべりつづける。

「ねえ、すごいね、ペットボトル、ずらーっと並んでるじゃん。何本ぐらいあるの？　二十本？　もっと？　パチンコで撃ってるんだよね？　弾は石なの？　すげーっ、当たるとちょー痛そう。けっこう当たるの？」

返事の代わりに聞こえたのは——パチンコで、ペットボトルを撃つ音だった。

「うわっ！」

健太くんは短い悲鳴をあげた。「あっぶねーっ、いま当たる寸前だったよお」と、お芝居ではない、うわずって震えた声になった。

思わず腰を浮かせかけた僕を、チュウさんは手と目で制した。

「おまえ、誰だよ」

広樹が言った。不機嫌そうに、脅しをかけるような声だった。

「僕ね、橋本っていうの。橋本健太」

「何年生だよ」

「二年生」

「……おまえみたいなの、いたっけ？　ウチの学校か？」

「ま、いーのいーの」
「おまえ、なんなんだよ、なめてんのか？　俺、六年だぞ」
広樹は、優しい子、なのだ。下級生にいばることはあっても、いじめたりはしない、
そんな素直で明るい子どもになってほしいと願い、その願いどおりに育ってくれた、は
ず、なのだ。
「でもマジすごいね、ペットボトル。穴がぼこぼこに空いてるじゃん。ね、ちょっと見
てい い？」
「触《さわ》んなよ、ばーか」
「いーじゃん、ね、ちょっとだけ」
パチン、という音とともに、雑木林の梢《こずえ》が揺れるのが見えた。広樹がパチンコで撃っ
たのだろう。小石はかなり遠くまで届いている。ペットボトルに穴を穿《うが》つほどだから、
威力もある。ただのオモチャではなく、雑誌の通信販売で護身用と銘打って売ってい
る、ゴツいパチンコかもしれない。それを、広樹はいつ買ったんだ？　なんのために？
「ねえ」健太くんが言った。「ペットボトル、ぜーんぶ名前が書いてあるんだね。誰な
の？　この名前」
「触るなって言ってんだろ」
「ちょっとだけ、ね、ちょっとだけだから……ナイトウ・ツバサって読むんだよね、あ

と、オカモト・シュンスケ……違う？　ま、いいや、で、こっちがフジタ・ヒデアキで、あ、これ、女の名前だ、ハラ・カズミだって」

最後の名前で、血の気がひいた。ハラ・カズミ——原和美、だろう。広樹のクラス担任の先生だ。

ナイトウ・ツバサ——内藤翼の名前も聞いたことがある。広樹と三年生の頃からずっと同級生で、受験勉強を始めるまで入っていた少年野球のチームでもいっしょで、日曜日にウチに遊びに来たこともあった。

広樹はひらべったく笑って、「なんだと思う？」と言った。「教えてやろうか」

「うん、教えて」

「バカの名前だよ、みんな。こいつら生きてる価値ないから、俺が処刑してやってんの」

「ショケイ、って？」

「殺してやってんだよ、いいからどけよ、邪魔だよ、てめえ」

「あとちょっとだけ、ね、ごめん、すぐあっち行くから……あそこの二本だけ、ね、ごめんなさい……」

健太くんの声が、しばらく途切れた。ただ黙っているというのではなく、息を呑み、声をあげるかどうかためらっている気配が、東屋の建物をすり抜けて伝わってくる。僕はまた立ち上がろうとして、今度もまたチュウさんに止められた。

おまえは出ていくな、ええの、絶対に顔を見せたらいけんど。息だけの声でチュウさんは言う。もし、どげんもならんかったら、わしが出ていくけん。

「これ、漢字が難しくて、なんて読むのかわかんないけど、読んでいい？」

ようやく聞こえた健太くんの声は、さっきよりさらにうわずっていた。

「えーとねえ……一つがねえ、ナガタ・カズオでしょ……で、もう一つが、ナガタ・ミヨコ……」

頭がくらっとした。声が出そうになるのを胸でこらえたら、腰や膝から、体の重みが抜けた。チュウさんの肩にすがりついて、倒れそうになる体を支えた。チュウさんはじっと動かずに、僕の手を受け止めてくれた。しっかりせえ、と僕を叱る顔がゆがむ。

「親だよ」と広樹は言った。ヘヘッと笑って、「毎日、処刑してやってんだ」と付け加える。

「……なんで？　お父さんとお母さんでしょ？　なんでそんなことするの？」

健太くんは泣きだしそうな声で言う。

「関係ねーだろ、うっせえんだよおまえ」

「だって……」

「うっせえっつってんだろ！」

もういいんだ、なにも言うな——健太くんを呼び戻したかった。帰りたい。広樹の顔など見なくていい。見たくない。もう、いい。広樹は——僕たちは、もう終わってしまった。壊れて、砕けて、それに気づかなかった僕がいちばん悪い。

「おい、おまえ、名前なんつったっけ」

「……健太、橋本健太」

「じゃあよ、ちょっと健太、そこに立てよ」

「え？」

「処刑してやるよ、おまえも」

「やだ……やめて……」

「逃げたら殺すぞ」

チュウさんが、はじかれたように僕を振り向き、両肩を強くつかんだ。

ええか、おまえは絶対に出るな——。

うめき声で言って、立ち上がる。

「痛い！」

健太くんが叫んだ。

チュウさんは建物の裏に向かって駆けだしていった。

21

東屋の陰から飛びだした勢いのまま広樹を怒鳴りつけるだろう、と思っていた。距離によっては広樹のところまで一気に駆けていって、胸倉をつかむか、問答無用で頬を平手で張るか——僕の知る父なら、それくらいするはずだった。

だが、聞こえてきたチュウさんの声は、静かで、間延びして、笑いさえ交じってい た。

「えらい寂しい遊びをしよるんじゃのう。のう、ボクよ、こげな遊びは寂しかろうに、そげん面白えか?」

広樹の返事は聞こえない。驚いて声も出ないのか、おとなに見つかって怯《おび》えているのか、それともチュウさんをにらみつけて、小石をセットしたパチンコのゴムをきりきりと引いているのだろうか。この場から動けないのが、もどかしい。チュウさんや健太くんになにかあったらすぐに飛びだそうと身がまえても、僕がほんとうに守らなければならない相手は、あの二人ではないはずなのだ。

「のう、おっちゃんのこと、覚えとるか?」

広樹は不機嫌な声で「はあ?」と返しただけだった。

「忘れたんか？　チュウさんじゃ、チュウさん。お父ちゃんと三人で会うたろうが。いっしょに飯も食うたし、ゲームもしたろうが」

「……知らない」

声がひるんだ。ごまかしているふうには聞こえない。やり直しの現実のできごとは、なにも記憶に残っていない――。

チュウさんも「覚えとらんのか」と困惑して、それでもすぐに「まあええわい」と気を取り直して、たぶん、足を一歩踏み出した。

「こっち来るな！」

甲高い声が、キン、と響く。

「……なにをいらいらしとるんな、のう、ヒロちゃんよ」

「お父さんって、なんなの？　会社のひと？」

「田舎の連れよ、古ーい朋輩じゃ。朋輩いうての、親友よりも深い付き合いの、言うてみたら、五分と五分の兄弟分じゃ」

「こっち来ないでよ！」

「撃つなら、撃ってええ。おっちゃん、ちいとも怖うないけえ」

「チュウさん、危ないよ」――健太くんが言う。

「撃って気がすむんなら、ほれ、撃ってみい。こげな、こまいボクを撃つぐらいなら、おっちゃんを撃たんか、のう」

僕は顔をゆがめた。漏れそうになったうめき声を、歯をくいしばってこらえた。

違うだろう、と自分に言う。なにやってるんだ、と叱る。

チュウさんが口にする言葉は、僕の言うべき言葉だった。東屋の陰から飛びだす役回りは、ほんとうはチュウさんではない。僕以外の誰であってもいけない。健太くんを守るというより、広樹にこれ以上ひどいことをさせないために、僕が——父親の僕が、広樹の前に姿を見せなければいけなかったのに。

「のう、ヒロちゃんよ、おっちゃん……」

言葉は途中で止まった。

「チュウさん！」——健太くんが叫ぶ。

なにが起きたのか考える間もなく、僕は東屋の裏に回った。

広樹は雑木林の前に立っていた。前に突き出した左手にパチンコを握りしめて、肘《ひじ》を折り曲げた右手は顔の横にあった。

僕に気づくと、なんで？　という顔になって、泣きだしそうに唇をわなかせた。

「……撃ったのか、ヒロ」

かぶりを振りながらあとずさる広樹に大股で近づいて、追いついて、左手の手首をつかんでパチンコを振り落とした。

「カズ、ええんじゃ、当たっとらんけえ」

チュウさんが言った。

「ほんとだよ」健太くんも横から言った。「マジ、マジ、なんか偶然っていうか、手が滑った感じで……だよね？　お兄ちゃん」

広樹は黙ってうなだれたままだった。怯えて、混乱して、身震いが僕の手にも伝わる。手首をつかむ力を少しゆるめたが、逃げだしたり暴れだしたりという気配はなかった。

「ほんまに当たっとらんけん、カズ、もうええが」とチュウさんが言い、健太くんも「僕もだいじょうぶ、フリースって分厚いし」と自分の右手を指差して笑う。広樹はさらに深くうなだれた。後悔しているんだと、信じた。

「健太くんに謝れ。チュウさんにも謝るんだ」

広樹は息だけの声で、はい、と応え、二人に頭を下げた。手首を放すと、一歩あとずさり、上目づかいに僕を見て、震える声で「でも、なんで？」と訊いた。「なんでお父さんがここにいるの？」

言葉に詰まる僕に代わって、チュウさんが答えた。

「たまたまよ。のう、東京に遊びに来て、カズはどげなところに住んどるんじゃいうて散歩しとったら、なんやしらん、変な音が聞こえてきたけえ」

「……会社じゃないの？　お父さん」

「アホ」これも、チュウさんが返す。「朋輩がはるばる訪ねてきたんじゃ、仕事やら明日でもできる」

そうなんだよ、と笑顔をつくって、「覚えてないのか？　チュウさんのこと」と訊いた。広樹は、やはり、あいまいにうなずく。どんなに現実を変えようともがいても、やり直しの現実は広樹の記憶になにも残ってくれないのだろうか。

むなしくなってため息をつくと、広樹は顔を健太くんのほうに向けた。

「あの子は？　お父さん、知ってるの？」

今度も、チュウさんが答えた。

「健太はのう、おっちゃんの息子なんじゃ」

一瞬驚いた顔になった健太くんだったが、広樹が怪訝そうに目をやったときには、すばやく笑顔に戻って「そうなの、僕、チュウさんの息子さん」と言った。広樹はどこまで納得したのか、訝しげな表情は変わらない。

僕は足元に落ちたパチンコを拾い上げた。昔のオモチャのような、ただのYの字形ではない。グリップのラバーには指の形に合わせた滑り止めのでこぼこがあり、ゴムのついたハンドルも、自転車のそれのように微妙なカーブで折り曲げられていた。人間工学に基づいた、というやつなのだろう。

太く平べったいゴムを軽く引いて、放した。反動がグリップを握る左手に伝わる。子どもの握力では、何発も撃っていると左手が痺《しび》れてしまうはずだ。

バカだな、と口が勝手に小さく動く。ほんとうに、バカだな。

雑木林の中に投げ捨てようとして振りかぶった右手を、ため息といっしょに、ゆっくりと下ろした。

「毎日、ここに来てるのか」

広樹は黙ってうなずいた。

「いつから」

「……三学期になってから」

「どこで買ったんだ、こんなの」

広樹は店の名前を言った。初めて聞く名前だった。ミリタリーショップだという。漫画雑誌の通信販売の広告で知って、〈店頭販売もあります〉の文句を頼りに、電車を乗り継いで買いに行ったらしい。

なんで、とは訊かなかった。広樹を追い詰める気はない。腹立たしさも、いまはもう、だいぶ薄れた。ただ、むしょうに悲しい。悲しくてしかたない。

「高かっただろ、よくお金あったな」

「……お年玉……おじいちゃんとおばあちゃんの」

チュウさんを振り向いた。心配そうに僕たちを見つめていた。少し離れた場所にいるチュウさんには、いまのやり取りは聞こえていないはずだ。

今年の正月は、広樹の受験前なので帰省しなかった。両親から広樹へのお年玉は、年末に書留郵便で届いた。十万円入っていた。実家に電話をすると、父が出て、「なにかと物いりじゃろう思うて、ちぃとぎょうさん包んどいたけん」と得意そうに言った。「足りんようじゃったら、また送っちゃるぞ」

そういうひとなのだ、父は。なにもわかっていない。小学六年生の子どもに渡す金額の常識も、お年玉のぽち袋を開けるときのわくわくした思いも。「お母ちゃんはそげん入れんでもええ言うとったけどの、まあ、おじいちゃんの気持ちじゃけん、とっといてくれ」と自慢げに言われ、「気持ちだったら、お金よりも『受験がんばれ』って手紙が入ってたほうが喜んだかもね」と返したせいいっぱいの皮肉も、あきれて笑う父の一言であっさり片づけられた。

「手紙やら腹の足しにもなりゃあせん」――父は、そういうひとだったのだ。

けっきょく、お年玉は一万円だけ広樹に渡し、残りは広樹名義の預金に入れておくことにした。その一万円が、パチンコになった。

広樹はうつむいて、肩をすぼめ、しばらく待っても顔を上げそうな様子はなかった。

チュウさんなら――あの頃の父なら、すごんだ声で「顔を上げんか」と言うだろう。

叱られた僕がうつむいてしまうと、うつむいたことを叱りとばす。相手の目を正面から見られないような奴は弱虫だというのが決まり文句で、弱い子どもは強くしなければいけない、と信じていたひとだった。

僕はパチンコのグリップを握り直す。ため息をついて、まなざしを広樹の少し横にはずしてやった。

「ひとを撃ったことはあるのか」

ぴくん、と肩を跳ね上げた広樹は、無言でかぶりを振った。

「ひとに向けたことも、今日が初めてか」

今度は黙ってうなずいた。

「ずっと、ペットボトルばかり撃ってたんだな」

「……うん」

「気持ちいいのか、ペットボトル撃つと」

広樹は「そういうんじゃないけど」と返し、言葉を探しながら「すっとするっていうか、楽になるっていうか……」と言った。だが、それも自分の気持ちとは微妙にずれているのだろう、苦しそうに何度も首をかしげて「っていうか……っていうか……」を繰り返す。

僕は東屋の壁の前に並ぶペットボトルに目をやった。

「あそこに書いてるのって、嫌いな奴の名前なんだろ？」

返事を待たずに「お父さんの名前とか」──軽く、笑って。

「……嫌いってわけじゃないけど」

「正直に言っていいんだぞ」

「……だから、嫌いっていうか……そういうんじゃなくて……っていうか……」

うつむいていても、苦しそうな顔をしているのは見てとれる。

胸の中の思いがいつも言葉からはみ出してしまう、そんな時期は僕にもあった。いまの広樹よりもう少し大きくなった、中学生や高校生の頃だ。知っている言葉をどんなに組み合わせても、気持ちとぴったりにはならない。本を読み、辞書をひいても、ああこれなんだ、という言葉には出会えない。ひとに説明するのはもちろん、自分で自分の気持ちを確かめようとしても、言葉では覆いきれないところが必ず残って、そこがいちばんたいせつなものなんだとわかっているのに、どうしても言葉が届かない。

「もういいよ」

僕は静かに言った。「わかるから、なんとなく」と、もっと静かに。

広樹の反応はなかった。「嘘じゃないぞ」と念を押した。険しい顔をしていなければならないのに、頬や顎や肩から力が抜けた。寂しい笑顔になったのだと思う。

「お父さんも、昔、ボンナイフを買ったことがあるんだ。ボンナイフって知ってるか？

オモチャみたいなカッターナイフで、カミソリの薄い刃なんだけど」

鉛筆の芯を削ってとがらせるのがせいぜいの、ちゃちな刃物だった。たいして役に立たないのに小学校の高学年になるとクラスのほとんどが筆箱に入れていた。

僕がボンナイフに夢中になったのは、中学一年生の頃だった。

「消しゴムを切るんだ。ゴムの固いやつより、プラスチック消しゴムのほうが弾力があるし、やわらかいから、切りやすいんだよな」

刃をあてると、最初はわずかに跳ね返される。そこを押さえつけるように力を込めていくと、すうっ、と音をたてるようになめらかに刃が通る、そのときの感触が好きだった。消しゴムを次々に買っては次々に切り刻んでいった。カッターナイフや肥後守《ひごのかみ》だと、刃の切れ味がよすぎて最初の弾力をあまり感じられない。簡単に切れすぎてしまう。ボンナイフの薄い刃がゴムを切り裂く、鈍く軋《きし》むような感触が、いい。

話しながら、チュウさんや健太くんの様子を窺《うかが》った。二人とも黙って聞いている。まだ小学二年生の健太くんにはピンと来ていないようだったが、チュウさんはじっと、なにか言いたいのをこらえるような顔で僕を見つめていた。

僕は広樹に目を戻してつづけた。

「同じなんだ、ヒロと」

「……なにが？」

「お父さんも、消しゴムに名前をつけてた。いつも、同じ名前だったんだ」

「誰の？」

「ヒロのおじいちゃん」

広樹よりも、チュウさんよりも、健太くんがいちばん驚いた。「マジぃ？」――声まであげて、チュウさんを見る。広樹はうつむいたまま、なにも応えない。チュウさんは、変わらず僕を見つめる。二十五年前の世界から迷い込んできたひとだ。僕は中学一年生だった。あの頃の僕がボンナイフで切り刻んでいたのは、チュウさんなのだ。

公園のほうから『七つの子』のメロディーが聞こえてきた。午後四時。あたりはだいぶ薄暗くなり、チャイムと連動しているのか、遊歩道の街灯に明かりが点いた。

「ヒロ、今日も塾あるのか」

「……五時から」

「今日は休め。行かなくていいから」

パチンコを雑木林に放り投げた。それを目で追ったのは、今度も健太くんだけだった。

その場にしゃがんだ。目の高さや声の出てくる位置を、広樹より低くしておきたかった。

「なあ、ヒロ、受験やめちゃおうか」

「……なんで？」

「ずーっとがんばってきたから、疲れちゃったんだよ、おまえ。お父さん、ヒロがこんなに疲れてるって知らなかったんだ」

ごめんな、と言った。頭で考えたのではなく、自然と口をついて出てきた。喉の奥につっかえていたものがはずれてくれたように、そこから先は話すのが少し楽になった。

「よくがんばったよ、ほんと。お父さんさあ、ヒロって根気がない子どもだと思ってたんだ、受験するって言いだしても、すぐに飽きてやめちゃうんだろうな、って。でも、すごいよ、見直したよ」

一年以上がんばったのだ。ほとんど毎日塾に通って、日曜日にも早起きして模試に出かけ、コンピュータで打ち出された合否判定や偏差値に喜んだり落ち込んだりして、ここまで来た。

だから、もう、いい。あと一週間、どんなにがんばっても、広樹は受験に失敗する。その挫折感を背負って地元の第二中学に入学して、たぶんそのせいで友だちとうまくいかなくなり、いじめの標的になった頃から学校を休みがちになって、「僕は受験なんかしたくなかったのに、お父さんが無理やりやらせたんだ」とさえ言いだして……やがて部屋からほとんど出なくなり、家の中で暴れるようになる。

納得して、二中に進ませたい。負けた悔しさや苦みを持ったまま入学させたくない。

ほんのわずかでいい、広樹を待ち受けている未来を変えさせたい。

「……受験したら、だめなの？」

「そんなことないさ。でもなあ、気持ちはわかるけど、どうだ、もう限界だと自分でも思わないか？　こんなにストレスがたまってるんだ、これ以上無理にがんばったら、ほんとに病気になっちゃうぞ」

「でも……あと一週間だから……」

「入ってからだって、私立は大変なんだ。二中だと三年間でやる勉強を、私立は二年でやっちゃうんだぞ。電車通学だってあるし、ずーっといまみたいなペースで勉強しなきゃいけないだろ。いまになってから言うのってずるいけど、そういうのって、やっぱりおかしいと思うんだけどな、お父さんは」

息を継いで、「それに」とつづけた。

「公立のほうがいろんな友だちと出会えるし、あれだけ勉強したんだから、二中だったらダントツだぞ。勉強のこと心配しないでいいんだから部活だって余裕でできるし、友だちもみんな小学校の頃から知ってる子ばかりなんだし……」

広樹が、なにか言った。聞きそこねて、しゃがんだまま振り仰ぐと、首から上が妙にぎくしゃくした動きで揺れていた。

「どうした？」

「受験、させて……お願い、します……受験させ、て……」

声が不自然に途切れ、跳ね上がる。嗚咽《おえつ》――違う、泣きながら震えているのだった。痙攣《けいれん》するように激しく、全身をこわばらせて。

しゃくりあげる広樹を東屋のベンチに座らせて、「チュウさんと健太くんは外に出て」と言った。最初は「なに言うとんな、わしもいっしょにおっちゃるけん」と言い張ったチュウさんだったが、健太くんに肘をつつかれ、不承不承ながらもうなずいた。「暗《くろ》うなったけん、足元が危ないど」とチュウさんは健太くんの手をひき、健太くんは遊歩道を歩きながら「ねえ、ブランコしていいでしょ?」とチュウさんに言う。

東屋の中にいても、二人の声はしばらく聞こえた。

「チュウさん、公園ってジャングルジムとかあったっけ? 鉄棒は?」「そげなこと知るか」「ね、チュウさんは鉄棒の前回りってできる? 僕ね、だめなの。最後のところで頭がクルッと起きないんだよね」「つまらん奴じゃのう、前回りやら簡単じゃろうが」「じゃあチュウさん、お手本見せてよ。いい?」「チュウさんチュウさん言うな、馴《な》れ馴《な》れしい奴じゃのう、ほんま」……。

意外といいコンビなのかもしれない。健太くんのように元気いっぱいの男の子が息子だったら、父の人生はもっと幸せだっただろうか。

なんてな、とため息をついて、広樹を見た。前かがみになって頭を両手で抱え込んでいた。涙はなんとか止まったようだ。

「どうだ？　少しは落ち着いたか？」

広樹は洟《はな》をすすって答えたが、涙と鼻水でびしょ濡れの声なので、なにも聞き取れなかった。「洟かめよ」とポケットティッシュを差し出しても、いやいやをするように首を横に振る。

僕はティッシュをバッグにしまって、広樹の背中をさすってやった。話をあらためて詳しく問いただすつもりはなかった。広樹は泣きじゃくりながら、震えながら、あらかたのことは打ち明けて——ぶちまけて、いた。

がんばりすぎたのだ。受験勉強を始めてから、広樹は学校の友だちとほとんど遊ばなくなった。自由になる時間そのものも少なかったし、たまに時間のあるときに誘いの電話がかかってきても、あっさりと、ときには端で聞いている僕や美代子が驚くほどそっけない調子で断ってしまう。

仲良しの友だちで中学受験をする子は一人もいなかった。五年生の途中までは野球だサッカーだゲームだと宿題もあとまわしにして遊んできた仲間の中で、広樹が一人だけ、違う世界を目指して、違う時間で生きるようになった——それが友だちには面白くなかったのだろう。たとえ深い意味はなくても、広樹が「俺はおまえたちとは違うんだ」という態度をとったことだって、きっとあるはずだ。

秋が深まった頃から、仕返しが始まった。広樹は仲間はずれにされた。最初は特に仲の良かった数人から、やがてクラスの男子全員に広がり、別のクラスの連中までゲームの感覚で面白がって、ほんの一ヵ月ほどのうちに、誰からも口をきいてもらえなくなった。

無視するだけでは飽き足らない連中は、ノートに「落ちろ！」と落書きしたり、体育館シューズを隠したり、聞こえよがしに「二中に来たら、ソッコーでハブ決定だよな」と脅したり……。

広樹の背中をさすりながら、僕は目をつぶる。そういうことだったんだな。眉間に皺を寄せて、詰めていた息をゆっくりと吐き出した。

すでに、いじめは始まっていたのだった。受験前から、広樹は逃げ場所を失っていた。地元の中学には行けない——落ちることの決して許されない受験だったのだ。

「寒くないか」

声になった言葉と、胸に浮かんだ言葉がずれた。

つらくなかったか、と僕は訊いたのだ。成績が下がりつづけた秋から冬の日々を、この子は、どんな思いで過ごしていたのだろう。なにも気づいていなかった父親を、どんな思いで見ていたのだろう。

ごめんな。あと一週間先の未来にいる広樹に声をかけてやりたかった。もう少し先の未来にいる、すべての私立中学に落ちてしまった広樹の背中を、詫びながら撫でてやりたかった。

広樹はまた洟をすすった。息を吸うときに、顎が痙攣するように震えた。

「……知らなかったでしょ、なにも」

強がって、笑いながら言う。マジびっくりしたでしょ、とつづけた声は、息に紛れてしまった。

気づいてやればよかった。気づかなければいけなかった。

それができるのは、親しかいなかった。僕と美代子が気づいてやらなければいけなかったのに、卒業前にふさぎ込んでしまった広樹を見て、僕たちは「受験に失敗したからだ」と決めつけていた。中学に入学してからも、元気のない様子を見るたびに、「ショックが尾を引いてるんだろうな」と勝手に思い込んで、「まあ、そのうちケロッとして、友だちと遊ぶようになるさ」と話していたのだった。

「お父さん、痛いから、もういい」

広樹が言った。背中をさする手に力が入りすぎていた。

「ああ、悪い悪い」と手を離すと、広樹は頭を抱え込んでいた両手をやっとはずし、肩で大きく息を吐き出した。

「今日のこと、お母さんに言わないで」

「ああ……わかってる」

「受験していいでしょ？　お願い、もう変なことしないから、受験させて」

広樹はまた洟をすすりあげて、目に溜まった涙を袖で拭った。

そろそろ陽が暮れ落ちる。雑木林の梢《こずえ》を揺らす風もだいぶ冷たくなってきた。街灯の明かりの届かない東屋の中にいると、僕と広樹だけ、このまま——橋本さんと健太くんの乗るオデッセイのように、どこか遠い世界にさまよい込んでしまいそうだった。

「お父さん、受験していいでしょ？　僕、ほんとにがんばるから、必死でがんばるから、受験させてください、お願いします」

がんばらなくていいんだ。どんなにがんばっても、おまえは、受験に失敗してしまう。おまえをいじめる連中と同じ第二中学に入学しなければならない。おまえは、おまえの未来から逃げることはできないんだ……。

風が吹く。葉の落ちた梢が触れあって音をたてる。

広樹は言った。

「僕、やっぱり今日、塾に行く。まだ間に合うから……いいでしょ？　受験、来週なんだもん、いま、すごくだいじなときなんだもん」

もう泣いてはいなかった。

未来を、信じていた。

僕は右手を広樹の背中に置いて、拍子をとるように軽く叩きながら、言った。

「絶対に怒らないから、一つだけ教えてくれ」

「なに？」

「ペットボトルに、なんでお父さんやお母さんの名前もあったんだ？」

「……わかんない」

「いいんだぞ、正直に言って」

「でも……やっぱ、わかんない」

「お父さんもお母さんも、ヒロの学校のことにぜんぜん気づかなかっただろ。それがいやだったのか？」

広樹は少し考えてかぶりを振ったが、僕は「ごめんな」と言った。「でもな」――言い訳にならないように気をつけて、つづける。

「ヒロが勉強がんばってるの見てて、なんか、そっちに気を取られちゃったのかもしれないなあ。ほんと、よくがんばってたもんな、おまえ。お父さんさ、それが嬉しくて、ヒロのこと応援するのに夢中になってたんだよな」

広樹が、細い声でなにかつぶやいた。聞き返すと、涙の名残がよみがえったような震える息を継いで、「そこ」と言った。「そこが、いやだった、ずっと……」

「応援するのが、か?」

声はまた聞こえなくなって、うなずくしぐさも小さくなった。

「プレッシャーになっちゃったのか」

「っていうか……よくわかんないけど、プレッシャーとかじゃなくて、嬉しかったんだけど……」

「でも、いやだったんだよな」

先回りして言った。そうしないと、広樹はまた泣きだしてしまいそうだった。

僕は空をちらりと見る。首をかしげながら、胸の奥で、なるほどなあ、と納得している自分に気づいた。

広樹の背中を叩くテンポをゆるめ、「もういいよ」と言った。歌を口ずさむような声になった。

「お父さんは、よくわかったよ、いまので。だから、もう無理して考えなくていいんだ」

「……ごめんなさい」

「謝らなくていい」

そんな必要はどこにもない。誰が悪いわけでもない。間違ってもいない。

広樹は僕と美代子の喜ぶ顔を励みにしてがんばって、僕と美代子は広樹ががんばっているのを見るたびに嬉しくなった。幸せな家族だったのだと思う。我が家は幸せだった。幸せな日々を積み重ねながら、少しずつ不幸せな未来へと向かっていったのだ。

「受験、最後までがんばってやってみろ」

広樹は黙って、こっくりとうなずいた。

ほとんど夕闇に溶け込んだ公園で、健太くんは鉄棒の前回りの練習をしていた。そばにチュウさんがつきっきりで、お尻を支えたり身振りで回り方を教えたりする。二人とも一所懸命で、遊歩道から出てきた僕と広樹にも気づかなかった。

僕は公園に足を踏み入れたところで立ち止まり、二人をじっと見つめた。

健太くんの前回りは、なかなかうまくいかない。半回転まではできるのだが、そこから上体がクルッと戻らない。鉄棒をつかむ腕が伸びて、足が地面について、「あーあ、まただめだよお……」とぼやく声が聞こえてきそうだった。

それでも、チュウさんが二言三言声をかけると、健太くんはすぐに鉄棒をつかみ直し、体を持ち上げる。なんとしても成功したいのだろう。前回りができないことが心残りのまま、死んでしまったのかもしれない。

「ねえ、お父さん」広樹が言った。「あの二人……ほんとに親子なの？」

「なんで？」

「だって、あの子、さっき『チュウさん』って呼んでたよ。親子なのに変だと思わない？」

僕は苦笑する。

「いろんな親子がいるんだよ、世の中には」

「まあ、そうだけど……」

「ほんとに覚えてないか、チュウさんのこと」

「うん……なんか、会ったことあるような気もしてきたけど、よくわかんない。会ったっていっても、どうせ子どもの頃だよね？　覚えてるような気もするんだけど、やっぱ、ちょっとわかんない」

やり直しの痕跡は、まったく残っていないわけではない――のだろう。

「ヒロ、もしも健太くんが幽霊だって言ったら、どうする？」

「はあ？」

「交通事故で死んじゃった子どもが、成仏できなくて幽霊になってるんだ、って言ったら」

「なにそれ」

僕はまた苦笑して、つづけた。

「じゃあ、チュウさんが、ほんとはおじいちゃんだったら？」

「って?」

「若い頃のおじいちゃん。いまのお父さんと同い歳ぐらいの」

「……わけわかんない」

僕だって、そうだ。

ようやく僕たちに気づいた健太くんが、やっほー、と手を振った。チュウさんは腕組みをして、そんなのはいいから早くしろ、というふうに鉄棒に顎をしゃくる。

父は、いつもそうだった。水泳でもキャッチボールでも自転車でも、教えるうちに夢中になりすぎる。まわりのことが見えなくなる。コツをなかなかつかめない僕にいらだって、声を荒らげ、目つきが険しくなっていく。叱られつづけているうちに、僕もふてくされてしまう。「もういいよ」と練習をやめて、一人で家に帰る。

子どもの頃は、唇をとがらせて駆けだしていく自分のことしか考えなかった。だが、いま、その場に残された父のことを、僕は思う。「逃げとったら、いつまでたってもできりゃせんぞ!」と僕の背中に怒鳴ったあとの父の顔が、いまなら、わかる。

健太くんはフリースジャケットの裾や袖を伸ばし、掌《てのひら》をズボンのお尻で拭《ぬぐ》って、鉄棒にとびついた。両手を突っ張って体を支え、頭から前に回る。

チュウさんはすばやく健太くんの腰に手を添えた。そのまま脚が落ちてしまいそうになるのを、腰を支え、持ち上げて、回転する勢いを加えた。

できた――。

元の体勢に戻った健太くんは、鉄棒に乗ったまま「やったあ！」と声をあげた。

「そうじゃ！　鉄棒はヘソから回るんじゃ！」とチュウさんも力《りき》んで言った。

僕と広樹も、どちらからともなく拍手をして、鉄棒に向かって歩きだした。

「鉄棒する幽霊って、僕、生まれて初めて見たけどね」

広樹が笑いながら言った。

「おまえ、まだ信じてないのか」と僕も笑う。

「なに言ってんの、もういいからさ」

「だな……」

この幽霊はサッカーだってできるんだぞ。心の中でつぶやいて、ふと思いついて足を止めた。

「ヒロ、あのな、あそこにお茶のペットボトル落ちてるだろ。ちょっと、サッカーみたいに蹴《け》ってくれよ。健太くんにパスするっていうか、そんな感じで」

「いいけど？」

広樹は言われたとおり、助走をつけてペットボトルを蹴った。ボールのようにはうまく転がってくれなかったが、鉄棒の近くまで届いた。

「健太くん、蹴り返してみなよ！」

掌に息を吹きかけていた健太くんは、僕の声にすぐに応えて、ペットボトルを蹴り返した。当たった。だいじょうぶ。いつかのように体をすり抜けてしまうことはなかった。

僕は広樹を振り向いて言った。

「塾の時間まで、健太くんとサッカーしてやってくれよ」

「……うん」

「あいつ、いっしょに遊ぶ友だちがいなくて、ずーっと寂しかったんだ。遊んでやってくれ」

広樹はあいまいにうなずいて、健太くんに目をやった。

健太くんはペットボトルをドリブルして、一人でフェイントをかけて、僕たちには見えないゴールにシュートを放った。

斜めによじれながら地面に転がるペットボトルを、広樹もダッシュして追いかけた。

「僕がフリューゲルスで、お兄ちゃんがヴェルディだからね！」

いまはもうなくなってしまったJリーグのチームの名前を、健太くんは嬉しそうに口にした。

僕とチュウさんは、並んで鉄棒に頬づえをついて、サッカーに興じる広樹と健太くんを見つめた。

「鉄棒は苦手でも、足は速そうじゃの」

チュウさんはぽつりと言って、「前回りができたいうて、死んでからできるようになっても、しょうがなかろうに」とつまらなそうに笑った。

「でも、がんばってたね、あの子」

「おお……よう、がんばった」

「チュウさん、これからどうするの？　ウチに泊まるんだったら、それでもいいけど」

「健太はどげんするんな」

「二人で泊まればいいよ。美代子には適当に理由つけてごまかすから」

チュウさんはしばらく考えてから、「わしらがおったら、美代子さんとゆっくり話ができんじゃろう」と言った。

黙ってうなずいた。逃げるわけにはいかない。他の誰に任せてもいけない。僕の生きてきた現実をやり直して、残してしまった後悔を消せるのは、僕しかいないのだ。

「まあ、この前みたいに、街なかを歩いとるうちに、ふっと消えてしまうかもしれんがの」

病院のベッドに横たわった、年老いた体に戻る——のだろうか。

「でも、健太くんがいるから」

「あいつは、あの車があるじゃろう。親父さんのところに帰るんじゃないんか」

「だと思うけど……」

やり直しの現実から、いつ去ってしまうのかは、自分では決められない。いままでそうだったし、今度もたぶん同じだろう。だが、なんとなく、僕たちはもう少しこの世界にいられそうな気がした。いさせてほしい、とも思った。やらなければならないことをすべて終えるまでは、ここに残っていたい。

「じゃあ、ホテルをとるよ」

「……贅沢せんでええど」

「チュウさんの時代のホテルとは感覚が違うんだ。いいから、ちょっと待ってて」

携帯電話を取り出して、新宿のホテルにチュウさんの名前で予約を入れた。

電話を切ると、「ほんま便利なもんじゃのう、トランシーバーみたいなもんか」と感心するチュウさんにかまわず、手帳にホテルの名前と新宿駅からの簡単な道順、そして僕の携帯電話の番号を書いて、渡した。

「けっこう有名なホテルだから健太くんも知ってるかもしれないけど、なにかあったら、この番号に電話して」

「外国みたいな名前じゃのう」

「いまは、どこのホテルもそうだよ」

「ほいでも、高いんと違うか」

「まあね、でも、だいじょうぶだよ」

財布にあった一万円札をすべて——といっても五、六枚だったのだが、とにかくありったけ、チュウさんに渡した。

「チュウさんの知ってる一万円札とは違うけど、これがいまの時代の一万円札だから」

「おまえ、こげん貰うても、わし……」

「物価が違うんだから、気にしないで」

ツインルームに一泊して、二人ぶんの食事をとれば、確実に三万円は飛んでいく。そういうホテルを選んだ。伝票を見て呆然とするチュウさんの顔を思い浮かべながら。

チュウさんが困惑しながらお金をポケットにしまうのを待って、言った。

「チュウさん、広樹にお年玉をやるとしたら、いくらぐらい出す？」

「うん？」

「っていうか、僕が小学六年生のとき、お年玉をいくらくれたっけ」

「千円とか、そこらへんじゃろう」

いまの物価なら一万円になるだろうか、五千円程度だろうか。いずれにしても、あの頃——チュウさんだった頃の父は、まだまっとうな感覚を持っていたわけだ。

だが、これからチュウさんは変わっていく。弱いひとを切り捨てる荒々しい性格に、お金に対する執着が加わってしまう。工事現場で若い衆を怒鳴りつけるだけでなく、ビルの最上階の応接室で、冷ややかな笑みを浮かべながら、金を貸した相手の担保物件の話をするようになる。

それがチュウさんを待っている未来だ。チュウさんは事業を広げ、多くのひとから頼りにされる代わりに多くのひとから恨みも買って、だましたりだまされたり、ひとを出し抜いたり、逆に誰かに抜け駆けをくらったりして、もうすぐ、死ぬ。

僕は広樹を見つめる。笑いながら、健太くんとペットボトルを奪い合っていた。楽しそうだった。友だちがいなくて寂しかったのは、健太くんだけではなかったのだ。

頰づえを崩し、鉄棒に這わせるように両手を置いて、そこに顔を埋《うず》めた。

「ヒロちゃんは、受験するんか」

まるで僕がその姿勢になるのを待っていたように、チュウさんが言った。

「がんばる、って……あと一週間、必死にがんばってみる、って……」

閉じた瞼を、腕に強く押しつけた。

「先のことは言わんかったんか」

僕は黙ったままだったが、チュウさんは「ほうか」とつぶやいて、僕の背中に手を置いた。

「言わんほうがええ。先のことやら、未来やら、そげなことは言わんほうがええ」

「うん……」

「知っとっても、教えたらいけんのじゃ」

背中をさすられた。コートの上からなので、掌の動く感触はあまりよくわからない。それでも、チュウさんの分厚くごつごつした掌は、確かにいま、ここにあった。オデッセイの車中で見せた、チュウさんの取り乱した姿がよみがえった。みっともない――チュウさんにぶつけた自分の言葉も。

「さっき、広樹の背中を撫でてやったんだ」

「そうか……」

「親父のやることって、みんな同じなのかな」

「親父いうて、なにおまえ偉そうなこと……」チュウさんは言いかけた途中で笑った。

「まあ、そうじゃの。カズも親父なんじゃのう」

「同い歳だよ、チュウさんと」

「ほいでも、わし、カズがえらいガキのように見えるがのう」

「チュウさんのほうが老けてるんだよ」

時代や世代のせいなのかどうかは、わからない。ただ、ショッピングセンターで記念写真を撮ったとき、僕たちを兄弟だと勘違いした係員は、チュウさんのほうが兄貴なんだと疑いなく思い込んでいた。それでいいんだよな、と思う。

「チュウさん……死ぬのって、やっぱり怖い？」

「怖うない者がおるか、人間。ほいでも、まあ、しょうがなかろ。決まっとるんじゃったら、ええわ、もう」

「僕や橋本さんが教えないほうがよかった？」

「わからんよ、そんなん」

「親父には告知してないんだ、病気がガンだっていうことを。チュウさんなら、ちゃんと知りたかった？」

チュウさんは黙っていた。僕は「ごめん」と言った。答えがどっちでも、そう言おうと決めていたのだった。

「謝らんでええ。子どもは親に言うてもええし、言わんでもええんよ、子どもの楽なほうにすれば、親はのう、それがいちばんなんよ」

「……そうなのかな」

「ほいでも、逆なら、言うたらいけん。子どもの先のことを、親が言うてしもうたらいけん。子どもが先のことを信じとるときは、親は黙って見といてやるしかなかろ？」

僕は両手に顔を埋めたまま、広樹と健太くんの笑い声を聞く。ひさしぶりに屈託なく笑ったことが、広樹の記憶に、かけらでもいい、残っていてほしい。

「知っとるほうはつらいけどのう、辛抱せんといけん、親なんじゃけえ」

チュウさんはゆっくりと、塗り薬を傷に擦り込むように、僕の背中をさすりつづけた。

22

八時過ぎに家に帰ると、美代子は一人で夕食を終えてテレビを観ていた。「お帰り、ごはんまだよね？」と訊く顔も、声も、いつもどおり。僕の帰宅時刻もふだんとほとんど変わらない。

だが、あの日の現実をそのままなぞっているわけではない。広樹が塾に向かい、電車で都心に戻るチュウさんと健太くんと駅の改札で別れたあと、僕は現実を変えた。大きく変えた。強引に現実をねじ曲げて、僕たちを待ち受けている未来から逃げた。

不幸せな未来を知っているのに、それに気づかないふりをして、すべてをあきらめて、一日ずつ我が家が未来に近づいていくのをただ黙って受け容れる——そんなのは、いやだ。

「どうする？　広樹も、あと三十分ほどで帰ってくるけど。いっしょにごはん食べるんだったら、先にお風呂にする？」

僕はダイニングテーブルの前に立ったまま、バッグを開けた。

「ねえ、どっち？　お風呂も沸いてるけど」

黙って、バッグから取り出した分厚い雑誌——住宅情報誌の最新号をテーブルに置いた。

「なに？　これ」

きょとんとする美代子に、僕は言った。

「引っ越すぞ」

「はあ？」

「新しいマンション、もう決めてきたから」

美代子は目を大きく見開き、つっかえながら「どうしちゃったの？　どういうこと？」と訊いた。僕はコートを脱いで椅子の背に掛け、その椅子に座る。「おまえも座れよ」と声をかけると、美代子は狐《きつね》につままれたような顔のまま斜向かいの席について、ぎごちなく笑った。

「ねえ、引っ越しって、なに？　ぜんぜん話が見えないんだけど」

「引っ越すんだ、ここから」

「……冗談でしょ？」

「本気だよ。さっき手付け金も不動産屋に払ってきた」

住宅情報誌に挟んでおいた預り証を見せると、美代子はさらに困惑した。

「ねえ、ちょっと……ちゃんと最初から説明してくれない？　わたし、わけがわかんない」

僕は壁の時計に目をやった。広樹の塾が終わるのは八時半。家までは自転車で数分。いまはもう八時十五分だから、一気に話してしまわなければいけない。

住宅情報誌を開き、折り目をつけたページを美代子に見せた。

この街と同じ沿線の、各駅停車で七駅ぶん都心に近い街の物件だった。３ＬＤＫ、七十二平方メートル。床面積はいまのマンションより狭くなり、築年数もかさんでいる。オートロックもついていないし、駅からはバスだし、その割には家賃が高い。

それでも、一刻も早く決めてしまいたかった。決めなければならなかった。やり直しの現実の世界にいるうちに、僕たちが——せめて広樹だけでも、別の未来に進めるように道筋をつけておきたかった。

「ほんとうはもっと遠くに引っ越したほうがいいんだけど、とりあえずだ、とりあえずここに引っ越して、二中じゃない学校に通って、そこからまた、先のことは考えればいいんだ」

チュウさんと健太くんを見送ったあと、帰宅時間が不自然にならないよう駅前をぶらついて時間をつぶしているときに、ふと思いついたのだった。

もう六時近かった。駅前には不動産屋はなかった。売店で住宅情報誌を買って電車に飛び乗り、不動産屋のあるいちばん近い駅で降りた。店の閉まる三十分前にカウンターに駆け込み、情報誌に載っていた物件を紹介されて、近くのキャッシュコーナーで手付け金をおろして、下見もせずに決めた。

預り証ができあがるまでの間、肩で息を継ぎながら、途中で姿が消えてしまわなかったことに感謝した。本契約は明日だったが、明日までこの世界にいられるかどうかはわからない。美代子にいきさつを説明して、引っ越すことを納得させるまでは、どうかこの世界にいさせてくれ――神さまに祈った。最後の最後に親らしいことをさせてくれ――一心に祈りつづけた。

「契約は明日なんだ。いろんな文句はあると思うけど、とにかく、引っ越しの契約だけすませてくれ」

「わたしが？」

「……俺がいれば、俺がやる。でも、俺がいなくなっても、おまえがやってくれ、頼む」

美代子は途方に暮れた顔で僕を見て、「酔っぱらってる？」と訊いた。僕はテーブルに両手をつき、身を乗り出して、何度もかぶりを振る。

「でも、ねえ、わたしぜんぜんわからない。なんなの？　どういうことなの？」

「わからなくてもいいんだ、俺が頼んだことをやってくれればいいんだよ」

「……めちゃくちゃなこと言わないで」

「本気なんだ！」

思わずテーブルを叩いて怒鳴った。美代子はたじろぎ、少し怯えたふうに「わかったから、ね、わかったから」と言う。頭が変になったと思っているのだろうか。それでもいい。なんと思われてもいいから、現実を変えてしまいたい。

「ちょっと落ち着いてよ、二中がどうしたの？」

「あそこに広樹を入れるわけにはいかないんだ。二中に入ると、あいつ、学校に行けなくなって……この家、めちゃくちゃになるんだ、どうしようもなくなっちゃうんだよ」

預り証をマグネットで冷蔵庫のドアに留めた。今日の記憶が明日には消えていても、預り証があればなんとかなる。なんとかなってほしい。

「わけわかんない」

「わからなくていいから、とにかく引っ越すんだ。二中の学区から出なくちゃだめなんだ」

「ねえ、お酒飲んでる？　具合、どこか悪くない？」

美代子は不安そうな顔で言って、僕がかぶりを振るのを確かめると、今度はあきれはてた顔になった。

「ヒロは受験するのよ？　高望みしてるわけじゃないんだから、受かるわよ。二中に行くことなんてないでしょ」

「受からないんだ」

つとめて静かな声をつくって、僕は言った。美代子がなにか言いかけるのを制して、つづける。

「広樹は、受験に失敗しちゃうんだ。がんばったんだけど、落ちるんだよ。ここにいたら二中に入学しなくちゃいけなくなるんだ」

「どうして？」

「わかるんだよ、知ってるんだ、俺は」

「だから……どうして、そんなことがあなたにわかるの？　もういいかげんにして」

美代子は席を立って、僕をにらむ。

「酔ってるんだったら、お風呂に入って冷たいシャワー浴びてきて。酔ってないんだったら、明日、病院に行ってきて」

僕は黙って、美代子の視線を受け止める。じっと見つめる。家族をあざむきつづけた美代子を――女を、見つめた。

「とにかく……」先に目をそらしたのは美代子だった。「そんな縁起でもないこと、広樹に言わないで」

キッチンに入ってしまった美代子に、僕は言った。

「湯島天神に行くのって、明日だっけ、あさってだっけ」

「明日だけど」

キッチンから声だけ返した美代子は、一瞬の間をおいて、またダイニングに顔を出した。

「わたし……湯島天神にお参りする話って、あなたにした？」

僕はなにも答えず、頬をゆるめた。お参りの話など聞いているわけがない。覚えている。明日のちょうどいま時分だ。会社から帰ると湯島天神のお札がリビングのサイドボードに置いてあった。びっくりして尋ねると、美代子は「天気もよかったし、暖かかったから、急に思い立ってお参りしてきたの」と笑ったのだった。

「今日のうちに、もう決めてたんだな、ほんとは」

「……え？」

「明日、誰と会うんだ？」

美代子の頬が、ぴくっ、と揺れた。

僕はテーブルの上の住宅情報誌に目を落とし、表紙に記された〈幸せ家族の新生活応援号〉の謳《うた》い文句を見るともなく見ながら、つづけた。

「わかるんだ、俺には。わかっちゃったんだ、俺たちの未来がぜんぶ。めちゃくちゃなんだよ、冗談みたいなんだよ、広樹は受験に落ちて、おまえはずっと俺の知らないところで、いろんな男と……」

コートのポケットの中で携帯電話が鳴った。もしかしたらチュウさんか健太くんだろうか、とあわててポケットから取り出した。必死に平静を装ってキッチンに逃げ込んだ美代子に「あとで、ゆっくり話そう」とだけ声をかけて、電話に出た。

「申し訳ございません」——挨拶抜きで言われた。さっきの不動産屋の担当者だった。

「どうしたんですか？」

「それがですね……大変申し上げにくいんですが、先ほどの物件なんですけど、お客さまより前に手付けを入れられた方がいらっしゃって、ついさっき、本契約を……」

「ちょっと待てよ、おかしいだろ、だって、手付けを払うとき、あんたパソコンで確認してただろ」

声が震え、携帯電話を持つ右手もわなわなと震えた。

「ええ、そうなんですが……そのときには、ほんとに、オンラインには出てなかったんですよ、募集のままだったんで、それでお客さまに手付けを入れていただいて……すぐに募集を止めて……」

「じゃあ、なんでそんなことになるんだ」

「わかりません、その、システムの調子が悪かったんだと思うんですが、ほんと、わからないんです、こういうミスって、いままでなかったんですが……」

担当者はしどろもどろになって、ひたすら「申し訳ありません」を繰り返した。

途中からは、その声は耳にただ流れ込むだけになった。

「手付け金のほうは当然ご返金いたします」と担当者は言い、「当社にはまだ登録物件が多数ございますので、もしよろしければ明日にでもおうかがいいたします」とも言った。

だが——むだだろう、と思う。たとえ別の物件を見つけても、またトラブルが起きるはずだ。現実を変えさせまいとする、運命なのか、神さまなのか、その力を思い知らされた。背筋がぞっとして、みぞおちに苦いものが溜まる。

電話を切ると、玄関のチャイムが鳴った。

「ただいま」と広樹の声がする。キッチンからじかに廊下に出た美代子は「お帰り、寒くなかった？」と広樹を迎える。いつもと変わらない声で、たぶん、いつもと変わらない笑顔を浮かべて。

背筋が、またぞっとする。みぞおちの苦みが、喉元に迫《せ》り上がってきた。

広樹は夕食の前に風呂に入った。いつもとは順番が逆だった。「寝る前にごはん食べると体に悪いのよ」と美代子はいい顔をしなかったが、今夜は遅くまで勉強するつもりだから、と言う。

「張り切ってるじゃない」

「まあね、泣いても笑ってもあと一週間なんだもん」

廊下からリビングに聞こえる広樹の声は、ふだんと変わらない。「でも、無理しちゃだめよ、風邪ひいたら元も子もないんだから」と美代子が笑いながら言うと、「だったら落ちても言い訳ができたりして」とおどけて返す。夕方のことを必死に押し隠しているのか、私立中学にさえ受かれば問題はすべて解決するんだと疑いなく信じているのか、たぶん両方なのだろう。

浴室につづく洗面所のドアが閉まる。リビングに戻った美代子は、もう笑ってはいなかった。

「ごはん、先に食べちゃうよね？」

「ああ……」

「ヒロがお風呂からあがったら、すぐに入って、すぐに寝てくれない？　疲れてるのは勝手だけど、ヒロやわたしまで巻き込まないで」

キッチンに入って、おかずを温めながら、「早く寝て、それでも疲れが取れないようだったら、病院に行ってみて」とつづける。「点滴でもいいし、もし精神的に疲れてるんだったら、カウンセリングとかあるでしょう？」

僕は黙って食卓から離れ、キッチンの戸口に立った。ガスレンジに向かう美代子は、僕の気配に気づかないふりをして、こっちを見ようとしない。「被害妄想っていうの？

鬱《うつ》病でよくあるじゃない、そういうのって怖いから早めにお医者さんに診てもらったほうがいいでしょ」——うわずった声は、ただ沈黙の重さから逃げようとしているだけなのだと、僕にはわかる。

「妄想かどうかは、おまえがいちばん知ってるだろ」

静かに言った。感情を抑えたつもりはなかったのに、台本を棒読みするような口調になった。

「明日、誰と会うんだ」

返事はない。電子レンジが、チン、と音をたてた。火にかけた鍋では味噌汁が煮立っていた。

「……誰だかわからない男なのか」

美代子は横顔をこわばらせる。

「知ってるんだよ、俺はもう、ぜんぶ。テレクラだよな？　誰でもいいんだよな、相手は。俺以外の男だったら、誰でもいいんだ、おまえは」

僕は話しながら笑っていた。へらへらと頬をゆるめていた。怒りや悔しさが胸からあふれると、力の抜けたむなしさに変わってしまうんだと知った。

「妄想じゃないだろ？　ごまかしてもだめなんだ、知ってるんだ、俺は」

味噌汁がぐつぐつと音を立てる。美代子はやっと、無言のまま、ガスを止めた。

「なあ」力が抜けすぎた。「教えてくれよ……頼む、教えてくれ、なんでだ？　なんでそんなことしてるんだ？　俺のどこがいやなんだよ、わかんないんだよ、なんにも、俺……」

僕が美代子を責めているはずなのに。問いただして、突き放して、決して許すつもりはなかったのに。追い詰められたのは僕で、すがりついているのも、僕だった。

美代子は調理台の水切りカゴからおたまとお椀を取り出した。

「鶏の唐揚げ、レンジにあるから」

僕と目を合わさずに低い声で言って、味噌汁をお椀によそおうとして、しくじった。お椀を持つ左手の甲に味噌汁がかかって、声にならない短い悲鳴があがる。

あわてて流し台の蛇口をひねり、勢いよく流れ落ちる水を手の甲にあてながら、美代子は初めて、せっぱつまった声で言った。

「見ないで」

もう一度――「お願いだから、こっちを見ないで」。

呆然とたたずむ僕に、さらにもう一度――「あなたに見られるのって、すごくいやなの」。

突き放されたのも、僕のほうだった。

頭を両手で抱え込んで食卓に突っ伏していたら、美代子が夕食の皿を並べる音が聞こえた。

「そろそろヒロがお風呂から出てくるから、もう黙ってて、ずっと」

美代子の声は落ち着きを取り戻していた。

「なにも言わないよ」と僕は突っ伏したまま答える。

「ごはん、支度できたから。早く食べて、ほんとに、今夜は早く寝てちょうだい」

「明日は会社を休む」

「え？」

「いっしょに湯島天神に行こう。ヒロのお守りやお札を、貰わなきゃ」

息を呑んだのだろうか。顔色を変えたのだろうか。突っ伏した僕には、美代子の反応がわからない。気配も読み取れない。僕たちはもう、こんなに遠くなってしまった。

「湯島天神に行くんだろ？　男と会うんだろ？　息子の受験のお参りと浮気がいっしょなんだ、おまえはな。お参りのついでに浮気か？　逆なのか？　浮気のついでにお参りに行くのか？」

僕は顔を上げない。息を詰め、肩を揺すって、ただ笑う。美代子はまたキッチンに入ってしまった。自分から離れていくときの気配だけ、よくわかる。

「俺はお参りだけすればいいから、そのあとは勝手にしろ。誰と、どこに行ってもいい。もう、どうでもいいから」

「ねえ」美代子の声は、思っていたより近くから聞こえた。「ヒロ、お風呂からあがったみたいだから」

「だから？」

「いまの話、ヒロには聞かせないで。あの子、いまいちばん大事な時期なんだから」

「……そんな時期でも、おまえは男と会うんだけどな」

「もうやめて、お願い」

泣きだしそうな声で、美代子は言う。僕だって、やめたい。自分の吐く言葉が自分を踏みにじっていくのがわかる。僕はなんのためにこの世界に戻ってきたのだろう。やり直しの現実で、僕はなにをやり直さなければならないのだろう。こんなことじゃない。こんなことを美代子に言うために僕は戻ってきたんじゃない。

廊下から、広樹の声がする。洗面所に美代子のヘア・マニキュアの容器が出しっぱなしになっていたらしい。ヘア・マニキュアのツンと鼻を刺すにおいが、広樹は嫌いなのだ。

「ごめんごめん。夕方、染めたの」

美代子はリビングのドアを開けて、笑いながら謝った。キッチンにいると思ったのは、僕の勘違いだった。なにもわかっていない。僕にはもう、美代子のことがなにもわからない。

「中学に受かったら、僕も髪染めちゃおうかなあ」

「なに言ってんの。茶髪オッケーの私立なんてどこにもないわよ」

「でもさ、入学式の前に染めちゃって、もともとの色が茶色っぽいんです、とか」

「受かってから言いなさい、受かってから」

美代子の声は、いつもの夜と変わらない。ついさっきまで泣きだしそうだった――それも僕が勝手に思い込んでいただけなのかもしれない。

顔を上げた。リビングの戸口にたたずむ美代子の後ろ姿を、ぼんやりと見つめる。

美代子の髪に白いものが目立つようになったのは、ここ一、二年のことだ。三十代の後半にさしかかってから。僕が額の生え際を気にするようになったのも、同じ頃だった。

ヘア・マニキュアを使いはじめたのは、はっきりとは覚えていないけれど、去年の夏頃だったかもしれない。なんのために。誰のために。僕は、美代子に「白髪が増えたな」と言ったことなど、ただの一度もない。

美代子が風呂に入ると、僕は夕食に箸をつけないまま、リビングのソファーに寝ころがった。テレビのチャンネルを適当なところで止めて、リモコンをテーブルに戻した。ドラマだ。タイトルは忘れたが、若い連中に人気のある役者が入れ替わり立ち替わり登場して、たしか、このクールの連続ドラマの中では一番高い視聴率を稼いだはずだ。

画面に、ショートヘアの女の子の顔が大写しになった。ちょうどリビングに入ってきた広樹がそれを見て、「――じゃん」と、彼女の名前を口にした。

「おまえ、ファンだったたっけ？」

「ってほどじゃないけど、まあ、人気あるし」

「……だよな」

僕は知っている。ヒロインをつとめる彼女は、あと二ヵ月もすれば恋人と密会する写真がスクープされる。清純派のイメージが壊れたあとは、非常識でわがままな言動の数々が堰《せき》を切ったように報じられて、半年後には「旬を過ぎたアイドル」の仲間入りをすることになる。

広樹がキッチンで味噌汁とごはんをよそっている間に場面が変わり、脇役の女の子が数人まとめて映し出された。

「ヒロ、右端の女の子って、どうだ？」

「ハンバーガー食べてる子？」

「そう。人気出るんじゃないか、あいつ」

食卓についた広樹は「ブスっぽいじゃん」と気のない返事をして、味噌汁を啜った。

「熱いなあ、めっちゃ」

「あの子、七月から始まるドラマで主役になるんだぞ」

「うん？　ごめん、聞こえなかった」

「……なんでもない」

起き上がって、リモコンをまた手にとった。ボリュームを少し絞り、やっぱりもういいか、とスイッチを切った。

脇役の彼女は、ヒロインに抜擢《ばってき》された夏のドラマが大当たりして、いま——広樹にとっては未来になる今年の秋は、若者向けの雑誌のグラビアに毎週のように登場している。部屋に閉じこもったままの広樹が美代子に買ってこさせる雑誌にも、彼女の水着姿の写真は載っているはずだ。

静かになったリビングで、広樹は黙って食事をつづけ、僕は映像の消えたテレビの画面をぼんやりと見つめる。

僕は知っている。これから我が家を待ち受けていることを、すべて。知っていて、なにもできない。広樹は信じないだろう。いま僕が座っているソファーは、梅雨入りする少し前に布地が切り裂かれる。広樹がカッターナイフの刃を突き立てるのだ。あと四ヵ月と少し先の未来の出来事だ。

夏の終わりには、カーペットに血の染みができる。広樹が床に叩きつけて割ったグラスのかけらで、美代子が手首を切ってしまうのだ。かけらを拾っているときにうっかり傷つけたのだと美代子は言っていたが、目の前の世界から発作的に逃げだしたくなったんだろう、と僕はいま思う。

手首の傷が癒《い》えた頃から、美代子は行き先を告げずに外出することが増える。広樹と二人きりの昼間はもちろん、夜になっても帰ってこない日も、そして、朝まで帰らない日も。

それを話したら、美代子は驚くだろうか。信じないだろうか。やっぱり、そうなっちゃうんだね――納得した顔で言われるのかもしれない。

沈黙がしばらくつづいたあと、広樹がぽつりと言った。

「ねえ、お父さん」

「なんだ?」

うながすと、「うん……」と沈みかけた声をためらいがちに持ち上げてつづける。

「夕方のこと、ほんとにお母さんにしゃべってない?」

「だいじょうぶだよ」

そこなんだな、と思う。僕と美代子の役回りが逆になっていたなら、きっと広樹は「お父さんにしゃべってない?」と美代子に訊くだろう。

そういう子だったのだ、広樹は。僕にはなにもわかっていなかった。素直で、元気で、ちょっと幼いところはあるけれど、そのぶん屈託がなくて扱いやすい子ども——だと思い込んでいた。おどけて僕や美代子を笑わせたあとに僕たちの顔色をそっとうかがう、気弱なまなざしに気づかなかった。もしかしたら、それは、広樹本人にもわかっていないものだったのかもしれない。

僕はソファーから食卓に移り、広樹の斜向かいに座った。

「なあ、ヒロ」

広樹は唐揚げを頬張《ほおば》って、なに？　と目で応えた。

「お父さんな、このマンションを売って、引っ越してもいいと思ってるんだ」

唐揚げをあわてて、ほとんど嚙まずに呑み込んでから、「はあ？」と返す。

「学区外に引っ越しちゃえば、二中に通わなくてもすむだろ。引っ越せばいいんだ、ほんとうにキツくなったら」

広樹は啞然として、僕を見る。

「本気だぞ」と僕は言った。

広樹は新しい唐揚げに箸を伸ばした。一口で頬張るには大きすぎるサイズだったが、無理やり、歯医者で治療を受けるような顔をして口の中に押し込み、もごもごとした声で言った。

「そんなのって、逃げてるみたいじゃん」

僕だって――いまの僕ではない、ほんものの現実を生きる僕なら、広樹に「引っ越したい」と言われたら、「こんなことで逃げだしたら、一生、負け犬のままだぞ」と叱《しか》りとばすかもしれない。

それでも、僕は知っている。逃げたくなくて、負けたくなくて、学校での出来事を誰にも話さなかったすえに、広樹は、もっと深いところで逃げてしまう。

広樹が肉を呑み込むのを待って、僕は言った。

「逃げていいんだよ。逃げられる場所のあるうちは、いくらでも逃げていいんだ」

「でもさあ、そんなの……」

「負けてもいいんだ。ずうっと勝ちっぱなしの奴なんて、世界中どこにもいないんだから。みんな、勝ったり負けたりを繰り返してるんだ」

受験の結果がわかったときにも、いまの言葉を思いだしてほしい。落ち込んで、自分の部屋に閉じこもって、ヘッドホンで手当たり次第にCDを聴く、そのときに、広樹は僕の言葉を思いだしてくれるだろうか。僕がやり直したこの現実は、明日からの広樹の記憶に、どこまで残ってくれるのだろう。むだかもしれない。それでも、伝えたい。

「いまは引っ越しのことなんて考えなくていいんだ。でも、忘れないでくれ。お父さん、引っ越してもいいと思ってるんだからな。ヒロがどうしてもキツくなったら、いつでも、引っ越そう。いいな？　そのときには、おまえが、自分からお父さんに言うんだぞ。お父さん、急に言われてびっくりするかもしれないし……反対しちゃうかもしれないけど、ヒロが本気で相談してくれたら、お父さんも絶対に本気で考えるから」

広樹は怪訝そうに「なんでお父さんが反対するの？」と訊いた。「だって、いまの話ってお父さんが自分で言いだしてるんじゃん」

「覚えててほしいんだ、ヒロ」

テーブルに身を乗り出した。味噌汁を啜りかけていた広樹は、また怪訝そうな顔になって、お椀を戻す。

「お父さんは今夜のこと忘れちゃうかもしれないけど、おまえは覚えててくれ。約束したんだからな、いま」

「……っていうか、お父さんが覚えてればいいじゃん」

「忘れるかもしれないんだ。おまえのこと、いろんなつらい思いしてることとか、悩んでることとか、いまはわかってる。でも、もう忘れちゃうかもしれないんだ」

「ボケが始まっちゃうわけ？　ね、夕方も変だったけど、お父さん、マジ、どっかおかしくない？」

「いいから」声を強めた。「今夜お父さんが話したこと、おまえは絶対に覚えてろ、頼んだぞ」

広樹は困惑顔で「なんか、遺言みたい」と笑い、首をかしげてつづけた。

「でも、お父さん、そんなの考えてなくていいよ。だいじょうぶだよ、受験に受かれば二中とか関係ないんだし、あと一週間なんだから、マジ死ぬ気でがんばるし」

「自信あるか」

広樹は一瞬ためらってから、「ばっちりに決まってるじゃん」と答え、茶碗に残ったご飯をかきこみ、唐揚げの最後の一個を頬張って、さらにポテトサラダを口の中に押し込んだ。元気いっぱいに、せいいっぱいの強がりを見せて、美味《うま》そうに食べる。

「それにさあ、万が一っていうか、ちょー不運百連発って感じで私立に落ちてもさあ、だーいじょうぶだって、いじめとか、飽きたら終わりだもん。ぐちゃぐちゃしつこかったら、逆ギレしちゃえばいいんだよね。バコーッ、ドカーッてさ、あいつら根性ないから、一発で終わるって」

飽きなかったんだよ、おまえをいじめる連中は——僕はもう、なにも言わない。おまえがキレる相手は、いじめグループじゃなくて、お父さんやお母さんだったんだよ——黙って笑いながら、広樹を見つめる。

「信じてよ」

広樹は言った。「せっかく夕方立ち直ったんだからさ、マジ、信じてよ、息子のパワーを」とガッツポーズをつくった。

「……じゃあ、お父さんのパワーも分けてやるよ」

席を立ち、広樹の頭を少し乱暴に撫でてやってから、ソファーに戻った。「いまの、気を送ったの？」と笑う広樹に背を向けて座る。正面から顔を見るのがつらい。「知る」と「信じる」は両立しないんだと気づいた。知ってしまうと、信じることはできない。子どもが「信じてよ」と言う未来を信じてやれないのは、子どもについてなにも知らないことよりも、ずっと悲しくて、悔しい。

テレビを点けた。さっきのドラマがまだつづいている。ヒロインの女の子が、脇役の女の子の恋の悩みを聞いてやっている場面だった。半年後にお互いの立場が逆転しているとは、二人とも夢にも思っていないだろう。

ヒロインが笑う。脇役の子は「あたし、本気なんだからねえ」と頬をふくらませる。

「ほら、やっぱ、ブスじゃん、あいつ」

食器を片づけながら、広樹は言った。

風呂からあがると、リビングの明かりは消えていた。十時半。いつもなら、美代子はまだニュースかサスペンスドラマを観ている時間だった。

廊下の灯が漏れるだけの薄暗いリビングで、しばらく一人で過ごした。ソファーに座り、腕組みをして目をつぶる。これからのことをじっと考えているのに、浮かんでくるのは昔のことばかりだった。

僕たちはどこで間違ってしまったのだろう。夫婦喧嘩はときどきあった。それでも、別れようという話になるほどのいさかいはなかったはずだ。とりたてて立派な夫ではなかったし、ひとに自慢するほどの妻でもなかったが、僕たちはずっと幸せな夫婦でいたはずだった。

ゆっくりと目を開けた。組んでいた腕をほどいた。

どうする——自分に訊いた。

壊れた夫婦の関係を、僕はもう一度やり直したいのか。それとも、夫婦として過ごす日々が終わったことを告げたいのか。

決められないまま、リビングを出た。

寝室と廊下を挟んで向かい合う広樹の部屋のドアをノックして、戸口から顔だけ覗かせた。机に向かっていた広樹に「風邪ひくなよ」と声をかけ、親子三人でずうっとやってきたんだよなあ、と漏れかけたため息を喉の奥でこらえて、ドアを閉める。

咳払いをひとつ。深呼吸を二度。二度目の深呼吸は、ため息になった。

未来は変えられない。たとえ明日になっても僕がまだこの世界にいて、すぐに離婚の手続きを取ろうとしても、また——引っ越しの話と同じように、どうしようもないトラブルに邪魔されてしまうだろう。

ほんものの現実を生きる僕は、秋の初めに離婚の話を切りだされるまで、美代子の裏切りに気づかない。間抜けな男だ。哀れな男だ。そんな男にバトンを渡して未来を託さなければならない僕は、もっと間が抜けた存在で、もっともっと哀れな男だった。

寝室のドアを開けた。部屋の明かりは消えている。二つ並べたベッドの間に置いたナイトテーブルのスタンドだけ灯して、美代子は壁のほうを向いて寝ていた。

僕は自分のベッドに腰を下ろし、布団を顎のあたりまで掛けた美代子を見つめる。

「さっきの話なんだけど……」

「疲れてるのよ、あなた」――くぐもった低い声で、美代子は言った。

「知ってるんだ、俺はぜんぶ」

「だから、そんなこと言うのが、疲れてるっていうこと。広樹の受験のことだって、めちゃくちゃじゃない」

「こっち向いてくれ」

「……まぶしいから」

スタンドのスイッチを切った。部屋は闇に包まれる。そのほうが話しやすい。

「離婚したいのか、俺と」

「ねえ、もう寝て」

「離婚してもいいっていう覚悟で、男と会ってるんだろ？　違うのか？」

返事はない。ため息をつく気配がしたが、反応はそれだけだった。

僕もため息をついた。まだ、目が闇に慣れていない。瞬くと、瞼に残ったスタンドの光がにじむ。美代子の居場所を見失った。闇の色がほんのわずか淡くなったあたりを見つめても、自信が持てない。

「心配しないでいいからな」

薄笑いが浮かんだ。むなしさも、悲しさも、悔しさも、怒りさえも、すべて僕の内側にあるんだと気づいた。

「俺のほうから『出ていけ』とか『離婚する』とか、そんなのは言わない。テレクラの話も、明日の朝か、あさってか、はっきりとはわからないけど、もうすぐ忘れる。忘れたふりをするんじゃなくて、頭の中から消えちゃうんだよ、ぜんぶ……」

薄笑いの顔のまま、涙が頰を伝った。

「今夜だけだよ、おまえがいやな思いをするのは。あとちょっとの辛抱なんだ、もうすぐ俺は……なにも知らない俺になるから、おまえは、ずっと……俺をだましとおしていけるんだ……」

「明日、病院に行ってくれない？　お願いだから」

「聞いてくれ……信じなくていいから、聞いてほしいんだ……」

僕は泣きながら話した。僕たちがこれから生きていかなければならない未来の出来事を、ひとつずつ。広樹の受験のこと、いじめのこと、不登校のこと、家庭内暴力のこと、僕のリストラのこと、父のガンのこと、美代子が離婚の話を切りだすこと……そして、橋本さんのオデッセイに乗せられ、いま、やり直しの世界にいる僕について。

「ひどい未来だろ」手の甲で目を拭い、洟《はな》をすする。「でも、嘘じゃないんだ」

美代子はじっと押し黙っていた。掛布団が動く気配もなかった。僕はベッドに仰向けに横たわり、瞼に残った涙を瞬きで外に流した。なぜだろう。いまはもう悲しくない。むなしさも感じない。それどころか、おだやかに満ち足りた気分がする。

「俺……死んじゃうんだろうな、秋に」

考えて言ったのではなかった。吐き出した息が、そのまま言葉になった。

「もう死んじゃってもいいと思ってたんだ。そんなときに橋本さんに会ったわけだから、やっぱり死んじゃうんだろうな」

ああ、そうだよな、これが俺の未来の果てなんだよな——すうっと胸に染《し》み込むように、自分の運命を受け容れられた。

息を吸って、吐く。言葉がまた、滑るように暗闇に流れ出ていく。

「感謝してるんだ、橋本さんには。後悔や思い残しを一つずつ教えてもらって、だからといって未来を変えていけるわけじゃないんだけど、橋本さんや健太くんとドライブするまでは、俺……ずっと、おろおろしたり愚痴ったりするだけだった。分かれ道がたくさんあったことにも気づかなくて、気づかないまま死んじゃうのって、つらいもんな」

暗闇が、ゆらり、と動いた。

僕はつづける。

「離婚するのなら、早いほうがいい」

リビングで迷っていたことの答えが、やっとわかった。家族の未来を守るために夫婦の未来を断ち切る——それも、あり、だ。

「俺はもうすぐ橋本さんの世界に戻らなきゃいけないんだ。今夜か、明日か、いつになるかわからないけど、ずっとここに残ることはできない。俺が消えたあとの俺は……未来のことなんて、なにも知らない。おまえの秘密も知らない。のんきな奴だろ？　秋になって初めて離婚の話を切りだされて、あわてふためくんだ」

思わず笑ってしまった。ほんとにおまえは間抜けな奴だったんだな。悪い奴じゃないけど、でもやっぱり、大事なことがなにもわかっていない奴だった。

「だから……」

言葉を切って、胸にこみ上げてくる熱いものを、そらした。

「おまえが未来を変えてくれ」

シーツの擦れる音が、かすかに聞こえた。「どんなふうに？」——少し遅れて、声も。

そうか、ここにいたのか。僕は腕を組んで枕にして、ようやくほの白く浮かんできた天井を見つめる。

「ヒロの受験の結果がわかったら、すぐに離婚してくれ。俺はびっくりして、判子なんか捺《お》さないって言うと思うけど、テレクラとか浮気の話なんてしなくていいから、とにかく、もう俺とは暮らしたくないって……ヒロと二人で出ていけばいいんだ。あいつもこの家にいなかったら二中に入らずにすむだろ。そうすれば、未来を変えられるんだ」

「……あなたは、それでいいの？」

「かまわない。どっちにしたって、秋には離婚したくなるんだから、おまえも」

「そう……なっちゃうんだね」

「だったら早いほうがいい。ヒロが暴れだして、おまえも家に帰らなくなって、俺たちみんなが壊れちゃう前に、おまえたちはここから出ていったほうがいいんだ」

自分の言葉を自分で聞いて、そうだよな、と確かめた。間違っていない。絶対に。

「それに、俺がリストラされてから離婚の話を持ち出しても、慰謝料や養育費もろくに取れないぞ。早めに離婚して……そうだ、三月に早期退職の話が出ると思うんだ。俺、まだあの会社でやっていけるんじゃないかと思って受けなかったんだけど、あそこで辞めてれば退職金五割増しだったんだ。俺に言ってやってくれよ、早期退職したほうがいい、って」

一息に言って、「頼んだぞ」と念を押した。「頼むから、無理かもしれないけど、でも、なんとかいまの話、覚えていてほしいんだ」とつづけた。美代子の返事はなかったが、沈黙は了解のしるしだ、と決めた。

すっきりした。気が楽になった。「思い残すことがない」というのは、こういう気分なのかもしれない。

しばらくして、美代子がぽつりと言った。

「信じてあげようか。いまの話、ぜんぶ」

なにも答えずにいたら、「湯島天神、明日ほんとうに行くの？」とつづけた。

「俺が、俺のままだったらな」

「行って、どうするの？」

「ヒロのために、なにかしてやりたいんだ。結果はわかってても、親として最後になにかしてやりたくて」

「わたしも行かなくちゃだめ？」

「いっしょに行きたい」

「……わたしが明日出かける理由、わかってるでしょ？」

「わかってる。その前でもいいし、後でもいい」

答えたあと、仰向けになったまま、顔だけ美代子のベッドに向けた。闇に慣れた目で、美代子のくるまった布団の輪郭をなぞる。いつそうしたのだろう、美代子は頭からすっぽり布団をかぶっていた。

「さっきみたいに、おまえを追い詰めるわけじゃないんだ」

「じゃあ、なんで？」

「うまく言えないけど、いっしょにいたい」

さっきよりさらに長い沈黙のあと、美代子は言った。

「待ち合わせ、午後だから」

僕は寝返りを打って、美代子に背中を向けた。「朝のうちにお参りしよう」とだけ言って目を閉じる。

明日も、この世界にいさせてほしい。誰に祈ればいいのかわからないまま、ただ祈った。丸一日とまでは望まない。僕と別れて男のもとへ向かう美代子の後ろ姿を見送るまで、でいい。すべてを知っていてなにもできない僕が消え去ると、なにも知らずなにもできない僕は会社の自分の席に座っているだろう。同僚とのんきに冗談でも言い交わしているかもしれない。

おやすみ。

美代子の声が聞こえた。

たぶん、気のせいだろう。

23

目覚めたとき、隣のベッドに美代子の姿はなかった。ぼんやりした頭でしばらく天井を見つめ、カーテンを透かす朝の光に目を何度か瞬いた。

「ヒロ、起きなさい。もう七時過ぎてるわよ」

廊下から、美代子の声が聞こえた。

いつもどおりの朝――いつもどおりなんだよな、なにも変わってないよな、とテストの検算をするように確かめた。

「今日ね、湯島天神にお参りして、お札とかお守りとかもらってくるから」「湯島天神って？」「勉強の神さまよ。ヒロが合格できますようにってお参りするの」「そんなので受かるんだったら誰も苦労しないって」「ひねくれたこと言わないの」

美代子と広樹が話す声は廊下を進んで、リビングと、寝室と壁を隔てたキッチンに分かれた。

「あれ？　お父さん、もう会社に行っちゃったの？」「今日は遅くていいんだって」「へえ、珍しいじゃん」「早くごはん食べなさい。遅れちゃうわよ」

僕はベッドに起き上がり、長く尾をひくため息をついた。だいじょうぶ。やり直しの世界だ、これは。僕はまだ、やり直すことができる。

でも——なにを？

美代子と広樹の会話は間遠になり、話す内容もテレビの情報番組を観ながらのとりとめのないものになった。広樹はあと三十分たらずで家を出ていくはずだ。夕方に学校から帰り、今日も塾がある。公園の東屋の陰には、もう行かないだろう、と信じたい。夕方まで、僕はこの世界にとどまっていられるだろうか。夜になっても、僕は、この僕のままでいられるだろうか。わからない。広樹ともっと話したい。僕が家族の未来を知っているうちに伝えておきたい。

だから——なにを？

ハンガーに掛けたジャケットのポケットで携帯電話が鳴った。

「おじさん、やった！　僕、まだ帰らなくていいみたい！」

健太くんだった。はずんだ声で、ほんとうに嬉《うれ》しそうに「寝ちゃったらアウトかなあって思ってたんだけど、ちゃーんといるもんね、ここに」と言う。

「チュウさんもいるのか？」

「うん、だいじょうぶ。さっき起きたところ」

健太くんは最初の勢いのまま、ゆうべからのことを話してくれた。

僕と別れたあと、新宿に向かう電車を途中下車して『ユニクロ』に寄ったのだという。大人用のMサイズのフリースジャケットを買った。「パパにお土産にするんだ」と言っていた、健太くんとお揃いのライトグレー。

ゲームショップにも寄った。知らないゲームばかりだった。「チュウさんが好きなもの一つ買っていいって言ったんだけど、新しいのってよくわからないし、やめといたの」──チュウさん、ひとの金で格好つけたな、と笑った。

チュウさんは西新宿の超高層ビル街やホテルの内装に、呆然としていたらしい。二十五年前の田舎町《いなかまち》の感覚では、あのあたりは外国というよりSF映画のようなものだろう。

「僕もこんなゴーカなホテルって初めてなんだけど、チュウさん、もう、笑っちゃうよ。夜景が怖くて、なんか落っこちそうだって、ずーっとカーテン閉めてるの。そしたら、今度は窓が開かないから息が詰まるとか、ベッドがふかふかしすぎるとか、お風呂が狭いとか、文句ばっかか」

「晩飯はなに食べたんだ?」

「中華料理。ホテルの中にあるんだけど、すごいんだよ、すごく高級っぽいの」

「ああ、知ってる」

「僕ね、北京ダックっての一回食べてみたかったのね、あとフカヒレも。でも、チュウさん、メニュー見たら、なんか急にビビっちゃって、五目焼きそば二つなの。デザートも付けてくれなかったんだよ」

革表紙の分厚いメニューを憮然として閉じるチュウさんの姿が目に浮かび、ふるさとの町の中華料理店でお大尽のように振る舞っていた父が、そこに重なる。

電話の向こうで、「よけいなこと言うな、アホ」とチュウさんの声がした。「子どものうちから贅沢《ぜいたく》したら、ろくなおとなになれんのじゃ」

受話器から顔を離したのだろう、健太くんは少し遠い声で「仏壇のお供え物をけちったらバチがあたるって、田舎のおばあちゃん言ってたけど」と言い返した。よく考えたらぞっとして、もっとよく考えたら悲しくなる言葉だった。

「それでね、なんでいま電話したかっていうと、僕とチュウさん、いまから出かけちゃうから、おじさんがホテルに電話して、僕らがいないと心配するでしょ、だから」

「どこに行くんだ？」

健太くんは、えへへっ、と思わせぶりに笑って、「会いたいひとがいるんだよね」と言った。「誰だと思う？」

考えを巡らせる間もなく、ああそうか、と見当がついた。笑った。なるほどな、そうだよな、と納得して、答えを言ってやろうとした、その瞬間――頬がこわばった。背筋を冷たいものが走って、喉の奥が詰まる。

「わかんない？　おじさん」

「……ああ」

「ママに決まってんじゃーん！」

甲高い声をさらに張り上げた。

僕は携帯電話を握りしめる。

「最初はぜんぜん思いつかなかったのね、そしたら、さっき起きたら、いきなりチュウさんが言うわけ、ママに会いたくないかって。だよね、ほんとそうだよね、せっかく戻ってきたのにママに会わないなんて、バカだよねえ」

チュウさん——あんたは、よけいなことしか言わない。

「ママ、ぜーったいにびっくりするよね、泣いちゃって、カンドーしちゃうよね、ね？ね？」

まくしたてるようにつづけた健太くんは、あとはもう言葉にするのももどかしそうに、「うわーい！ ひゃっほーい！」と歓声をあげる。

僕は唇をわななかせた。詰まったままの喉から声を絞り出そうと、低くうめいた。

健太くんは忘れている。健太くんは小学二年生のままでも、こっちの世界では時間は止まっていない。街も変わった。ゲームショップの棚に並ぶゲームも入れ替わった。健太くんの母親だって、もしかしたら……。

「じゃあ、あとでカンドーの再会シーン教えてあげるからね」

電話はそのまま切れてしまった。すぐに携帯電話を耳からはずし、ホテルの番号を画面に呼び出したが、「もう行くの？」――美代子の声が聞こえ、通話ボタンを押しかけていた親指が反射的に浮いた。

「学校の宿題、朝の会の前に教室でやっちゃうから」「受験前ぐらい、先生も宿題減らしてくれればいいのにね」「しょうがないじゃん、みんな受験するわけじゃないんだし」「物わかりいいじゃない」「お父さん、まだ寝てるのかなあ」「さっき携帯電話の音が聞こえてたけどね。『行ってきます』だけでも言っとけば？」「うん、でも、いいや。行ってきます」

リビングのドアが開き、広樹の足音はすたすたと廊下を進む。僕は携帯電話をベッドに置き、健太くんのことを急いで頭から振り払った。よけいなことは考えるな、と自分に命じた。広樹に会えるのは、これが最後になるかもしれない。今度会うときの僕は、坂道を転げ落ちるような未来に、ただおろおろするだけの父親に戻っているだろう。

勢い込んで部屋から出た。玄関で靴を履《は》いていた広樹は、少し驚いた顔で「おはよう」と言った。「宿題、学校でやるから、もう行っちゃうね」

「ヒロ……」

「なに？」

「お父さんな……ずっと、おまえのお父さんだからな」

「はあ？」広樹は照れくさそうに、斜めに掛けたショルダーバッグの肩当ての位置をずらした。「どうしたの？」

僕はたぶん、途方に暮れた顔をしていただろう。なにを伝えればいいのかわからないのに、なにかを伝えたいという思いだけが、ここに、こんなに、どうしようもなく、ある。

「じゃあ、行ってきます」

ドアが開くと、外の冷気がかすかな風になって玄関に流れ込んできた。

通路に出た広樹は、忘れ物を思いだしたようなそぶりで僕を振り向いた。

がんばるからね。

口の動きだけで言って、せいいっぱいの笑みを浮かべて、ドアが静かに閉まる。

僕は裸足《はだし》で広樹を追いかけた。なにも考えず、迷いもためらいもなく、広樹の背中から両手を回した。

信じてる――。

言葉では伝えられないから、頭のてっぺんに頬ずりするように広樹を抱いた。強く、深く、抱きしめた。

僕は未来を知っている。未来が変わらないことも覚悟している。

それでも――信じる。僕は、僕の息子が信じる未来を、信じる。息子が未来を信じていることを、信じる。

腕を離すと、広樹は大袈裟なしぐさで足元をふらつかせ、「あー、びっくりした」と言った。

「わけわかんないことしないでよ、あー、マジ、ビビった」

「悪い悪い」と僕は笑って、もう行けよ、と手を振った。

広樹は少し決まり悪そうにうつむいて、エレベータホールに向かって駆けだした。

やっとわかった。信じることや夢見ることは、未来を持っているひとだけの特権だった。信じていたものに裏切られたり、夢が破れたりすることすら、未来を断ち切られたひとから見れば、それは間違いなく幸福なのだった。

家に戻って、ベッドに置いたままの携帯電話をジャケットのポケットに戻した。

健太くんが母親に会えるよう願った。手助けをしてやってくれ、とチュウさんに頼んだ。

失くしたはずの未来を取り戻せばいい。たとえどんな未来であろうと――チュウさん、そこから先は、あんたにまかせた。

美代子はリビングのソファーに座って、ぼんやりと虚空を見つめていた。僕に気づくと肩を落として息をつき、「朝ごはん、悪いけど適当に食べてくれない？」と力のない声で言う。

「コーヒーいれるけど、飲むか?」

「……いらない」

僕は食卓に置いたままの広樹の朝食の皿から、食べ残しのみかんを一切れつまんで、口に放り込んだ。

「受験のこと、ヒロに言わないでくれたんだな。助かったよ、ありがとう」

「あなたの話……まだ、ぜんぶ信じてるわけじゃないから」

「信じなくてもいいよ、受験のことは。でも、引っ越すことは考えといてくれ。それだけ、覚えててくれればいいから」

美代子は黙ってうなずいて、胸の中をからっぽにするぐらい深いため息をついた。

僕はキッチンに入り、ドリッパーにペーパーフィルターとコーヒーの粉をセットした。うんと苦いコーヒーを飲みたい。いつものカップ一杯分よりも粉の量を多くして、ポットのお湯を注いだ。

「コーヒーを飲んだら、俺はもう、いつでも出かけられるから」

「うん……」

「午後から会う奴って、どんな男なんだ?」

「わからない。初めて会うひとだから」

「若いのか」

「声はね。でも、そういうのって、会ってみないとわからないし」

「何人目になる?」

返事はなかった。

「心配いらないって。俺はもうすぐいなくなるんだから。今度おまえが会う俺は、なんにも知らない俺なんだから」

ドリッパーからコーヒーがゆっくりと滴り落ちる。香りがたちのぼる。

「……数えきれない」

美代子はぽつりと言って、「ごめんね」と付け加えた。


都心に向かう電車の中では、会話らしい会話はなかった。深くうつむいた美代子を見ていると、やはり最後まで黙っていたほうがよかっただろうか、という後悔が湧いてくる。どうせ明日になれば、なにも知らない僕に戻ってしまうのだ。未来のことも、美代子の嘘も、広樹の秘密も、なにもわからない僕が、あたふたと、じたばたと、日々を送っていく。

美代子に「おまえの嘘はもうばれてるんだ」と告げて、それがなんになる? 落ちるとわかっている入試に臨む広樹に「がんばれよ」と声をかけて、それがなんになる?

新宿で私鉄からJRに乗り換えた。駅の地下通路は、あいかわらずのにぎわいだった。若い連中が携帯電話でメールをやり取りしながら横に広がって歩き、サラリーマンは時間を気にして足早に通る。外国人もいる。幼い子ども連れもいる。通路の隅に段ボールを敷いて寝ころがるひとも、世界の平和を一心に祈るひとも。

いつもの風景だ。僕は昨日までこの風景の中にいて、明日からもこの風景に溶け込んで生きる。だが、今日は——。

「なあ、美代子」

歩きながら言った。

美代子は黙って、顔を少しだけ持ち上げた。

「俺みたいな奴って、他にもたくさんいるのかなあ」

返事はなかった。

「もしかしたら、人間ってみんな、死んじゃう前にやり直しの世界に戻るのかな……」

だとすれば、いま地下通路を行き交うひとの中にも、僕と同じように現実をやり直しているひとがいるのかもしれない。未来を知っているのになにもできず、途方に暮れているひとだって。

そんなことを思ってすれ違うひとたちを眺めると、誰もが寂しそうに見える。髪を染めた少女の笑顔も、着ぶくれして歩くおばさんたちのおしゃべりの声も、寒いのに半袖のカットソーを着た少年がこれ見よがしにさらす二の腕のタトゥーも、みんな、寂しい。

予知能力や予言といったものは、やり直しの世界に戻ってきたひとの話なのだろうか。ほんの数日だけ驚くべき予知能力を発揮して、ぱったりとその力を失ってしまう、そんな話も聞いたことがある。だが、予言者の中に、幸せな人生を送ったひとなど、いただろうか――？

ＪＲ中央線のホームに出る階段を上りながら、受け答えにしては長すぎる間をおいて、美代子がぽつりと言った。

「あなたが元に戻れば、ゆうべや今日のこと、わたしもぜんぶ忘れちゃうんだよね」

「ぜんぶかどうかはわからないけど……たぶん、ぜんぶ」

なんなのそれ、と美代子は笑う。僕も苦笑して、「でもさ」とつづけた。たとえばデジャ・ブや、昔どこかで会ったような気のするひとに会うことは、誰かのやり直しの現実に付き合った痕跡なのかもしれない。星座のような記憶の回路からぽつんとはずれた、そんな記憶を、もしかしたら、僕たちはたくさん持っているのかもしれない。

「頭、こんがらかっちゃいそう」と美代子はため息をついた。

だいじょうぶ。僕は声に出さずに返す。美代子の頭を混乱させないように、あやふやな記憶の痕跡に頼らないでもすむように、手を打っておいた。

明け方、まだ美代子や広樹が眠っているうちに、リビングで8ミリビデオを撮影したのだった。自分を映した。「信じられないかもしれないけど」と前置きして、これから我が家に訪れるさまざまな不幸せについて話し、「まだ間に合う、いまなら間に合うか ら、なんとか未来を変えてくれ」とメッセージを締めくくった。同じ内容を便箋《びんせん》にも書いておいた。

やり直しの現実のなかで美代子と広樹がそれを見ても、記憶には残らない。僕がこの世界から消え、ほんものの現実がまた流れだしてから、にしないとだめだ。ビデオテープをラックにしまって、便箋は状差しに入れた。リビングに掛かったリング式のカレンダーをめくって、三月のページに〈8ミリビデオのラックと状差しを見るように。手紙とビデオ、ビデオには『メッセージ』とタイトルあり〉と書き込んだ。うまくいくという確信はなくても、できるかぎりのことはしておきたかった。

もしも現実が変われば、僕は死なずにすむだろうか。僕が死ぬのと引き替えに、現実を変えられるのだろうか。よくわからないまま、カレンダーの十二月のページに、小さく書いた。――〈美代子と広樹に出会えてよかったです〉

階段を上りきってホームに出た。ちょうど東京行きの電車が入ってきたところだったが、美代子は急ごうとせず、ドアのほうにも向かわなかった。僕は空いていたベンチを見つけ、美代子をうながして、並んで座る。

「ぜんぶ、忘れちゃうのか……」美代子は言った。「いまのあなたが、ずっとこっちの世界にいるっていうのは無理なの？」

「無理なんだよ。いまの俺も、いまのおまえも、消えてなくなるんだ」

僕はそれを、寂しさとともに言った。だが、美代子は逆に、ほっとしたようにうなずいて、「離婚かあ……わたし、すごいこと言いだすんだなあ……」と笑う。

「いまの時点だと、ぜんぜん考えられない？」

「いまはね。でも、そうなっちゃいそうな気もしてる」

美代子は「なんか、他人事みたいに言うと、言いやすいね」と苦笑して、発車のチャイムをやり過ごし、電車が走り去るのを待って、つづけた。

「たぶんね、離婚って、わたしが耐えられなくなったんだと思うよ。昼間はあんなことやってて、夜は知らん顔して、あなたとかヒロに会うっていうのが。良心の呵責《かしゃく》っていうか、罪の意識っていうか、このままだと頭が変になっちゃうと思ったんじゃない？」

「……俺と暮らしたくない、じゃなかったよ。俺と暮らせない、って言ったんだ、おまえは」

「そうでしょ、うん、わかる、暮らせないもん。わたしそこまで図太くないし、なんていうか、あなたのことが嫌いになったとか、そんなのじゃぜんぜんなくて……」

「でも、裏切るんだ」

美代子は一瞬口ごもったが、僕のその言葉も、自分自身のやってきたことも、すべて受け容れるように、こっくりとうなずいた。

「自分でもどうしようもないって感じなの。病気かもしれない。中毒とか依存症とか……すっごく恥ずかしいこと言ってるんだけど、そういうのって、相手があなたじゃだめなの」

胸に溜まったものを一気に吐き出しているのだろう。相槌すら挟ませずに、美代子はつづける。

「ときどき、我慢できなくなるの。欲しくなるの、あなたじゃないひとが。わたしじゃないわたしになるっていうか、ほら、あなたのこととか、ヒロのこととか、ぜんぶ捨てちゃって。家に帰ったら、拾い直すの。それがいいの。すっきりするの、いまのうちはね。秋になったら、そういうのがキツくなっちゃうんだと思うけど」

「自殺しちゃうかもしれない、って言ってた」

「だよね、そうなるよね……」

「秋になると、朝まで帰らない日も増えるんだ」

「ごめん……ほんと、すごく、ごめん」

「俺のどんなところが、だめだったんだろうな」

僕も他人事のように言ってみた。ほんとうだ。楽に言える。さらりと言えて、苦笑いさえ浮かんで、引き替えに、少し寂しくなる。

「夫だから……だと、思う」

美代子は言葉を自分で嚙みしめるように言って、それをごくんと吞み込んで、「ごめん」と笑う。「めちゃくちゃなこと言ってる」

「いいんだよ、どうせ忘れちゃうんだから」

「そうだよね、消えちゃうんだよね」

「ああ……」

「毎日、ずっとそうだったら、よかったかもしれない」

「俺たちが？」

「そう。明日になれば消えちゃうようなのって、いいと思わない？」

よくわからない。ただ、俺は明日になっても消えないものを求めてきたんだろうな、とは認めた。それを幸せと呼んでいたんだろうな、とも。

美代子の横顔を見た。「すっごく恥ずかしいこと」を打ち明けたせいか頰が少し上気して、それでもすっきりした様子で……きれいだ、と思う。そして、僕はやはり、その横顔が明日になっても消えない毎日を幸せと呼ぶタイプの男なのだろう。

「ねえ、もう一回だけ訊くけど、あなたは、ほんとうに十一月に死んじゃうの？」

「ああ、たぶん」

「死んじゃう、のかあ……嘘みたい」

「だから、離婚なんか言いださなくてもいいんだよ。外泊はまずいけど、あとはうまくごまかして、俺をだましつづけてたら、そのままで終わるんだ」

「そんなこと言われたって、忘れちゃうんだから」

「もしも覚えてれば、でいいよ」

「死ぬのって、怖くない？」

みんな同じことを訊く——僕も含めて。

答える代わりに、逆に「俺が死ぬのって、悲しい？」と訊いてみた。美代子は少し考えて、小さな声でなにか言った。ホームのざわめきに紛れて、僕の耳には届かなかった。それでいい。答えを聞きたかったわけではない。

「広樹のこと、頼んだからな。うまく言えないし、なんかキザな、格好つけた言い方になるんだけどさ……」

電車の到着を告げるアナウンスが、つづく言葉を消した。

幸せになれよ。

聞かれなくてよかった。キザな言葉だった、ほんとうに。そして、なんとなく無責任な言葉でもある。

電車がホームに滑り込んできた。

美代子は黙って、僕と手をつないだ。


明日になれば、すべては消え去ってしまう。僕たちは御茶ノ水まで乗った中央線の車内で、ずっと手をつないでいた。御茶ノ水から湯島天神へ向かうタクシーの中でも、手を離さなかった。僕はそれを思い出に残すことすらできない。美代子も、たぶん。

湯島天神でおみくじをひいた。僕は「吉」、美代子は「末吉」。二人で境内の木の枝に結わえた。

美代子は「これもやってみない？」と『恋みくじ』をひいた。今度は、二人とも「中吉」だった。

〈神様から授かった運命によって巡りあった二人です　愛があるなら恋の明かりを灯しましょう　二人の愛は今から始まるのです　末長く身を寄せ合う日が来るでしょう　健康に注意〉――これが、僕。

〈孤独の思いに泣かないで待ちなさい　思いがけずよい人が現れます　至福の時が待っています　お祈りすれば神様の御手に導かれ愛し合う好機が訪れます　徒に心身共に傷つけないで愛を告げる日を待ちなさい〉――これが、美代子。

二人でおみくじを交換し、相手の文面を読んで、お互いに少し困った顔で笑った。

きっと、明日からの僕は、今日の僕に気づくことなく、毎日を忙しく過ごす。お賽銭《さいせん》を十円ずつあげて、二人並んでお参りをした。僕は美代子と広樹の幸せを祈り、美代子は笑うだけで、なにを祈ったかは教えてはくれなかった。

僕はもう、この僕には戻れない。

絵馬とお札を買った。絵馬の〈合格祈願　永田広樹〉は僕が書き、絵馬に付いていたサインペンを渡すと、美代子はその下に志望校の名前を三つ書いた。

美代子から、もう一度ペンを受け取って――〈がんばれ！〉としか書けなかった。もっとぴったりくる言葉は他にありそうな気もしたが、絵馬を見た美代子は、満足そうに微笑んでうなずいてくれた。

けれど、僕はきっと、彼女のその笑顔も記憶には残せない。

絵馬を結わえると、やるべきことはすべて終わった。伝えたいことは伝えたし、断ち切るものは断ち切った。

美代子を振り向いた。もう行っていいぞ、俺はここで見送るから、と言った。

美代子は黙って、小さくかぶりを振った。僕のジャケットの袖を取り、あそこ、というふうに斜め上に顎を振った。

境内を見下ろすような格好で、ラブホテルのビルが建っていた。

美代子は顔の向きを元に戻した。僕を見つめる目が、潤《うる》んで、光っていた。なまめかしく、寂しそうな瞳だった。

美代子は服をすべて脱ぎ捨てて、僕の前に立つ。僕が望んだ。美代子は少しためらいながらも受け容れてくれた。

床に膝をついて、美代子の股間の茂みをそっと手で撫でる。抱きしめる前に、いや、いっそ抱かなくてもかまわない、美代子の裸体を目に焼きつけておきたかった。白い肌、黒々とした茂み、若い頃より円みを帯びて、乳房や尻が重たげに垂れ下がっている――これが、僕の妻の体だ。僕が誰よりも愛していたつもりで、誰よりも愛されていたつもりの、女だ。

膝をついたまま美代子の腰に両手をまわし、やわらかい下腹に頬ずりをした。

「ほんとうに、今日のことは思いだせなくなるの？」

「ああ……」

答えて、舌を下腹に這わせた。

「今日のわたしも……いなくなっちゃうわけ、よね」

僕は答える代わりに、腰にまわした手をほどき、指先で美代子の尻の割れ目をなぞった。美代子はびくっと腰を引き、吐息を漏らして、揃えていた両脚を少し開いた。

「……嫌いだった、わけじゃないの、あなたのこと」

濡れていた。

「でもね……」とつづけかけた声は、裏返った短い悲鳴に変わった。熱かった。舌と指で、前と後ろから、それを確かめた。美代子は自分から股間を僕の顔に押しつけて、左右に振った。

みだらな女――でいい。

喪服を着たまま、犯されるように男に抱かれるのが好きな女――でかまわない。

僕は美代子をベッドに押し倒す。美代子の手が、枕の下をまさぐる。

「……こういうの、使うの、外では……」

黒いローターのスイッチが入る。美代子はそれをしゃぶった。あえぎながら、泣きながら、ローターを自分で自分の股間に導いた。

僕も泣きながら美代子を抱いた。指と舌で、全身を激しく愛撫した。

母親でも妻でもない、一人の女になって身もだえる美代子を、たまらなく美しい、と感じた。踏みにじって、粉々に砕いてしまいたいほど、彼女は美しかった。砕いたかけらを拾い集めたら、誰にも触れさせないよう守りたい。

途中で、射精した。セックスを覚えたばかりの少年のように、美代子の脇腹に触れた、それだけの刺激で、ペニスはぴくぴくと跳ねてしまった。

美代子は「やだぁ」と笑って、僕の太股の内側を汚した精液をていねいに舐め取った。

まだ萎えていない。美代子の性器も熱く火照っている。僕はうめきながら美代子にのしかかり、美代子は両手と両脚を大きく広げて僕を迎え入れる。

あと小一時間もすれば別の場所で別の男に抱かれる美代子を、僕は抱く。

明日になれば消え去ってしまう僕に、美代子は抱かれる。

今日だけしかいない僕たちは、たとえば今日死んだら、どこに行ってしまうのだろう。

美代子の体を貫くように腰を振りながら、僕は両手で彼女の首を軽く絞める。美代子は拒まなかった。薄目を開け、微笑みを浮かべて、泣いていた。

それを確かめて、僕は両手を首から離した。

「……そんなこと、するわけないだろ」

つぶやいて、腰をさらに大きく振りながら、僕はまた新しい涙を流したのだった。

24

暗闇を背負った窓ガラスに、オレンジ色の小さな炎が映り込んだ。チュウさんが擦ったマッチの火だった。ほどなく、煙草の煙が鼻先をかすめる。閉めきった車の中でも煙草を吸うひとなんだよなあと苦笑して、ようやく、自分がオデッセイのドライブに戻ったのだと気づいた。

僕はドアにもたれていた体を起こし、目をゆっくりと瞬く。

「お疲れさまでした」

運転席から橋本さんが言った。

「ああ……どうも……」

声がかすれた。喉がいがらっぽい。風邪のひきはじめのような——車内はずいぶん冷え込んでいた。

咳払いで喉の調子を整えて、チュウさんに言った。

「先に帰ってたんだね」

チュウさんは煙草をくわえたまま「おう」と答えた。ぶっきらぼうで、なにか怒っているような声だった。橋本さんも一声かけてきたきり、話をつづけそうな気配はない。僕の様子をルームミラーで見ているわけでもなさそうだ。なにより、いつもは僕の帰りを待ちわびていたように話しかけてくる健太くんの声が、まだ聞こえない。

怪訝に思って助手席を覗き込んだ。ハーフパンツを穿《は》いた脚が見える。だが、肝心の顔は、シートに深くもたれかかっているせいで、ここからではわからない。

静かすぎる。ずしんと沈み込んでしまうような重い沈黙だった。

「チュウさん……」

「うん？」

チュウさんのほうに体を倒して口を近づけ、声をひそめて「行ってきたの？」と訊いた。

煙草の煙だけが返ってくる。意味が通じなかったのだろうか、と助手席の様子を目で確かめてからつづけた。

「ほら、健太くんの……」

「もうええ」

「え？」

「黙っとれ、おまえは」

憮然としたチュウさんの顔と声にけおされて、僕は体を元に戻し、あらためて助手席に目をやった。健太くんは黙ったままで、脚も動かない。いまのやり取りは耳に届かなかったのか。それとも、聞こえないふりをしているのだろうか。

橋本さんが、ぽつりと言った。

「永田さん……って息子さんのほうですけど、いかがでしたか、やり直しの現実は。後悔することが少しは減りました？」

「ええ……もう、ぜんぶ」

美代子と広樹の顔が浮かぶ。二人とも僕を見て笑っている。それだけでいいんだ、といまは思う。

「そうですか」橋本さんもやっとルームミラーで僕を見て、頬をゆるめた。「すっきりした顔してますものね」

でしょうね、と僕は笑う。湯島のホテルで美代子を抱いたあと眠りに落ちたときの、温かいものに包み込まれるような安らぎは、いまもまだ全身に残っている。ストロボのように明滅していた美代子への怒りや裏切られた悲しさも、最後には消えた。許した——とは思わない。ただ、受け容れた。僕の前で見せていた笑顔だけでなく、見知らぬ男たちにさらす媚態《びたい》も、鼻にかかったあえぎ声も、まるごと美代子なのだと認めた。

湯島天神に向かったときと同じように、手をつないで眠った。指をからめあうのがこんなにも心地よいことなのだと、三十八年も生きてきたのに、いままで知らなかった。美代子の指はこんなに細かったんだな、と夢うつつのなかで思った。それが、最後の記憶だった。

「やり直せてよかった。ほんとうに、そう思います」

自分の言葉に照れてしまわないうちに、「ありがとうございます」と頭を下げた。

橋本さんはハンドルを握ったまま肩を軽くすくめ、「でも」と返した。「現実はなにも変わらなかったでしょう？」

「ええ、変わりません」

「申し訳ないけど、そこは私たちにもどうにもならないんですよ」

「わかってます」

「現実はね、思いどおりにならないから……だから、現実なんですよね」

橋本さんはそう言って、ちらりと健太くんを見た。返事はなかったが、洟《はな》をすする音が聞こえる。チュウさんの吐く煙草の煙が濃くなった。勢いをつけて、ため息とともに吐き出したのだった。

悪い予感がした。やり直しの現実で健太くんからの電話を受けたときの、居ても立ってもいられないようなもどかしさがよみがえる。

健太くんは張り切っていた。はしゃいでいた。お母さんとの再会をほんとうに楽しみにして、わくわくする胸の高鳴りをそのまま声に乗せて、「あとでカンドーの再会シーン教えてあげるからね」と僕に約束してくれたのだ。

「のう、健太」

チュウさんが言った。「男の子なんじゃろうが、いつまでもうじうじするな」と強い口調でつづけて、不機嫌をあらわに脚を組み替える。

「うっさい！」

甲高い声で、健太くんは言い返す。「うっさい！　うっさい！　関係ないんだから黙っててよ！」——泣きだしそうな声になった。

「アホウ、こげなことで男が泣いてどげんするんな」

「うっさい！　うっさい！　うっさい！」

「……ほんまに道理のわからん奴じゃのう、こんなんも」

僕は目をつぶる。予感は、どうやら的中してしまったらしい。

橋本さんは車のスピードを少しゆるめた。

「ちょっと休みましょうか」

「なんじゃ、この車、途中で停まることもできるんか」

「できるんですよ」

なにか含むもののありそうな口調で答えた橋本さんは、上体を軽く伸ばして前方の暗闇を見渡して、ああそうか、というふうに笑った。なるほどねえ、というふうにもうなずいた。

「お父さんのほうの永田さん……って、ややこしいですね。チュウさんって呼んでもいいですか、私も」

「好きにせえ」

「チュウさん、いまからおもしろい場所にお連れしましょうか」

「はあ？　なに言うとるんな、わりゃ」

「サービスしなくていいじゃん」と健太くんが不服そうに言うと、橋本さんは「そんなのじゃないよ」と笑いながら、ブレーキペダルを踏み込んだ。

車は静かに停まる。

外は夜のままだったが、ものがぼんやりと見分けられる程度に闇は薄くなっていた。

背丈ほどの柱が、ゆったりとした間隔を空けて、たくさん立ち並んでいる。

車から降りると、砂利のようなものを踏む感触が伝わった。広い場所だ。高台でもある。遠くに見えるのは街の灯と、その先にぽつりぽつりと散っているのは――船の明りのようだ。

反対側のドアから降りたチュウさんが、先に気づいた。

「おい……ここ……」うわずった声で、橋本さんに言う。「墓と違うんか」

「そうです」

「……どこの」

「後ろを見ればわかりますよ」

チュウさんは言われたとおり振り返って、真後ろの、雛壇《ひなだん》になった墓所に向かって歩きだした。助手席に座ったままの健太くんを残して、僕と橋本さんもあとにつづく。暗さに目が慣れると、しだいに周囲の風景がはっきりしてきた。見覚えがある。確かに。

何度か来たことがある。間違いない。

目指す墓石は、周囲に比べると、人間でいうなら頭二つぐらい背が高かった。植え込みで区切られた墓所の広さも、両隣の倍近い。ようやく思い当たった。さっきの橋本さんのように、なるほどねえ、とうなずいた。

墓石に刻まれた文字が見てとれる距離に来て、チュウさんと僕たちは足を止める。

永田家累代之墓――。

「懐かしいでしょう。お父さんとお母さんが眠っていらっしゃるんですよね」

チュウさんは墓に向き合ったまま、なにも答えなかった。

「ああ、でも、あなたがこのお墓を建てるのは何年か先になるのかな」

たしか、そうだ。祖父の三十三回忌に合わせて墓を移したのだった。僕は高校生だった。チュウさんは――父はすでに金貸しの仕事を軌道に乗せて、悪い評判と引き替えに街の実力者にのし上がっていて、その頃はもう、僕が父に話しかけることはほとんどなかった。

「立派な墓だと思いますよ、素人目にも。石もいいのを使ってるんでしょうね」

チュウさんの返事はない。

「もうすぐ、あなたは、ここに入るんです」

少し間をおいて、チュウさんはうめくように「もうすぐいうて、いつな」と訊いた。

「わかりません、そこまでは。でも、近いうちです。一週間後かもしれないし、三日後かもしれません」

「……もったいつけるな」

「そんなつもりじゃないんですけどね。ただ、お墓のまわり、すごくきれいでしょ。枯れ葉が一枚も落ちてないし、墓石もぴかぴかに磨いてありますよね」

チュウさんが無言でうなずいたのを確かめて、橋本さんはつづけた。

「今日の昼間、あなたの会社の若いひとたちが二、三人で掃除をしたんです。総務部のひとでしょうね。市長さんもいらっしゃるお葬式で、お墓が汚れてたんじゃ、みっともないですから」

チュウさんの背中に向いていた橋本さんのまなざしは、ゆっくりと僕に移った。

「だから……ほんとうに、もうすぐ、なんです」

目配せと手振りで橋本さんにうながされ、僕はチュウさんのそばから離れた。車に戻るのだろうかと思ったら、先にたって歩く橋本さんは、逆に車から遠ざかる方角に足を進めた。「歩きながらのほうが話しやすいかな」とつぶやいて、よく晴れた星空を見上げる。

「健太のことですけどね、これで成仏できると思うんです、あいつも」

「お母さんに会えたんですか」

「正確には、会ってません。でも……もう、あいつはぜんぶわかっちゃったんです」

自宅のマンションは引き払われていた。チュウさんが隣近所に尋ねると、母親は二年前に再婚して、同じ沿線の郊外の街に引っ越したのだという。

チュウさんは、さすがにそのまま帰ろうとした。だが、健太くんは、どうしてもお母さんに会うんだと言って譲らなかった。たとえ再婚しても、ママの子どもが僕だっていうことは変わらないんだから――。

「彼女が最初のご主人と別れて、私と再婚したときも、健太はそう思っていたはずなんです。どんな奴がママのそばに来たって負けるもんか、って」

橋本さんは淡々とした口調で言って、「母親思いなんですよ、すごく」と寂しそうに笑った。「私になかなか馴染《なじ》んでくれなかったのも、しょうがないですよね」

チュウさんと健太くんは、母親の住む街に向かった。健太くんは、はやる気持ちを抑えきれずに電車の中でも足踏みをしていたのだという。

「生意気なことばかり言ってても、そういうところが子どもなんですよ。再婚までは覚悟のうちでも、その先はね……たぶん、ちらっと考えることすらなかったんだと思います」

駅からは住所のメモを頼りに住宅街を歩いた。途中に公園があった。なにげなくそっちに目をやった健太くんは、次の瞬間、歓声をあげて公園に駆け込んでいった。

「お母さんがいたんですか？」

「いました」

「……一人で？」

「砂場で、よちよち歩きの赤ちゃんと遊んでました」

お母さんは、健太くんには気づかなかった。

「健太はそのまま、走る向きを斜めに変えて、全力疾走ですよ、パーッと公園を突っ切って、向こう側の道路に出ちゃったんです。チュウさん、あわてて追いかけて、ずいぶん探し回ったらしいんです。迷惑かけちゃいました」

健太くんは泣かなかった。うつむいて、歯をくいしばり、肩を抱くチュウさんの手を振り払って、あてもなく黙々と歩きつづけた。四つ角をでたらめに曲がっているうちに街を一周するかたちになった。公園に戻ったときには、もうお母さんと赤ちゃんはいなかった。

「あいつ、砂場に走っていったんです。誰もいない砂場で、ちっちゃな子どもみたいに砂を両手で掘ったり、掌にすくって指の隙間から落としたりして……そのうちに、泣きだしちゃったんです」

橋本さんの口調は、健太くんが泣きだしたことにほっとして、それを喜んでいるようにも聞こえた。

僕も同じだ。泣いてくれてよかった、と思う。泣けばいい。悲しいんだと伝えてくれればいい。親にとってなによりもつらいのは、子どもが悲しんでいることではなく、子どもが悲しみを自分一人の小さな胸に抱え込んでいることなのだと、僕はやり直しの現実で知った。小石で穴を穿《うが》たれたペットボトルが教えてくれた。

「さんざん泣いたあとね、チュウさんに肩車してもらったらしいんです」

「肩車、ですか」

「ええ。慰めとか励ましとか、そんなことなんにも言わずに、黙って……まあ、無理やりだったらしいんですが、健太のこと肩車して、近くのバス停まで連れていってくれたんです」

バスに乗ると、健太くんはしゃくりあげながら、泣き疲れて眠ってしまった。その寝顔を見つめていたチュウさんも、すうっと引き入れられるように目を閉じて——オデッセイの車内に戻ったのだった。

「健太、手紙を書いてたんですよ。チュウさんと泊まったホテルの部屋でね、ママに会ったら帰るときに渡すんだ、って」

車に戻った健太くんは、泣きながらその手紙をくしゃくしゃに丸めて、フロントガラスにぶつけた。

「捨ててやったほうがいいんでしょうけどね、読んじゃうとね、やっぱり捨てられなくてね……」

橋本さんは、まだ皺《しわ》の残る手紙を見せてくれた。ホテルのネーム入りの便箋に、あまりうまくない字で書いてあった。

〈ママ　きょうは会えてうれしかったです。いつまでもおげん気でいてください。ぼくもげん気でがんばりますから、ぼくのことをけっしてわすれないでください。さようなら〉

ため息を呑み込んで、手紙を橋本さんに返した。

「『けっして』っていうところが生意気なんですよね、あいつ」

橋本さんは「ほんとに生意気なんだよなあ……」と、しょぼついた顔でつぶやきながら、便箋をていねいに細かく畳み直した。

気がつくと、僕たちは霊園のはずれまで来ていた。

「丘というより、このへんまで来ると、崖っぷちですね」と橋本さんは言って、街と海を眺め渡した。

僕の目は、かすかに見分けられる海岸線をたどって、父が入院している病院を探す。

「永田さん、やっぱりお父さんのこと、いまでも嫌いですか」

「ええ……」

「チュウさんは？」

少し考えて、「嫌いってわけじゃないです」と答えた。橋本さんが黙っていたので、さらに考えて、迷って、正しい答えかどうか自信はなかったが、「僕が親父のことを嫌いになるのは、そのあとですよ」と付け加えた。

「最後は？」

「……最後、って？」

「お父さんが亡くなるときは、どうなんでしょうね。やっぱり嫌いなままなんですかねえ」

わからない。

「嫌いなままで別れるのって、ちょっと寂しい気もしますけどね」——思っていたことを、先に言われてしまった。

あのへんだな、と病院の位置の見当をつけた。父はまだ意識不明の状態がつづいているのだろう。ほとんど機械の力だけで生きているはずだ。父の体から抜け出したチュウさんは、いま、自分が建てて、自分がやがて眠ることになる墓の前で、なにを思っているのだろう。

「永田さんには悪いんですけど」と前置きして、橋本さんは言った。

「私ね、チュウさんっていい父親だと思いますよ」

「そうですか？」

「少なくとも、健太のことは感謝してます。私があの場にいても、なにもしてやれないし、かえってよけいなこと言っちゃうだけですから。肩車なんてね、ほんと、考えつかなかったと思うんです」

「……親父、肩車が好きなんですよ。子どもの頃、外を歩くときは、手をつないでもらうより肩車してもらうことのほうが多かったんです」

「いいですよねえ、肩車って。なんかすごく、お父さんって感じがするじゃないですか。子どもを肩車するお母さんなんて、見たことないですもんね」

　言われてみれば、確かにそうだ。

「橋本さん、健太くんを肩車したことは……」

「ないんですよ。そこまで仲良くなる前に、事故っちゃいましたから。永田さんちはどうなんですか？」

「僕もあんまりやったことないんです。なんでだろうな、体も細いし、なにか自信がなかったのかな」

　苦笑交じりに首をかしげ、健太くんを肩車するチュウさんの後ろ姿を思い浮かべた。

　昔の——三十年以上も前の僕も、健太くんのように父に肩車されていたのだ。おんぶよりもずっと高くて広い視界が、気持ちよかった。しっかりつかまっていないと後ろ向きに落っこちてしまう危なっかしさも、逆に気持ちが引き締まって、少しおとなになった気分になれた。

いつだったっけ、小学校に上がるか上がらないかの頃だ、ふるさとの街に飛行船が来たときがあった。大空に浮かぶ飛行船を見上げるのに目の高さなどほとんど関係ないのに、僕は父にせがんで肩車をしてもらった。大きなクジラのような形の飛行船は、飛ぶというより滑るように、ふるさとの空を横切っていく。僕はそれを、父の肩の上から、いつまでも飽きることなく見つめていたのだった。

ああそうか、とつぶやきが漏れた。

「どうしました？」と橋本さんが訊いた。

「いや、あのね……ちょっと違ってたかもしれない、って」

「なにが違ってたんですか？」

「肩車のこと。親父が肩車を好きだったんじゃなくて、ほんとは、僕が肩車を好きだったんですよ」

そんなのどっちでもいいんですけどね、と苦笑いで紛らせた。

だが、橋本さんは僕に向き直って、真顔で言った。

「それ、チュウさんに話してあげたらいいんじゃないですか。きっと喜びますよ」

チュウさんの前に、橋本さん自身が嬉しそうな顔になって、「そろそろ戻りましょうか」と来た道を引き返して歩きだす。

「ほんとにチュウさんに話してあげたらいいと思いますよ、いまの話」

「ええ……」

「私も、健太に話します。母親も新しい暮らしを始めてるんですから、あいつだってね、あいつだって……このままじゃかわいそうですもんね。ちゃんと成仏して、生まれ変わって、今度は幸せにならなきゃ。ねえ、そうでしょう？」

橋本さんは僕を振り向いて、「子どもを幸せにしてやるのは、親の務めですものね」と笑った。

チュウさんは墓の正面の石段に腰を下ろして、煙草を吸っていた。僕に気づくと、急に煙たそうなしかめつらになった。

僕は御影石《みかげいし》を積み上げた雛壇に座った。なにを話していいかわからず、といって沈黙のままというのも気が重い。

「チュウさん、煙草、一本くれない？」

「……吸うんか？」

「マイルドセブンって、知らないよね、軽い煙草の、スーパーライトって、もっと軽いやつなんだけど」

チュウさんは黙って背広のポケットから煙草とマッチを取り出し、自分でも一本くわえて火を点けてから、箱ごと僕に手渡した。

エコーのオレンジ色の箱が、むしょうに懐かしい。安っぽい紙と印刷の、透明のセロファン紙すらないエコーの箱は、いつだってチュウさんの——父のそばにあった。マッチの硫黄《いおう》臭さに鼻をツンとさせて、生まれて初めてのエコーを吸った。思っていたよりずっと強い煙草だった。喉が灼《や》け、頭がくらくらして、首の後ろまで痛くなってきた。これは無理だな、とあきらめた。一口吸っただけで、あとは煙を吸い込まず、かたちだけくわえたり離したりした。

「チュウさんは、一日にどれくらい吸ってるんだっけ」

「二箱か……仕事の忙しいときは、三箱じゃの」

「ずっと、そのペースだったよ。最後までエコーのままで、入院するぎりぎりまでヘビースモーカーだった。お母さんや智子がいくら禁煙してくれって頼んでも、軽い煙草に変えるのもいやだって言い張ってたんだ」

「ほうか……」

「最初にできたガンは、肺ガンだったんだよ。もしも煙草をやめてたら、ひょっとしたらガンにならなかったかもしれない」

チュウさんはくわえ煙草で短く笑った。

「後悔してない？」

「なにをや」

「煙草をやめなかったこと」

チュウさんは、また短く笑った。アホか、と息だけの声でつぶやいて、煙草の煙を深く吸い込み、気持ちよさそうに吐き出した。

「わしは、なんも後悔しとりゃせんよ。欲しいだけ酒を呑んで、吸いたいだけ煙草を吸うて、思いどおりに仕事をして、会社を大きゅうして、こげな立派な墓まで建てて……後悔やら思い残すことやら、なーんもありゃあせん」

チュウさんに会えてよかった。おとなになった僕が、会えてよかった。子どもの頃にはわからなかったはずのチュウさんの強がりが、いま、はっきりと感じ取れる。

「僕のことは？」と訊いた。「僕のことはなにも後悔してない？」と重ねた。

「……なしてこげなアホな息子が生まれたかのう、いうての」

「生まれたんじゃないよ。育てたんだよ、チュウさんが」

「もっと男らしい息子にするはずじゃったんじゃがのう」

「失敗した？」

「……これから、ぎょうさん失敗するんじゃろうの、カズとの付き合い方を」

「失敗するよ。チュウさんのやることはぜんぶ僕から嫌われるし、僕のやることはぜんぶチュウさんを怒らせる」

僕は短くなったエコーをもう一口吸って、足元に捨てた。頭がくらくらして、喉が灼けて、首の後ろが痛む。

チュウさんは黙って、何度か小刻みにうなずいた。

「でも、最後にチュウさんに会えてよかった。さっきより、ほんのわずか心地よく。いまの僕と同い歳のお父さんに会えて、ほんとうに、よかったよ。嬉しかった」

チュウさんは舌打ちして、立ち上がった。照れくささも、僕はおとなだから、わかる。

「カズ、おまえのほうはどげなんか。美代子さんと広樹は、どげんなるんな」

「だいじょうぶだよ」

「だいじょうぶ、いうて……なんも解決しとらんのじゃろうが」

「解決はしなかったけど、もういいんだ」

僕は苦笑して、もうなにも言わない。

チュウさんも「まあ、ええわい」と、また舌打ちして、墓を振り向いた。

「わしは、なんも後悔しとらんど。失敗があろうとなかろうと、そげなもん知るか。わしは、一所懸命に生きたんじゃ。がんばって、がんばって、必死になって、生き抜いてきたんじゃ」

そうだったよね、と笑ってうなずいた。父の背中に笑顔を向けたことは、たぶん一度もなかったと思う。

チュウさんは僕に向き直って、「わし、思いだしたわ」と言った。「なんで三十八のわしがカズに会うとるんか、やっと、わかった」

僕がまだ幼い頃からずっと、父は、僕と同い歳の自分のことを思いだしていたのだという。小学一年生の僕を見て、その頃の自分を思いだし、六年生の僕を、同い歳の自分の記憶に重ね合わせてきた。

チュウさんは「どの歳で比べても、わしのほうがしっかりしとったがの」と短く笑い、「こげんひ弱な朋輩がわしのそばにおったら、世話が焼けてかなわんかったのう、思うとった」と足元の玉砂利《じゃり》を軽く蹴った。

そんな想像をずっとつづけていたのかもしれない、とチュウさんは言う。二十歳の僕を見て自分の二十歳の頃を思いだし、結婚した僕を見て同じ頃の自分を振り返って、親の人生とあまりにも隔たってしまった息子の人生に――「七分は怒って、三分は寂しがっとるような気がするよ、わし」。

父の寂しさは、僕にはわからなかった。いまも、わかったふりはしたくない。それがほんとうにわかるのは、広樹が僕の望まない人生を選んだときなのかもしれない。

「おそらく、六十三になっても、わしは同じように思うとるよ。くたばる前に、見舞いに来たカズを見て、わしの息子ももう三十八か思うて、わしの三十八の頃を思いだして……親子としてはいけんかったけど、朋輩じゃったらどげんじゃったじゃろう、いうて思うたんかもしれん」

だから、チュウさんはここに来た。僕に会いに来てくれた。

病院のベッドに横たわる父の、痩せて頰のこけた顔と、落ちくぼんだ目が浮かぶ。働き盛りだからしっかりやれ、と父は言っていたのだ。しわがれた細い声で、いつも、そう繰り返していたのだった。

「僕も、同じようなこと思ってたんだよ」

橋本さんのオデッセイに乗せられて間もない頃、だった。

「お父さんだったら、美代子や広樹のことを、どんなふうに解決するんだろうな、って。リストラのことや、親父がもうすぐ死んじゃうってことを、あのひとならどうするだろう、って」

ほんとうにチュウさんが言うように父もそう思っていたのなら、僕たちは初めて、同じものを見つめることができたのかもしれない。

「なんもできりゃせんよ、わしがカズでも」

チュウさんは怒ったように言って、また墓を振り向いた。

僕はチュウさんから目をそらし、遠くに停まったオデッセイを見つめた。ライトを消した車の中で、橋本さんは健太くんを説得しているのだろう。健太くんはそれを素直に受け容れるだろうか。うなずいてほしいような、ほしくないような……僕はきっと、橋本さんのことを、好きになっているのだろう。

「のう、カズ」

かすれた声で、チュウさんが言った。僕は目をそらしたまま、「なに？」と返す。

「わしの棺桶《かんおけ》、エコーも入れとけよ。お母ちゃんはどうせびいびい泣いて役に立たんけん、おまえに頼んだど」

「……カートンで入れとくよ」

「酒も忘れんなや。高い酒じゃのうてもええけん、ぎょうさん入れといてくれ」

「わかった。あとは？」

「あとは……もうええわ、なんもいらん」

チュウさんはかぶりを振って石段を登り、墓石を軽く掌《てのひら》で叩いた。

「ここに入るんじゃのう、わしも」

たぶん、父より一足先に、僕が入る。ごめん、とチュウさんに詫びた。煙草や酒の約束は守れない。何日かたって父が墓に入ってきたときに、叱ってくれればいい。そして僕たちは、ひさしぶりに、永遠に、隣り合って眠るのだ。

「考えてみたら、墓いうて不思議なもんよのう。たかが骨のために、なして、ひとは高いゼニ出して墓を建てるんじゃろうのう……」

「忘れられたくないからだよ、たぶん」

僕は言った。考えて出した答えではなく、口が勝手に動いていた。

チュウさんもそんな答えは予想していなかったのか、意外そうな様子でしばらく黙り込み、そして、「人間いうんは弱いもんじゃのう」と笑った。

25

オデッセイは、夜の闇を走りつづけた。橋本さんは無言でハンドルを握り、健太くんも一言も話さない。成仏の話を健太くんは受け容れたのか、車はどこに向かっているのか、なにもわからない。

チュウさんも押し黙っていた。窓の外の暗闇を見つめながらエコーを吸って、灰にして、また吸う、その繰り返しが唯一、車の中に流れる時間を教えてくれる。

僕は、暗闇のずっと遠くに浮かんでは消える青い光をぼんやりと目に流し込む。予感がする。オデッセイのドライブはもうすぐ終わるだろう。僕は橋本さんに出会ったときの現実に——寒々しい駅前のベンチに戻って、家路をたどることなく、息絶える。

向こうの——現実の世界は、僕のやり直しをどれくらい反映しているのだろう。美代子と広樹は、僕の伝えたことをどこまで覚えているだろう。カレンダーのメモとビデオテープに気づいてくれるだろうか。

うまくやってくれ。僕ではなく、二人のために祈った。

チュウさんは短くなったエコーを灰皿に捨て、背広のポケットを探って次の一本を取り出しながら、深いため息をついた。新しいエコーをくわえ、火は点けないまま、仰向けに倒れ込むようにシートの背に体を預けた。

「……かなわんのう、ほんま」

低い声でつぶやく。組んだ脚が貧乏揺すりを始める。

「ねえ」

健太くんが口を開いた。「チュウさん、怖いの？」と助手席から身をよじってリアシートを振り返る。

「ねえ、チュウさん……死ぬの、やっぱり怖い？」

チュウさんは脚をさらに激しく揺すって、「そげなことあるか」とそっけなく返す。

「人間、いつかは死ぬんじゃけえ。いまさらじたばたしてもしょうがなかろうが」

強がりがにじんではいても、嘘をついているわけではないだろう。

だが、チュウさんは、チュウさんのままで死んでいくのではない。二十五年後、父はじたばたと生にしがみつく。病院をいくつも移り、主治医を替え、ひとに勧められた民間療法を片っ端から試して、怪しげな祈禱《きとう》師に驚くほどの謝礼を支払ったり、風水に基づいてビルの玄関の方角を変えると言いだして会社の連中をあわてさせたりしたすえに、もうすぐ死ぬ。長患いで亡くなったひとは苦しみの抜け落ちた安らかな死に顔になるというが、父はそうはならないんじゃないかという気がする。死の恐怖にゆがんだ顔の父に対面したら、僕は——チュウさんに会う前なら、こっそり、冷ややかに笑ったかもしれない。

「ほんとに怖くない？　ほんとのほんとに？」

「おう、ほんまじゃ」

健太くんは僕にも「おじさんは？」と訊いてきた。

「怖くないよ」と僕は言った。

ふふっ、と健太くんは笑った。

「アホか、カズにそげん度胸あるか。こんなん、ほんまに死ぬ前になったら、じたばたするわい。いまはひとごとじゃけん、そげん言えるだけよ」とチュウさんが横から言った。

「おんびんたれなんじゃけえ、カズはこまい頃から」——おんびんたれ。ふるさとの方言で、臆病者。ひさしぶりに聞いた。

「でもさあ、死ぬのが怖くないと、いやだと思わない？　僕とかパパとか、死んじゃったひとがバカみたいじゃん」

「……なしてや」

「じゃあチュウさん、死ぬのが怖くないんだったらさあ、僕と代わってくんない？」

さらりと言った。訴えかけるような重い口調ではなかったから、よけい、せつなさが滲《し》みた。

チュウさんも口ごもって、シートに座り直して体を起こし、煙草の火をいまになって点けた。

健太くんは前に向き直る。

「死んじゃうって、いなくなるっていうことだよね。そうでしょ？」

誰にともなく投げかけた言葉に、橋本さんが応じた。

「ああ、そうだよ。いなくなっちゃうんだ」

「でも、僕はここにいるよ。ここにいるのって、僕でしょ？　僕だよ、僕」

「ここにいても……向こうの世界からは、もう五年も前にいなくなってるんだ、おまえは。いないひとのことは思い出になるけど、生きてるひとは思い出だけで生きてくことはできないんだよ……」

橋本さんの声はしだいに震えはじめ、それを無理に抑えつけるように、叱りつけるような強い口調でつづけた。

「健太もわかっただろう？　ママだって忘れてないよ、絶対に健太のことを忘れない、忘れるわけない、でもな、おまえはもういないんだよ、ママのいる世界は、健太のいない世界なんだ、おまえはそこには行けないんだ、わかるか？　わかるだろ？」

健太くんは答える代わりに、両手を天井に突き上げて、あくび交じりの伸びをした。

あくびは学芸会のお芝居のようにへたくそだったが、手を下ろすときのしぐさは、すっきりして気持ちよさそうだった。

「パパ、もういいよ。着いてるんでしょ？　とっくに」

「……ああ」

「降りるから、僕」

ブレーキをかけた――と感じる間もなく、車は停まった。

橋本さんは、ふう、と息をつくと、うつぶせてハンドルに顔を埋めた。

「外、寒いよね」

健太くんが声をかけても、なにも言わない。

背中が震えていた。

「ねえ、パパ、せっかく買ってきたんだから、僕のおみやげ着てくれない？　フリースってさ、めっちゃ暖かいの、マジ」

橋本さんの背中の震えはさらに大きくなって、それを見つめる僕のまなざしまで揺れる。隣ではチュウさんが喉をつぶしてうめきつづける。子どもの前でおとなが涙を見せるわけにはいかない。チュウさん、あんたらしくて、いい。

健太くんはドアを開け、「とおっ！」とかけ声と同時に外に飛び下りた。チュウさんは三列目のシートから『ユニクロ』の紙バッグを取って、中からライトグレーのフリースジャケットを出した。中腰になって、橋本さんの背中に後ろからフリースジャケットを広げて掛けた。

「早う、出ていきんさいや。健太くんに見せてやりんさい、よう似合うとるけんの、いうて」

橋本さんはうつぶせたまま、うなずいた。そのはずみで額がハンドルの中央を押し込んでしまって、けたたましいクラクションが暗闇に響き渡った。

ひゃっ、と叫んで体を起こした橋本さんの頭を、チュウさんは一発はたいた。

「アホ、こげなときにドジなことするな！」

笑いながら。洟《はな》をすすり上げて。チュウさんは、ほんとうに短気で乱暴なひとなのだ。

車が停まっていたのは、いつか来たことのある高原の道路——事故現場の丘の手前だった。

そのときと違って、いまは霧がうっすらとかかって、星は見えない。健太くんが一人で歩きだしてしまえば、すぐに闇に紛れてしまうだろう。

橋本さんはフリースジャケットの襟を立てて、ジッパーをいっぱいに引き上げた。お揃いのジャケットを着た健太くんと向き合って立つと、二人は、近所のどこにでもいそうな親子だった。

「どう？　暖かいでしょ」

「ああ、それに軽いんだなあ、すごく」

「色、ちょっと地味だった？」

「そんなことない、パパはこの色、大好きなんだ」

橋本さんはジャケットの裾をぴんと伸ばして、少し胸を張った。

僕とチュウさんはオデッセイを左右から挟むような格好で、車を降りてすぐの場所から動かない。近づいてはいけないんだ、と自分に言い聞かせた。たぶんチュウさんも同じだろう。

「健太……ごめんな、パパのせいで……おまえ、死なせちゃって、ママと離ればなれにしちゃって……ごめんな……」

「ほんとだよ」健太くんはそっぽを向いて、唇をとがらせる。「マジ、大、大、大めーわくしちゃった」

「生まれ変わったら……生まれ変わったらさ、パパみたいなお父さんじゃなくてさ、もっとちゃんとして、しっかりしたお父さんの子どもになれよ……なれるよ、今度は」

健太くんはそっぽを向いた顎をさらに持ち上げた。

「べつに、しっかりしてなくていいけど、もっと車の運転が上手いひとがいいな」

橋本さんは「そうだな、そうだよな」と泣き笑いの顔になった。

「パパ」

「なんだ？」

「僕、成仏して生まれ変わったら、いままでのことぜんぶ忘れちゃう？」

「ああ……」

「でもさ、前世の記憶とかってあるじゃん。そういう可能性もあるんでしょ？」

橋本さんはためらいがちにうなずいた。ほとんど真上を向いてしまった健太くんに、そのしぐさが見えたかどうかはわからない。ただ、健太くんは最初からそれを信じているようだった。

「僕ね、絶対に前世の記憶を持って生まれ変わるから」

「……できるよ、健太には」

「でね、パパとママのこと、ぜーったいに思いだす。ママってサイコーのママだったな、パパってサイテーのパパだったよな、ってさ」

バカ、とつぶやく橋本さんの声は、涙で崩れた。パパのことなんていいんだよ、忘れちゃっていいんだよ、とつづける声は嗚咽にほとんどかき消された。

チュウさんが、一歩、前に出た。

「おう、こら」――もうがまんできない、というふうに言った。

「ほんまにええんか、のう、橋本さんよ、このまま別れて、ほんまにあんたはええんか」

橋本さんはチュウさんをちらりと見ただけで、健太くんに目を戻した。

「健太、いいから、もう行きなさい」

健太くんは空を見上げたまま、その場から動かない。

霧が濃くなってきた。丘を登る坂道の途中からは、なにも見えない。

「健太……パパ、健太と二人でドライブできて嬉しかった。おまえは怒ると思うけど、パパは、ずーっと二人でドライブしただろ、それでやっとおまえのお父さんになれたんじゃないかって……仲良くなれたもんな、すごく……」

健太くんはゆっくりと顔を下ろした。橋本さんと目が合うとはにかんで笑い、そのまま足元にまなざしを落として、言った。

「パパも成仏するんでしょ？　生まれ変わるんでしょ？」

「パパは……いいんだ、ここにいるよ。車の運転にもやっと慣れたしさ、生まれ変わったら、また教習所に通わなくちゃいけないだろ」

「わけわかんないこと言わないでよ」

「パパは、ここに残る」

「なんで？」

「永田さんみたいなひと、たくさんいるからな、オデッセイに乗せて、いろんなところに連れていってやらないと」

「でもさあ、そんなのって……」

「パパはここにいるんだ、ずーっと。歳もとらないし、おなかも空かないし、けっこういいぞお」

無理な冗談は、失敗だった。甲高《かんだか》く張り上げたおどけた声が、逆に感情の蓋《ふた》をはずしてしまった。

「だって、そうだろ？　パパがここにいないと、おまえのこと、誰も覚えてやれないだろ？　橋本健太ってさあ、八歳だよ、まだ八歳で死んじゃったけど、すごく元気で、生意気な男の子がいたんだよ、パパが生まれ変わったら忘れちゃうだろ、忘れちゃうよ、パパってドジだから、なにやらせても不器用だからさあ……忘れちゃうんだよ、おまえのこと……そんなの、いやなんだよ、パパ、いやなんだよ……」

橋本さんは右手で顔を覆い、左手を振った。早く行け、と手の甲を払った。なにやってるんだ早く行けよ、と何度も振った。

健太くんはうつむいたまま踵を返し、丘に向かって歩きだした。

チュウさんが、また一歩、足を前に踏み出した。

「健太、行くんか、おまえ。お父ちゃんのこと置いて、行ってしまうんか、のう」

健太くんは歩きつづける。

「ちょっと待て！　健太、こら、おっちゃんの言うこと聞かんか！」

チュウさんが駆けだそうとした、そのとき——橋本さんが怒鳴った。

「健太を止めるな！」

空気が、キン、と鳴るほどの大きな叫び声だった。

チュウさんはたじろいで立ち止まる。チュウさんを引き戻そうとして腕を伸ばした僕も、そのままの姿勢で橋本さんを振り向いた。

橋本さんは僕たちのほうを見ない。遠ざかる健太くんの背中を、じっと、食い入るように見つめる。

「行かせてやってください」——静かに、迷いのない声で、言った。

霧が流れ込む。健太くんは歩きつづける。五年前に幼い命を絶たれた現場に向かって、振り返ることなく歩く。やがて、健太くんの背中は霧に包まれて、闇に溶けて、消えていった。

「よかった……」

橋本さんはつぶやいて、フリースジャケットの袖口で目元に残る涙をぬぐった。僕とチュウさんに向き直って、おだやかな笑顔で「ありがとうございました」と言う。

「……礼やら言われる筋合い、なんもありゃあせんわい」

チュウさんは拗《す》ねたように言って、健太くんの姿が消えたあとの上り坂をにらむ。

「でも、チュウさんと永田さんに出会わなかったら、あの子はまだ成仏できませんでした。お二人のおかげなんです」

橋本さんは「行きましょうか」と僕をうながして、まだ道路をにらんでいるチュウさんにも「寒いでしょ、今度はどこか暖かいところに行きましょうよ」と声をかけて、車に向かって歩きだした。

「チュウさん、行こうよ。もういいだろ」

「……わしゃあ、こげな別れ方は好かん」

「文句言わないでよ。橋本さんと健太くんだって、悩んで決めたんだから」

「ほいでも、好かん」

「チュウさんには関係ないだろ？」

「好かん言うたら、好かんのじゃ」

「俺たちの別れ方は、もっといやな感じになるんだよ。お互いに嫌い合って、憎み合って、どうしようもない感じで終わっちゃうんだよ、親子の関係が。それに比べたら、いまのなんて、ほんとに幸せじゃないか。橋本さんも健太くんも、幸せに別れたんだよ、わかってやってよ」

今度はもう、返事すらなかった。

僕はため息をつき、「先に行ってるから」と言い捨てて、車に戻った。

橋本さんはすでに運転席に座っていた。フリースジャケットのジッパーを所在なげに上げたり下げたりしているのが、フロントガラス越しに見える。ここからは寂しいドライブになるな、と僕もうつむいて、ドアの取っ手に指をかけた。

「おい！　カズ！」

チュウさんが怒鳴った。「こっち来い！　早う来い！」――その場に飛び跳ねるようにして、叫ぶ。

霧の中、人影が見え隠れしながら、こっちに向かってくる。

走っている。

少年が、上着の裾をひるがえして、僕たちに向かって駆けている。

チュウさんは「うおおおおおーっ！」と雄叫《おたけ》びを挙げ、両手を大きく振って、飛び跳ねる。

僕はあわてて車のドアを開けた。

「橋本さん！　降りてきて！」

呼ぶ必要などなかった。

橋本さんは僕を振り向いて、「なんででしょうねえ、なんで……なんでしょうねえ、あいつ、バカですよねえ……」と泣きながら言った。

チュウさんは、橋本さんよりも派手に泣き、橋本さんよりも派手に喜んだ。

「どうじゃ！」――得意げに、僕を見る。

「幸せやらなんやら関係あるか！　親はのう、親子いうたらのう、すごいんじゃ、理屈で別れるようなもんと違うんじゃけん。別れよう思うても別れられんのんが、親と子ぉなんじゃ！　わかったか！」

こういう負けなら、素直に認められるかな、と思う。

道ばたにへたりこんで泣くだけの橋本さんにも、バンザイを繰り返すチュウさんにも辟易したのか、健太くんは息をはずませながら僕のそばにとことこと歩いてきて、「まいっちゃうね」と笑った。

「ああ……まいっちゃうな」

僕は健太くんの頭に手を伸ばす。最初は撫でてやるつもりだったが、途中で思い直して、掌で軽く叩いた。元気で生意気な男の子には、こっちのほうがよく似合う。

「なんで戻ってきたんだ？」

「さあ……よくわかんないけど」

「パパのこと、好きか」

「好きっていうかさあ、よく考えたら、パパって車を運転しながらだとエアコンのスイッチさわれないいんだもん。右手と左手で別々のことができないひとなの。だから、まあ、一人だと危ないし……」

「ほんとに不器用なんだなあ」

「でしょ？　サイテーだよね」

「でも、サイコー、だろ」

健太くんはそれには答えず、あ、そうだ、というふうにチュウさんのほうに駆け出した。

「チュウさん、肩車して！」

「よっしゃあ！」

チュウさんに肩車された健太くんは、背中をピンと伸ばして、気持ちよさそうにあたのまわりを見まわした。

幼い頃の僕が、そこにいる。父に肩車されているときの僕は、おとなになったいまの僕よりも、ずっと背が高かった。いまの僕には見えないものも見えていたのかもしれない。

26

走りだしたオデッセイは、高原の風景が真っ暗な闇に変わって間もなく――まだ宙に浮くようなスピードにならないうちに、停まった。助手席の健太くんが橋本さんに目配せして、橋本さんは、そうだな、とうなずいて、静かに車のブレーキをかけたのだ。

「おじさん」健太くんが振り向いて言った。「なんとなくわかってると思うけど、もうすぐ、おじさん、僕らとバイバイだから」

「ああ……」

隣のチュウさんだけ、驚いた顔になった。僕を見て、健太くんを見て、なにか言いたげに口が動いたが、声にはならなかった。

「チュウさんとお二人で散歩してきたらどうですか?」と橋本さんが言う。

「いいんですか」

「ええ。最後ですから」

それを聞いて、チュウさんが運転席のほうに身を乗り出した。

「最後いうて、わしが先に降りるんじゃないんか」

「そんなこと言ってないじゃん」健太くんが口を挟む。「すぐ勝手に決めちゃうんだから」

「ほいでも……わしは死ぬんじゃろ、もうじき。死んだらここから消えてのうなるんじゃけえ……」

「まだ、なんです。チュウさんには、もうしばらくドライブに付き合ってもらわないと」

橋本さんに言われ、不服そうにうなずきかけたチュウさんは、「ちょっと待てや、おい」と運転席のシートにまた抱きついた。

「カズが車を降りるいうことは……カズも死ぬんか？　死ぬんじゃろ？　のう、そういう話じゃろう、あんたが言うたんは」

橋本さんは前を向いたまま、静かに答えた。

「永田さんは、もう死んでもいいと思ってたんです。そういうときに、私たちと出会ったんです」

「死んでもええ思うんと、ほんまに死ぬんとは違うじゃろうが」

「ええ、違います」

「どっちなんか。カズは死ぬんか、死なんのか。はっきり言えや、こら」

声を荒らげ、ヘッドレストを叩く。後ろからつかみかかりそうな勢いだったが、橋本さんに動揺した様子はなかった。健太くんも黙っている。

「チュウさん」二人に代わって、僕は言った。「もういいんだよ」

「なに言うとるんな、バカたれが」

「覚悟はできてるから」

「……なんじゃと、こら」

チュウさんは僕をにらんで、「もういっぺん言うてみい」と声を震わせた。

「思い残すこと、ないんだ」

ドライブを始めたばかりの頃とは違う。いまの暮らしのすべてがいやになって、疲れきって、ギブアップするように死にたいと思っているのではない。たいせつな場所をいくつも巡った。気づかなかったことに気づいて、言えなかった言葉を言えた。あとはもう、僕が死んだあとの美代子と広樹の幸せを祈るだけだ。長いドライブを終えて、家族を好きだという気持ちを取り戻した。幸せになってほしいと素直に願えるようになったことが、僕にとっての幸せなのだと思う。

「感謝してます」橋本さんに言った。「ほんとに、ありがとうございました」

「後悔は、もうないんですね？」と橋本さんは前を向いたまま返す。

うなずくと、チュウさんはまたヘッドレストを叩いた。はずみで橋本さんの頭も揺れたが、橋本さんはなにごともなかったかのようにつづけた。

「死なずに戻っちゃったら、かえって困っちゃいますかねえ」

僕は少し考えてから、「キツい毎日でしょうね」と笑った。

「どっちがいいですか。このまま死ぬのと、生きて戻るのと」

「……どんな現実になってるんですか、いま」

橋本さんは答えない。

「種明かししてくださいよ。もういいでしょう？　カミさんや息子に伝えたこと……どれだけ残ってるんですか。いまの現実、少しは変わってるんですか」

「ねえ」――健太くんが割って入った。

「もしサイテーの現実だったら、おじさん、死んじゃったほうがまし？」

橋本さんと同じように後ろを振り向かず、軽い声で、訊いた。

僕は言葉に詰まる。迷ったのではなく、頭の片隅をよぎることすらなかった問いだった。最後までジグソーパズルを仕上げたはずなのに、ふと見たら床に小さなピースが一片落ちていた、そんな感じだ。

「選ぶような話じゃないだろ」と返すのがやっとだった。ジグソーパズルのボードに、ピースの抜けた箇所は見つからない。

「もしもの話なんだから、いいじゃん、教えてよ」

答えを、違う、かわす言葉を探していたら、今度はチュウさんが言った。

「のう、橋本さんよ……」

「はい？」

「カズの生き死には、あんたが決めるんか。のう、カズがどげんなるか、あんたが握っとるんか？」

橋本さんはあいかわらず前を向いたままだった。健太くんも、まるでチュウさんが口を挟むのを待っていたみたいに、自分の話をやめてしまった。

「もったいつけるなや、おう、こら、早う教えんか」

いらだった声でチュウさんは言った。ヘッドレストを叩く代わりに、今度は運転席の背もたれを後ろから蹴った。

「もし、そうだったら……」橋本さんは落ち着きはらって言う。「どうします？」

「どうもこうもあるか、アホ。わりゃ、カズのこと殺すんか。そげなことしたら、わしがこんなをぶち殺しちゃるわい」

「まいっちゃうな、私、もう死んでるんですけど」

「殺す言うたら殺すんじゃ！」

「乱暴なこと言わないでくださいよ」

「カズはわしの息子じゃ！」

耳に飛び込んだ怒鳴り声が、ふと——遠い記憶に重なった。

ずっと昔、僕がまだ幼稚園に通っていた頃のことだ。ハシカにかかった。かなり重かった。高い熱が出て、往診では間に合わなくなって、何日か入院した。病状のいちばん重かった夜は、ほんとうに、万が一の危険もあったらしい。

おぼろげな記憶の中で、父は医者に詰め寄っていたのだ。「カズは治るんか、もういけんのか。はっきり言えや」と怒鳴って、「カズにもしものことがあったら、ぶち殺したるけえの、肚《はら》くって治せえよ」と、医者を縮みあがらせていたのだった。

実際に覚えていたというより、あとになって母から聞かされた話が記憶にもぐりこんだのかもしれない。母はその夜のことをよく話した。そのたびに「あのときは往生したんよ、あとで先生に菓子折持って謝りに行ったんじゃけん」と苦笑する。そして、ときには懐かしそうに、ときには僕を諭すように、付け加える——「お父ちゃんはカズのこと、ほんまにかわいがってくれとったんよ」。

チュウさんは中腰になって、さらに身を乗り出した。橋本さんの顔を覗き込んで、

「のう……」と感情の高ぶりを抑えた声で言う。

「橋本さんよ……教えてくれや、あんたが決めるんか、あんたにはそげん力はないん

か。どっちなんか。あんた以外の者が決めるんじゃったら、そんなはどこにおるんな。神さんか？　仏さんか？　のう、カズの生き死には、誰が決めるんな……」

「チュウさんは、永田さんに死んでほしくない、んですね」

「あたりまえじゃ！」また感情がはじけた。「子どもに自分より先に死ねぇ言う親がどこにおるんな！」

橋本さんは答えない。顔も動かさない。フロントガラスの前、ヘッドライトの明かりにぼうっと照らされた闇を見つめて、深呼吸するように息を継いだ。

「のう、あんたも健太くんの親父なんじゃろうが。ひとの親じゃろうが。そしたら、あんたにもわかるじゃろう、わしの言うとること。わからんかったら、こんな、アホじゃ、親父と違うわ」

健太くんが、黙って、前を向いたまま、首をカクカクッと左右に倒した。知ーらないっ、というふうに。

「……頼む」

チュウさんはうめき声で言って、橋本さんに頭を下げた。「頼みます」と、もっと息苦しそうな声で言い直して、頭をもう一度、さらに深く下げた。

「どげなことでもしますけん、カズを死なせんといてつかあさい。わしの息子なんですわ、わしの大事な息子なんですわ、カズは……」

チュウさんは中腰の窮屈な姿勢で、頭を何度も下げた。

止めようと思った。もういいから、と喉元まで声が出かかった。だが、僕はチュウさんの腰のあたりをじっと見つめるだけで、なにも言えず、なにもできなかった。

「のう、橋本さん、なにをしたら勘弁してくれるんですか、わし、なんでもしますけん、言うてつかあさいや……」

チュウさんは——父は、涙ぐんでいた。

このドライブで、僕は父の泣き顔を何度見ただろう。こんなに涙もろいひとだとは思わなかった。父は決して僕の前では泣かなかった。強いひとだった。怖いひとだった。冷たいひとだった。僕は、父のことが嫌いだった。

お父ちゃん。声にはならない。胸の奥で、言った。お父ちゃん、お父ちゃん、お父ちゃん……子どもの頃の呼び方が、「お父さん」に代わった頃から、僕たちはうまくいかなくなった。「親父」をへて、「おじいちゃん」になって、それでも父は僕のことを最初から最後まで「カズ」と呼びつづけていたのだった。

チュウさんは言った。

「まだ三十八やそこらで、カズを死なせんといたってつかあさい。お願いします。こんな、まだまだ生きていかんといけんのです、女房も子どももおるんです……これから、カズがせんといけん仕事は、ぎょうさんあるんです、こげなところでくたばるわけにはいかんのですよ、カズは……」

僕は腕組みをして、目をつぶる。広樹のことを思った。僕はチュウさんの息子で、広樹の父親だった。くたばれば楽になるんだけどな。わざと思って、わざと薄く笑って、僕は自分の息子のために誰かを怒鳴ったり、誰かに泣きながら訴えたことがあっただろうか、そんなことも思った。

「なんでもしますけん、助けたってつかあさいや。わしの命と引き替えでもええです。のう、橋本さん、頼みます……わしがあと三日生きられるんなら、その三日、カズにやってつかあさい、生きて帰してやってつかあさい……」

拍手の音が、聞こえた。子どもの掌をぶつけ合う音だった。

目を開ける。健太くんを見る。健太くんは、僕にもチュウさんにも橋本さんにも振り向かずに、「もういいよね」と言った。

「ああ……」橋本さんはゆっくりとうなずいた。「もう、いいな、ほんとに」

チュウさんは洟をすすって、「もうええって、なんがですか」と訊いた。

橋本さんが答える前に、健太くんが言った。

「おじさん、さっきの質問まだ終わってないんだけど。どうするの？　サイテーの現実、やってみる気、ある？」

僕はジグソーパズルの余りのピースを拾い上げる。絵は完成していても、きっと、このピースを捨ててしまうわけにはいかないのだろう。

「あるよ」と僕は言った。

「サイテーの、サイアクの、もう、めちゃくちゃでどーしようもない現実でも？」

「ああ……帰りたい」

小さなピースは胸の奥のどこかに、ぴたりとはまった。

健太くんはまた拍手をした。パチパチパチパチッと、三回。

「それを聞きたかった」橋本さんはやっとチュウさんと僕を振り返った。「チュウさんの、さっきの言葉もね」

「生かしてくれるんか、カズのことを」

「最初からさあ」健太くんが笑う。「おじさん、死なないことになってたんだけどね」

カッとしたチュウさんがなにか言いかけるのをさえぎって、橋本さんが言った。

「永田さん、散歩に行ってらっしゃいよ。もうあまり時間がありませんから、最後です、お父さんと話せるのは」

僕はうなずいてドアを開けた。

海にいた。いつか橋本さんに連れて来られた、ふるさとの、大学病院の真下の海だ。

僕とチュウさんは並んで防波堤に立っている。静かな波の音が聞こえる。闇がほんのわずか白んでいるのは、夜明け前の靄《もや》なのだろうか。

「チュウさん……さっき、ありがとう」

闇に溶けた海に向かって、僕は言った。

「べつに、どげん言うことはありゃせんわい。朋輩なんじゃけえ、あたりまえのことじゃ」

チュウさんは怒った声で言う。

「朋輩じゃなくて、親父だから、でしょ」

「知るか、そげなこと。理屈で言うたん違うわい」

「チュウさん、こっち向いてよ」

「……なんじゃい、アホ。気色悪いのう」

毒づきながらも、僕の言うとおりにしてくれた。

僕はチュウさんをじっと見つめる。僕と同い歳の父親の、背丈や、顔つきや、たたずまいを、記憶に刻み込む。チュウさんもたぶん、同じように僕を見ていたのだろう。

「大きゅうなったのう、ほんま。一丁前のお父ちゃんじゃや、カズも」

嬉しそうに言ってくれた。もう安心だ、というふうに大きくうなずいてくれた。僕は最後の最後で、ようやく親孝行ができたのかもしれない。

「親子って、なんで同い歳になれないんだろうね」

「はあ?」

「どんなに仲の悪い親子でも、同い歳で出会えたら、絶対に友だちになれるのにね」

「……アホか、それができんのが親子なんじゃろうが」

「でも、僕とお父さんは会えたよ」

「こげなこと、奇跡いうか、魔法なんじゃ」

「魔法って……」思わず笑った。「お父さんがそんな言葉つかうのって、おかしいよね」

自分でも恥ずかしくなったのか、チュウさんは「知らん」と吐き捨てて、そっぽを向いてしまった。それでも、やはり魔法なのだろう、このドライブは。神さまがいるかどうか、僕は知らない。ひとが死んだあとにどこに行くのかも、わからない。ただ、魔法は——あっていい。

「今度もし、魔法にかかるんだったら、広樹に会いたいよ。あいつが三十八になったとき、いまの僕が会いに行けたらいいな」

「……なにアホなこと言うとるんな」

三十八歳の広樹は、どんなおとなになっているのだろう。いまの僕と朋輩になれるだろうか。なりたい。なってくれれば、嬉しい。その日まで、僕たちは、やり直しのきかない現実を、つらいことや嫌なことを、いくつ乗り越えなければならないのだろう。

「のう、カズ」

「うん？」

「わし、一つだけ、やってみたいことがあったんじゃ。チンポに毛ぇ生えての、一丁前になったカズと、連れションしてみたかったんじゃ」

「なに、それ」

「男どうしは連れションじゃ。女がどげん偉そうなこと言うても、これは真似できんのじゃけえ。カズが生まれて、こまいチンチンがついとって、嬉しかったよ、わし。こんなが大きゅうなって、一丁前の男になったら、連れションせにゃいけん……ほんま、ずうっとそげん思うとったんじゃ」

チュウさんの知っている僕は、まだ毛が生えていなかった。性器の付け根に、糸くずのような毛を見つけたのは、中学一年生の終わり――その頃にはもう、父のことを嫌いになっていた。

「連れションなんて、一度もしなかったよ」

「わかっとる。ほいじゃけえ、いま、するんじゃ」

チュウさんは海に向かって、脚を少し広げて立った。ズボンの前をまさぐりながら、「ほれ、カズも早うせえ」とせかす。

こっちの世界で用を足したことはない。そういうのはないんだ、と思っていた。

だが、チュウさんの隣に並んで下着から性器を出すと、思いだしたように尿意を感じた。小便が、チュウさんと僕の二筋、海に向かって落ちていく。チュウさんのほうが太い筋だったが、僕のほうが遠くまで。これも魔法なのかもしれない。オデッセイの中で橋本さんと健太くんが目を合わせて笑うのが、くっきりと浮かんだ。

「最後に握手やらするなよ。手ぇ洗うとらんけん、汚えけんの」

「わかってるよ」

「まあ、あれじゃ、元気でがんばれや」

「……わかってる」

「墓参りせんと、化けて出ちゃるど」

小便が尽きると、チュウさんは星のない夜空を見上げて、気持ちよさそうに言った。

「これで、わしも思い残すことがのうなった」

僕は丘の上の病院の看板に目を移す。チュウさんも同じように。

「もうじきそっちに帰るけえの、待っとれよ。土産話《みやげばなし》、ぎょうさんあるけえ」

病院に一声かけてから、「よっしゃ、そろそろ行くか」と、あっさり踵を返して歩きだす。記憶よりも一回り小さかったチュウさんの背中を追って、僕もつづく。

化けて出てきた親父と会うのも悪くないな。

こっそり笑った。

オデッセイは走る。前方の闇に、青い光がいくつも浮かぶ。

チュウさんは、車に戻ってからはもうなにも話さなかった。橋本さんも、健太くんも、黙って、宙を滑るような車のスピードに身を任せている。二人でお揃いのフリースジャケットを着て、なかなか似合う、橋本さんも。

「永田さん、もうすぐです」

橋本さんが言った。健太くんも振り向いて、「おじさん、元気でね」と笑う。

「ああ、健太くんもな」

「死んでるから、元気は無理だっつーの」

「……でも、元気だよ、健太くんは」

オデッセイはスピードを上げた。

「いまさら、ですけど」橋本さんが言う。「現実に、あまり期待しないでください」

「ええ……わかってます」

「サイテーでサイアクの現実だからね」と健太くんが念を押した。

「やり直しの現実での出来事は、まったく残ってないんですか」

橋本さんが「申し訳ありませんが」と答え、さらにもう一言つづけようとした、その前に――健太くんが言った。

「一つだけ、残ってるから。特別にさ、おじさんとチュウさんに、僕からプレゼント」

聞き返すことはできなかった。

車のスピードがさらに上がった。ぐん、と反動のついたような加速とともに、僕はまばゆい光に包み込まれた。

カズ——。

チュウさんの声が、最後に聞こえたような気がした。

27

現実の世界では、時間は流れていなかった。僕は駅前のベンチに座っている。右手にウイスキーのポケット瓶を、左手に食べかけのおにぎりを持って、ぼんやりとロータリーを見つめていた。

オデッセイは、ない。電車が終わってひと気の絶えた駅前は、しんと静まり返っていた。

僕はベンチから立ち上がり、ウイスキーとおにぎりを近くのごみ箱に捨てて、ジャケットの内ポケットを探った。「御車代」の封筒がある。四万円、入っている。現実はやはり、なにも変わっていないのだろう。

空を見上げる。晴れていた。思ったよりずっとたくさん星が出ていた。あの日——ようやくつながった今夜、ベンチに座るまで空を見上げたことはなかった。ずっとうつむいていた。もう何日も、何ヵ月も、そうしていたような気がする。

橋本さんと眺めた高原の夜空に比べるとずっと狭く、星が遠く、小さく、闇の色もくすんで見える。これが僕の世界の夜空だ。顔の向きを変えて現実も変わるんなら誰も苦労しないってば——健太くんなら、そんなふうに言って笑うだろうか。

目を落とすと、夜空をかすかな光がよぎった。はっとして顔を上げたが、空に変化はない。気のせいだったのかもしれない。それとも、流れ星だったのだろうか。いつか橋本さんに聞いたのと同じように、僕も、流れ星に願い事を祈りそこねる間抜けな男なのだろう。

甘いよな、と笑った。さあ行こうぜ、と自分に言った。

家に向かって歩きだした。ため息を何度も呑み込み、重くなる脚をときどき軽く叩いた。

上り坂を徒歩十五分。道のりの半ばを過ぎた頃から、マンションが見えてくる。窓を目で数えて、あそこだな、と明かりの消えた我が家のリビングを見つめた。

学校に行けなくなってしまった一人息子と、家に帰らない夜もある妻。そして、職を失った父親。サイテーの現実が待っている我が家に、僕は戻る。胸を張れよ、と自分に命じた。まっすぐに歩け、と言い聞かせた。

もう魔法は解けてしまったのだ。

チャイムを鳴らさずに、玄関の鍵を開けた。

「……ただいま」

つぶやいて薄暗いリビングに入り、明かりを点けた。

布地が切り裂かれたソファーが、真っ先に目に入った。新聞やチラシが乱雑に折り畳まれて何日分も、ソファーやテーブル、カーペットの上にも放ってある。テーブルにはビールの空き缶や、空になった胃薬の袋もある。今朝と同じだ。なにも変わっていない。キッチンのシンクに溜まった食器も、コンビニの弁当やカップラーメンの容器で腹をふくらませた黒いポリ袋も、今朝、うんざりした思いで家を出たときと同じだった。違いがあるとすれば、テレビの前にあるプレイステーションにセットされたゲームソフトぐらいのものだろう。

カレンダーの、先月までのページをめくってみた。三月。残雪を割って芽を出したふきのとうの写真の下――やり直しの現実で僕が書いたメモは、なにも残っていなかった。代わりに書き込んであった〈二中入学説明会〉の美代子の文字から目をそらした。

十二月も同じだった。ビデオラックや状差しを確かめる必要は、もうないだろう。十二月のページの、遺書のつもりで〈美代子と広樹に出会えてよかったです〉と書いたはずの場所を、しばらくじっと見つめ、静かに十一月のページに戻した。雪をかぶった山の写真が、同じ山の、別のアングルの、燃え立つような紅葉の写真に変わる。

　ソファーに座り込んだ。広樹の部屋から物音は聞こえない。出てきそうな気配もない。ヘッドホンをつけて音楽を聴いているのか、音を消したゲームボーイか。明け方まで起きていて昼間は眠る生活が、夏休みの終わり頃からつづいている。

　美代子は今朝、何時に家を出ていったのだろう。今夜は帰ってくるつもりなのだろうか。

　オデッセイを降りる間際の健太くんの言葉を、正直に言おう、心の支えにして家路をたどったのだ。やり直しの現実から一つだけ、健太くんが残してくれたもの——それが、ほんの少しでもサイテーの現実を変えていてくれるんじゃないか、と。

　さすがに甘かった。そういう甘さがだめなんだよな、と自分を叱った。

　ゆっくりと息をついて、立ち上がる。ジャケットを脱いでダイニングテーブルの椅子に掛け、まず、バルコニーに面した窓を一杯に開けた。風はなかったが、晩秋の夜の冷気が部屋に流れ込む。ぶるっと身震いして、よし、と腹に力を入れた。

　大掃除を始めた。リビングを片づけて、キッチンの食器を洗う。ポリ袋の中のゴミを分別して新しい袋に入れ直し、スプレーの消臭剤を撒《ま》いた。

浴室に向かう。脱衣カゴに山盛りになっていた服や下着を洗濯機に放り込んで、洗剤を——計量スプーンに何杯かわからないので、とりあえず二杯、入れた。洗濯機を回している間、浴室を掃除した。靴下を脱ぎ、ズボンの裾を膝までめくって、シャワーのお湯がかかって濡れたセーターを洗濯機に入れてから、ウールは洗濯しちゃまずいんだっけ、と気づいた。

日付はとっくに変わっていたが、かまわない、僕は僕の現実を、ここから始めなければならない。

カビで黒ずんだタイルの目地《めじ》をブラシでこすっていると、自然と鼻歌が出た。意識してそうしたわけではないのに、子どもの頃に流行《はや》った歌謡曲のサビのフレーズばかり、次々に唇からこぼれ落ちた。

風呂掃除が終わると、ちょうど洗濯機の脱水終了のアラームが鳴った。洗剤がやはり多すぎたのか、洗濯物はどれもべたついて、固まった洗剤の粉が襟《えり》の折れ目にこびりついているシャツもあった。セーターを広げて確かめると、覚悟していたとおり、見るからに縮んでしまっていた。洗濯機を回すなんて、独身の頃以来だ。おとなになっても知らないことはたくさんあるし、おとなになったせいでわからなくなってしまうことも、きっと、たくさんあるのだろう。

洗濯物を乾燥機のドラムに放り込んで、スイッチを入れた。次はトイレだな、と廊下に出た。

歩きだした足が止まる。

廊下に、広樹が立っていた。スウェットの上下を着て、ぼさぼさの髪をして、運動不足とスナック菓子の食べすぎで春から十キロ近く太った体を僕に向けていた。

「……なにしてんの」

やり直しの現実で会った広樹の声とは微妙に違う。低く、太くなった。あれから広樹は声変わりをしたのだった。背も伸びた。きちんと運動をして体を絞れば、少しずつたくましくなってきた骨格もはっきり見てとれるだろう。中学受験に失敗してからの日々は、坂道を転げ落ちるばかりではなかったのだ。

「風呂を掃除してたんだ」と僕は言った。

広樹はたいして興味の湧かない様子で、黙ってうなずいた。暗い目をしている。僕の前で笑わなくなって、どれくらいになるだろう。

「起きてたのか」

「……悪い？」

いままではぞっとして、たじろぐだけだった広樹のまなざしに、今夜は寂しさの影も感じた。

ほっとした。ひとりぼっちでいたくないから、寂しさがある。広樹は、誰かとつながりたいという思いを捨て去っているわけではなかった。僕たちは、まだ終わってはいない。

「お茶でも飲むか、お父さん、コーヒーいれてやるぞ」

「いらない」

そっけなく言って僕に背中を向け、自分の部屋に戻っていく。

うまくいかなかった。自分でも、下手くそだったなあ、と認める。テレビドラマに出てきそうな台詞《せりふ》だった。根本的なところがなにもわかっていないから空回りをつづける愚かな父親そのものだ。

それでも――僕は、ここから始めなければならない。

トイレ掃除を終えて、寝室に入った。汗ばんだ服を着替え、ついでにシーツも取り替えようと押入れを開けた。

ふと、思いだした。まさかな、と苦笑しながら天袋の戸を開けた。

『黒ひげ危機一発』の箱が――あった。

肩と頬から力が抜けた。これが、健太くんからのプレゼントだった。いたずらっぽく笑う顔が浮かぶ。あいつ、いまごろ、どこをドライブしているんだろうな。チュウさんと喧嘩しなけりゃいいけどな。何度も首を横に振って、まいったな、と苦笑いを深くして、鼻の奥がツンとするのをごまかした。

箱を天袋から取り出して、蓋《ふた》を開けた。チュウさんと二人で撮った観覧車の記念写真もあった。手にとって見つめた。同い歳の親子が並んで、父親は笑って、息子は目をつぶってしまっている。満面の笑みとまではいかなくても、チュウさんなりにせいいっぱいの、いい笑顔だと思う。

親父って――。

チュウさんに言った。本人に言うことはできなかった言葉を、動かない笑顔に伝えた。

親父って、ほんと、大変だよね――。

笑い飛ばされてしまうだろうか。「アホか、しっかりせえや」と、どやされそうな気もする。どやされておけばよかったな、とも。

『黒ひげ危機一発』を両手で抱いてリビングに戻り、ソファーに座って、一人でゲームを始めた。樽に、あてずっぽうにナイフを突き刺していく。バネ仕掛けの海賊の人形がジャンプするのを見たかったのに、こういうときにかぎって、セーフがつづく。ナイフが残り数本になったところで、やっと海賊が跳《と》んだ。ひゃあっ、と大袈裟に驚いて、笑いながらソファーに倒れ込む。

リセットして、もう一度。海賊が跳んだら、さらにもう一度、もう一度、もう一度……。

単純なゲームなのに、ちっとも飽きなかった。気がつくと、もう午前三時近かった。美代子は朝まで帰ってこないのだろう。朝になって帰ってくるかどうかも、ほんとうはわからない。

父と母は、どんな夫婦だったのだろう。子どもから見ると典型的な亭主関白の夫婦だったが、それ以上のことは見当がつかない。「両親」としての二人ではなく、「夫婦」として、「男」と「女」としての二人のことを、もっと知りたかった。チュウさんに訊いておけばよかった。照れて口ごもったら、思いきりからかってやったのに。

ゲームをさらにつづけた。格子ガラスのドア越しに、廊下から広樹がこっちを見ているのがわかった。ほんの数秒でも、広樹は確かに僕のいるほうを見てくれたのだ。

ゲームをつづける。勘が冴えてきたのか、海賊を早いうちに仕留められるようになった。樽から跳び出してはテーブルに落ちる海賊の人相の悪い顔が、しだいにしょぼくれて、こいつ意外といい奴なのかもな、と思えてきた。

四時前になって、広樹はまた部屋から出てきた。今度はトイレを通り過ぎて、リビングのドアを開ける。

「……なに、これ」

「『黒ひげ危機一発』って、知ってるだろ」

「知ってるけど……なんで？」

「買ったんだ」

テーブルの上のナイフを指差して、「ヒロもやらないか」と誘ってみた。

広樹は僕の声を払いのけるように「やだ」と言って、それでも、ナイフのそばにある写真に目を留めてくれた。

「誰の写真？」

「お父さんと、おじいちゃんだ」

「はあ？」

「嘘だよ……お父さんの隣にいるの、チュウさんっていうんだけど、知らないか」

広樹は黙ってうなずいた。

「お父さんの友だちだよ。田舎の言葉で、朋輩っていうんだ。ヒロと三人でレストランに行ったこともあるんだぞ。覚えてないか？」

「……なんか、会ったことある気もするけど、赤ん坊の頃とかでしょ」

「ああ。ずーっと昔の話だよ」

樽にナイフを突き刺した。広樹をびっくりさせてやりたかったが、海賊は跳《と》ばなかった。

「なあ、ヒロ。一回だけやってみろよ」

「かったるい」

「一回だけだって、ほら」

テーブルから赤いナイフを取って、広樹に差し出した。広樹は面倒くさそうにそれを受け取り、立ったまま、手近な穴に刺した。

バネのはずれる音がして、海賊が跳んだ。

広樹はびくっと身を反らし、一歩あとずさる。驚いた顔に笑みが浮かびかけた。すぐに眉を寄せ、顎を引いて、「むかつく」と吐き捨てた広樹に、僕は言った。

「おまえの勝ちだよ」

「なにが?」

「海賊をジャンプさせるゲームなんだ、これは。ヒロは一発で当たりだったんだ」

「なに言ってんの、ぜんぜん違うよ」

「お父さんが決めたルールだ。勝ち負けなんて自分で決めちゃえばいいんだから」

「……わけわかんねえ」

「もう一回やるか?」

「やだよ、もう」

「じゃあ、明日またやろう。ここに置いとくから、いっしょにやろう」

広樹はなにも答えず、部屋を出ていった。

「おやすみ」

背中に声をかけると、ドアを抜けながら、小さな声で「うん……」と返事が来た。

僕は樽からナイフを抜いて、ソファーに寝転がった。仰向けになって天井を見つめ、首筋がくすぐったくなって、笑った。


翌朝、六時ちょうどに起きた。睡眠時間が二時間足らずだったとは思えないほど、すっきりした目覚めだった。寝室のベッドに美代子がいないことを確かめ、漏れそうになるため息を呑み込んで、手早く服を着替えた。家を出る。車を運転して駅に向かい、ロータリーの、橋本さんのオデッセイがあったあたりに車を停めた。

美代子が改札から出てくるのを、車の中で待った。じっと待ちつづけた。ときどきルームミラーに顔を映してみた。昨日までと変わりばえのしない、けれどなにかが変わっているはずの僕の顔は、やはりチュウさんによく似ていた。

ロータリーにバスが入る間隔が縮まり、都心に通勤するサラリーマンの姿が増えてきた七時過ぎ――美代子が姿をあらわした。

車から降りて手を振ると、美代子はきょとんとした顔を一瞬浮かべたが、すぐに気まずそうに目をそらした。やり直しの現実でも、似たような場面があった。やり直しの、やり直し。僕はもう、美代子を迎えるときの表情に迷ったりはしない。

小走りに改札口に向かった。もしも美代子が逃げ出したら、全力疾走で追いかけるつもりだった。

美代子はその場にたたずんで、動かなかった。足がすくんでいるというわけではなさそうだった。ふてくされて待っているのとも違うし、予想外のことに呆然としているふうにも見えない。頭の中で必死に考えを巡らせて、けれど答えがどうしても出てこないような、もどかしさと心細さの交じった顔だった。

僕たちは改札の横で向き合った。

「お帰り」と僕は言った。

コートで隠された美代子の肌には、いっしょに夜を過ごした男の気配が残っているだろう。

それでも、僕は微笑んで、もう一度「お帰り」と妻を迎えた。

美代子は足元に落ちかけたまなざしを持ち上げて、「ねえ……」と言った。「こういうことって、前にもあった？」

「え？」

「なんか……よくわからないんだけど、前にもこんなふうに、あなたが駅まで車で迎えに来てくれたこと……いつだったか思いだせないんだけど、あった？」

僕の微笑みは消えない。少し、苦笑いに近くなったかもしれない。

「ねえ、あなたは覚えてない？」

「あったかもしれないけど……忘れた」

美代子はなんとなく寂しそうに、「そう」とうなずいて、そのままうつむいた。

「帰ろう」

「……うん」

「ゆうべ、ひさしぶりに部屋を掃除したから。あと、洗濯もしたんだ」

家に帰り着くと、炊飯器がほのかに甘い湯気を噴いているだろう。ゆうべのうちに作ったジャガイモの味噌汁は、仕上げにネギを浮かせればいい。早起きさせたら広樹はキレるだろうか。かまわない。布団をはぎ取ってやろう。三人で——家族そろって、朝飯だ。

美代子の手を取って歩きだした。美代子は驚いて腕を縮めたが、僕は離さない。誰かと手をつなぐ心地よさを、僕は知っているし、決して忘れない。

「なあ、こうやって俺と手をつないだのって、覚えてないか？」

「……そんなの、したことないでしょ」

美代子の手は、僕の手を握り返してはこない。ほんのちょっと僕が指の力をゆるめれば、すぐに手は離れてしまうだろう。

「昔、あったんだよ。二人で手をつないでたんだ」

「昔って、いつ？」

答える代わりに、僕は美代子の手を強く握った。一呼吸おいて力を抜く。滑り落ちかけた美代子の指は、つないだ手がはずれる寸前、そっと、僕の指先をつかんだ。

*

僕はその日から、ときどき、なにを探すというのではなく、空をぼんやり眺めるようになった。ハローワークから帰るときのバス停や、リビングの静けさを背負ったベランダで、気づかないうちにそのまま長い時間を過ごしていることもある。

橋本さんのオデッセイは流れ星だったのかもしれない。僕は流れ星に乗ってドライブをしていたのかもしれない。そんなことも、ふと思う。

もし流れ星を見つけたら、なにを祈ろう。つぶやく言葉は決めていても、実際にそのときが訪れたら、あわててしまってなにも言えないような気がする。だいいち、そう簡単に流れ星を見つけられるほど、現実は——僕の住むこの世界は、甘くない。

それでも、昼間の空にも星はちりばめられている。ただ太陽のまぶしさに紛れて見えないだけだ。晩秋の青空を滑り落ちる流れ星だって、きっとあるだろう。

*

僕はいま、羽田空港行きのモノレールに乗って、夕陽のまぶしさに顔をしかめながら、窓の外を見つめている。

父が死んだ。

今日の昼前——サイテーの現実に僕が戻ってきた五日後ということになる。

意識をなくしたまま、静かに、眠るように逝《い》ったらしい。優しい死に顔だった、と妹の智子が電話で言っていた。

チュウさんは橋本さんのオデッセイから降りたのだ。僕と別れてからどこに連れていってもらい、どんなことをやり直していったのか、いつか、ずっと先のいつか、訊いてみたいと思う。

その前に、あと数時間もすれば、僕は父のなきがらと対面する。きっと泣いてしまうだろう。泣けるはずだ。それがなにより嬉しいし、もしも橋本さんと健太くんが見ていたら、二人も喜んでくれるに違いない。

喪服を収めたスーツケースには、観覧車の記念写真も入れてある。智子に、「遺影に使える写真、見つかったから」と言っておいた。「ちょっと若すぎるかもしれないけど、いい顔で笑ってるんだ、親父」——同い歳の僕が隣にいる理由を詮索される前に、さっさと葬儀会社のひとに渡してトリミングを頼むつもりだ。

スーツケースの喪服は、三人分。僕の家族は、ボックス席の向かい側の席に並んで座っている。広樹は、こんなもの持っていくなと言ったのに、さっきからゲームボーイに夢中で、美代子は正面の僕と目を合わせたくないのか、モノレールが浜松町を出発するとすぐに寝たふりをした。

我が家の現実は、そんなに変わってはいない。数日でひっくり返るほど甘くはないのが、現実なのだ。

僕たちは、ここから始めるしかない。

美代子は外泊をしなくなった。ソファーの新しいカバーを、昨日デパートで買ってきた。

広樹は夜十二時前には眠るようになり、美代子が料理を作り僕がコーヒーをいれる朝食を、家族三人でとっている。僕の前ではやらないが、ときどき『黒ひげ危機一発』で遊んでいるようだ。

そして僕は、父の葬儀を終えるとすぐに、書類選考を通過した再就職先の一次面接に臨む。

まだ先は長い。

長いのだから、こんなところで終わってたまるか、と思う。

＊

チュウさんを降ろしたオデッセイは、いま、どこにいるのだろう。

モノレールと並行する高速道路は、上りも下りも渋滞している。車の列をさっきからじっと見つめているが、古い型のオデッセイにはなかなかお目にかかれない。

だが、橋本さんの車はいまも、どこかの街を走っているはずだ。

魔法を信じるかい――？

あなたが魔法を信じるのなら、もしかしたら、橋本さんたちに出会うかもしれない。サイテーの現実にうんざりして、もう死んだっていいやと思っているとき、不意に目の前にワインカラーのオデッセイが現れたら、それが橋本さんの車だ。

乗り込めばいい。

あなたにとってたいせつな場所に連れていってもらえばいい。

オデッセイの助手席には、男の子が乗っている。ちょっと生意気な、けれど素直で元気な少年だ。

きっと二人は、おそろいのフリースジャケットを着ているはずだ。よく似合ってますよ、と声をかけてやれば、橋本さんは照れくさそうに笑うだろう。

もしも橋本さんと健太くんに会えたら、伝えてくれないか。

僕は元気でやっている。

春になったら、二人が逝った事故現場を訪ねて花を手向《たむ》けるつもりだ。できれば、美代子と広樹を連れて。

ひさしぶりに家族で出かけられたら、ゆっくりと、一晩がかりで、不思議なドライブの話をしようと思う。

文庫版のためのあとがき

「父親」になっていたから書けたんだろうな、と思う自作はいくつかある。『流星ワゴン』もその一つ——というより、これは、「父親」になっていなければ書けなかった。そして、「父親」でありながら「息子」でもある、そんな時期にこそ書いておきたかった。

ぼくは二十八歳で「父親」になった。五年後、二人目の子どもが生まれた。二人とも女の子である。

その頃から思い出話をすることが急に増えた。忘れかけていた少年時代の出来事が次々によみがえってきた。身も蓋《ふた》もない言い方をしてしまえば、それがオヤジになってしまったということなのかもしれないが、ちょっとだけキザに言わせてもらえば、「父親」になってから時間が重層的に流れはじめたのだ。

五歳の次女を見ていると、長女が五歳だった頃を思いだし、その頃の自分のことも思いだす。さらにぼく自身の五歳の頃の記憶がよみがえり、当時のぼくの父親の姿も浮かんでくる。

「子を持って知る親の恩」なんてカッコいいものじゃない。愛憎の「憎」の部分が際立ってしまうことのほうが多かったりもする。記憶から捨て去ったつもりでいた過去の自分に再会して、赤面したり、頭を抱え込んでしまったりすることだって、ある。

でも、親になったおかげで、子どもの頃の自分との距離がうんと近くなった。その頃の父親の姿がくっきりとしてきて、当時はわからなかった父親の思いが少しずつ伝わってくるようにもなった。そのことを、ぼくは幸せだと思っている。

雑誌連載時は『マジカル・ミステリー・ワゴン』と題されていたこのお話を書きはじめたのは、三十六歳のときだった。ウチの親父が三十六歳のとき、ぼくは八歳。親父のゲンコツはとにかくゴツくて、背中は大きくて分厚かった。でも、三十六歳のぼくは、その頃の親父のゲンコツや背中が決してたくましいだけではなかったことも知っている。そんな三十六歳のぼくが三十六歳の親父と出会ったら、ぼくたちは友だちになれただろうか——という思いを込めて、長いお話を書きつづっていった。

物語はもちろん虚構だが、ここ数年ですっかり老《ふ》け込んで、足が不自由になり、ゲンコツも小さくなってしまった父親に、本書を捧げさせてもらいたい。もう親父にビンタを張られることのない寂しさと、その寂しさを感じる歳まで俺も育ったんだなという喜びが、物語の背後に見え隠れしていてくれれば——そして、それが、お読みになってくださったひとそれぞれの「父親」をめぐるドラマと、どこかで触れ合ってくれたなら、とても嬉しい。

＊

『小説現代』連載中は、当時編集部にいらした島村理麻さんと挿画の深津真也さんにお世話になった。文芸第二編集部の綾木均さんには単行本担当としてご尽力いただいた。文庫版の編集の労をとっていただいた堀沢加奈さん、単行本につづいて文庫版でも装幀を手掛けてくださった鈴木成一さん、ありがとうございました。

また、作品が出来上がってから気づいたことなのだが、このお話、女性がほとんど出てこない。もしかしたら、そこに、お話の書き手として致命的な「弱さ」がひそんでいるのかもしれない。その意味も含めて、解説はぜひ斎藤美奈子さんにお願いしたかった。お忙しいなか、重松のわがままを快く聞き入れてくださった斎藤さんに、心よりの感謝を。

もちろん、最大の感謝は、本書をお読みいただいた皆さんにこそ捧げられるべきだろう。ほんとうにありがとうございました。

二〇〇五年一月

重松　清

解説

斎藤美奈子

重松清が好んで描くのは、どこにでもいそうな市井《しせい》の人々である。とりわけ現代を生きる中年男は、(現代を生きる少年少女と並んで) 彼が一貫して追いかけてきたテーマのひとつといえるだろう。直木賞受賞作『ビタミンF』で迷える父子の姿をオムニバス形式で描き出した重松清は、本書『流星ワゴン』でこのテーマをさらに掘り下げている。一言でいえば、父と子の(ディス)コミュニケーションの問題だ。

『流星ワゴン』には三組の親子——正確には父と息子——が登場する。

語り手/主人公の永田一雄は三十八歳。彼の家族は同い年の妻と中学一年生の息子・広樹だ。一家は東京近郊のマンションで表面上は平穏無事な生活をおくっていたが、広樹は少し前から荒れはじめ、妻は妻で得体の知れない外出が増えている。その矢先、リストラにひっかかってまさかの失職。いったいいつから歯車が狂いはじめたのか。壊れた家族を前に、一雄はふと「死」を考えてみたりする。

もう一組は、主人公の一雄と一雄の父。裸一貫から事業を興し、土建業とサラ金業で成功した父を一雄は嫌っていた。その父も六十三歳。末期ガンを患《わずら》って余命いくばくもなく、いまは郷里の病院で点滴につながれている。一雄は父の見舞いと称して月に何度か帰郷するが、それは「御車代」の名目で母から渡される旅費目当てでもあった。

そして三組目は、橋本さんと呼ばれる男性と、息子の健太くん。五年前、三十三歳のとき、橋本さんは信州の高原をドライブ中に運転を誤ってトラックと正面衝突、当時八歳だった健太くんともども即死したのだった。

物語は、この橋本親子のワゴン車に一雄が同乗し、過去へタイムスリップするところからはじまる。橋本親子は死んでいるのだから、いってみれば幽霊だ。が、この幽霊親子は妙にフレンドリーで、一雄の家庭の事情は全部知っているといい、一雄を「たいせつなどこか」に連れていくといいだす。そして一雄は、自分が死んでいるのか生きているのかもわからないまま、一年前のある場所に連れていかれ、闘病中であるはずの父と遭遇するのである。父は一雄と同年齢、三十八歳だったころに戻っていた。

〈「お父さんやら呼ばんでええ。わしら、ここじゃ朋輩《ほうばい》じゃけん。五分と五分の付き合いじゃ。おまえはカズで、わしは……そうじゃの、チュウさんでええわ」〉

大嫌いだったはずの父にそういわれた一雄ははたして……。

と、ここから先のストーリーは本文に譲るとして、荒唐無稽《こうとうむけい》なファンタジーであるにもかかわらず、『流星ワゴン』が「身につまされる」のはなぜなのだろう。

物語からしばし離れて、少しシビアな話をしてみたい。

『流星ワゴン』に出てくる三組の父子は、ちがっているようで、じつはよく似ている。父は息子のためを思いながらも彼の気持ちを本当には理解できず、息子の側も父にわだかまりを持っている（終盤、いっけん仲良しの橋本父子にも秘密が隠されていたことを読者は知る）。私は父にも息子にもなったことがないから、「『流星ワゴン』は涙なしには読めないよ」と洟《はな》をする世のパパたちの気持ちが完全に理解できるとはいえない（ごめんね）。でも、現実にもこういう父子が多いだろうなとは想像がつく。なぜって彼らの関係性は、個人の資質というよりも、近代の構造的な病に由来するからだ。

フランスの社会史家エリザベート・バダンテールは『XY——男とは何か』（筑摩書房）という本の中で、そのへんの事情をつぎのように説明している。

〈一九世紀半ばを過ぎて工業社会が実現すると、家庭は新しい相貌を帯び始めた。男性たちは一日中、工場、鉱山、オフィスなど家庭の外で働かなければならなくなった。都会に住む家族の父親と子どもとの接触は著しく減り、父親は子どもの目には、なにかわけのわからない仕事をしている遠い存在になってしまった。（略）その五〇年後には、世界は、交流のまったくない異質な領域に二分された。母親が管理する家族という私的な領域と、男だけの国である公的な職業の領域である〉

日本でも事情はまったく同じである。ことに戦後の高度成長期以降、職場と家庭は完全に分断され、父と子の距離はどんどん離れていった。父と息子の不幸はここからはじまる。家庭の中での居場所を失った父親は、（A）家長としての威厳を保とうとして権威をふりかざすか、（B）愛情ある父親を演じようとして子どもたちの機嫌をとるか、極端にいえばその二つしかなくなる。一方、息子は、父の生活圏（職場）と切り離されてしまったために、自己同一化の男性モデルを父の中に見いだすことがむずかしくなる。結果、最終的に残った父親像は〈近づきがたい遠い父親か、男らしくない軽蔑される父親〉の二つに一つだとバダンテールはいうのである。

〈父親は息子にとって、妥協を知らない近寄りがたい神のようだった。この恐ろしい男のことを後になって息子はこう言うであろう。「僕が家の外で何をしているのか、僕にどんな仲間がいるのか、彼は一度も尋ねたことがなかったし、僕の学校の成績を心配してくれたという記憶もない」。このように、権威主義の家父長と、よそよそしい母親とに苦しんだ子どもは、「並外れて愛情深い」父親になる。ところが今度は、このやさしい父親の子どもたちは彼を厳しく裁く。父親が妻の尻に完全に敷かれているように見えるからである〉（『XY――男とは何か』）

まるで『流星ワゴン』の二人の父、チュウさんとカズみたい！

『流星ワゴン』を読む人が「身につまされる」のは偶然ではない。社会学的にも根拠のある近代の父子の典型的な関係が、本書ではちゃんと描かれているからなのだ。

とはいえ、こうした社会学的な事象が「身につまされる」レベルで読者の心に訴えるのは、もちろん物語の力あってのことだ。

本文中にもチラッと出てくるように、『流星ワゴン』は映画の「バック・トゥ・ザ・フューチャー」を想起させるところがある。あるいは冷酷な老人スクルージが、クリスマスイブに亡霊の導きで自らの過去・現在・未来を垣間《かいま》見るお話、ディケンズの『クリスマス・キャロル』を思い出させる。過去に戻ってやり直したい、自分の未来を垣間見たいというのは人類の永遠の願望であるから、寓話であれSFであれ、「タイムスリップもの」は手を変え品を変え、さまざまな形で書かれてきた。物語の中で一雄を過去にいざなう橋本さんは、ディケンズの小説に現れるジェイコブ・マーレイの亡霊、彼らを乗せて過去へ飛ぶオデッセイは「バック・トゥ・ザ・フューチャー」でタイムマシンとして使われるデロリアンの役目を担っているともいえるかもしれない。

ただし、『流星ワゴン』が寓話ではなく、まぎれもない現代の物語である証拠のひとつは「やり直し」の可能性が封じられていることだ。マイナスの要素を取り除くことでハッピーエンドに至るマイケル・J・フォックスや、改心することでやり直しの可能性を手に入れるスクルージのようなわけにはいかないのである。

さらに重要なのは、一雄が悔いている「過去」の質である。一雄は自分自身の人生というより、妻や息子との関係性を悔いている。一雄が橋本さんに導かれていく場所が、自分の過去ではなく家族の過去、すなわち妻の浮気現場だったり、息子がひとりでたたずむ公園だったりするのはなぜなのか。「夫」として、「父」としての自分に悔いがあるからだろう。それはチュウさんも同じで、思い通りに近い生き方をしたであろう彼の唯一の心残りも、息子や孫との関係性なのだ。

身も蓋《ふた》もないことをいうと、出産や授乳というプリミティブな行為を伴う母とちがい、父っていうのは「関係性＝役割」でしかないようなところがある。だから現代の父たちは「父親らしさ」を演じることで懸命に「父」であろうとする。庭でキャッチボールをするとか、運動会でビデオカメラを回すとか、子どもを肩車するとか……。

そんな涙ぐましい努力がもっとも悲劇的な形で帰結したのが、橋本さん父子の場合だろう。父親らしくあろうとして、得意でもないクルマの免許を取り、ホンダのオデッセイを買い、助手席に息子を乗せてドライブに出かけた橋本さんは、父親らしさを演出しようとしたばっかりに、大事な息子ともども命を落としてしまうのだ。

関係性がもたらした悲劇。それは自分ひとりではいかんともしがたい要素を含んでいるからこそ、よけい悲劇的なのだ。一雄とチュウさんが父と子ではない出会い方をすることで「朋輩」に近づけたように、一雄と広樹も別の形で出会っていたら友達になれたかもしれない。ああ、なんという巡り合わせ。

しかし、重松作品の特徴のひとつは、明快な解決策ではなくとも、希望の兆《きざ》しのようなものを示して終わることである。『流星ワゴン』においても絶望的な結末は辛うじて回避される。最後に希望の兆候として登場するのが「黒ひげ危機一発」というちょっと時代遅れなゲームであること。それは、やや唐突ではあるものの、物語の行方を示唆していないだろうか。すなわち、ルールは変えてもいいのである。父と子を支配しているルールだって、もしかしたら改変は可能かもしれないのだ。

流星という言葉で私が思い出すのは、六〇年代のTVアニメ「スーパー・ジェッター」に出てきた「流星号」である。三〇世紀からやってきた少年が乗るタイムマシン、流星号。家族探しに出かける三人の父親が乗るのは、かっこいい流星号ではなく、ガルウィングのデロリアンでもなく、三列シートのミニバン、オデッセイである。がしかし、家族仕様で設計されたRV車は時を駆ける流星号に変身する。これも一種のルールの改変だ。

父と息子の物語である『流星ワゴン』では、母の立場は語られていない。一雄の妻の美代子はテレクラで知り合った男とホテルへ行くという形で夫を裏切っているし、チュウさんの妻、すなわち一雄の母は美代子以上に存在感が薄い。家族の中でただひとり生き残った橋本さんの妻、すなわち健太くんの母も、健太くんを失望させる風景のひとコマとして出てくるだけだ。それが描かれていたら『流星ワゴン』はもっと重層的な物語になったかもしれないが、しかし、本書はあえて父親の物語に徹することで、問題をクリアにしているように思われる。

〈今夜、死んでしまいたい。／もしもあなたがそう思っているなら、あなたの住んでいる街の、最終電車が出たあとの駅前にたたずんでみるといい〉

冒頭で「あなた」にこう呼びかけた語り手は、最後にもう一度念を押す。

〈乗り込めばいい。／あなたにとってたいせつな場所に連れていってもらえばいい〉

ここで「あなた」と呼びかけられているのは全国の「一雄」である。母の物語を遠景に追いやっても『流星ワゴン』が伝えなければならなかったこと、それは「あなたの『黒ひげ危機一発』を、あなたの『流星号』を見つけろ」というメッセージにほかなるまい。お父さん、あなたも「黒ひげ危機一発」に笑いころげ、「スーパー・ジェッター」に憧れた日があっただろう？　それを取り戻すのはけっして不可能ではないんだよと。

本書は、二〇〇二年二月、小社より刊行されました。

|著者|重松 清　1963年岡山県生まれ。早稲田大学教育学部卒。出版社勤務を経て、執筆活動に入る。1999年『ナイフ』で第14回坪田譲治文学賞、『エイジ』で第12回山本周五郎賞、2001年『ビタミンF』で第124回直木賞受賞。話題作を次々発表するかたわら、ライターとしても、ルポルタージュやインタビューを手がける。他の著書に『定年ゴジラ』『半パン・デイズ』『世紀末の隣人』『ニッポンの単身赴任』『ニッポンの課長』『きよしこ』『トワイライト』『疾走』『愛妻日記』『卒業』『教育とはなんだ』『最後の言葉』（共著）『いとしのヒナゴン』『なぎさの媚薬』『その日のまえに』『きみの友だち』などがある。

流星《りゅうせい》ワゴン
重松《しげまつ》 清《きよし》

2005年2月15日第1刷発行
2007年3月26日第20刷発行

講談社文庫
定価はカバーに
表示してあります

発行者——野間佐和子
発行所——株式会社 講談社
東京都文京区音羽2-12-21　〒112-8001
電話 出版部 (03) 5395-3510
販売部 (03) 5395-5817
業務部 (03) 5395-3615

デザイン—菊地信義
本文データ制作—講談社プリプレス制作部
印刷———大日本印刷株式会社
製本———大日本印刷株式会社

Printed in Japan

落丁本・乱丁本は購入書店名を明記のうえ、小社業務部あてにお送りください。送料は小社負担にてお取替えします。なお、この本の内容についてのお問い合わせは文庫出版部あてにお願いいたします。

ISBN4-06-274998-X

講談社文庫刊行の辞

二十一世紀の到来を目睫に望みながら、われわれはいま、人類史上かつて例を見ない巨大な転換期をむかえようとしている。

世界も、日本も、激動の予兆に対する期待とおののきを内に蔵して、未知の時代に歩み入ろうとしている。このときにあたり、創業の人野間清治の「ナショナル・エデュケイター」への志を現代に甦らせようと意図して、われわれはここに古今の文芸作品はいうまでもなく、ひろく人文・社会・自然の諸科学から東西の名著を網羅する、新しい綜合文庫の発刊を決意した。

激動の転換期はまた断絶の時代である。われわれは戦後二十五年間の出版文化のありかたへの深い反省をこめて、この断絶の時代にあえて人間的な持続を求めようとする。いたずらに浮薄な商業主義のあだ花を追い求めることなく、長期にわたって良書に生命をあたえようとつとめるところにしか、今後の出版文化の真の繁栄はあり得ないと信じるからである。

同時にわれわれはこの綜合文庫の刊行を通じて、人文・社会・自然の諸科学が、結局人間の学にほかならないことを立証しようと願っている。かつて知識とは、「汝自身を知る」ことにつきていた。現代社会の瑣末な情報の氾濫のなかから、力強い知識の源泉を掘り起し、技術文明のただなかに、生きた人間の姿を復活させること。それこそわれわれの切なる希求である。

われわれは権威に盲従せず、俗流に媚びることなく、渾然一体となって日本の「草の根」をかたちづくる若く新しい世代の人々に、心をこめてこの新しい綜合文庫をおくり届けたい。それは知識の泉であるとともに感受性のふるさとであり、もっとも有機的に組織され、社会に開かれた万人のための大学をめざしている。大方の支援と協力を衷心より切望してやまない。

一九七一年七月

野間省一